KB043026

II
외전

마셰리 장편소설

베아트리체

Beatrice

II
외전

마셰리 장편소설

베아트리체
Beatrice

· · · · ·

D&C
BOOKS

차 례

7. 우리 마님

7. 우리 마님

· · ◆ · ·

밀런은 미쉘과 입적 논의를 끝내고, 알렉산드로는 가문 간 불화를 잠재웠다. 시간은 유수처럼 흘렀다.

"사흘 뒤면 벌써 결혼식이네. 뭐…… 별건 없겠지만."

"여기서 이렇게 약식으로 결혼을 해 버려도 공작 부부께선 괜찮으시대요?"

"우리 집안에서 나한테 뭐라고 할 사람은 아버지뿐인데, 아버지가 날 포기하신 것 같아."

"기사님을요?"

"정확히는, 나를 후계자로 만드는 걸 포기하신 거지."

제 아들을 쿠피히트 공작으로 만들겠다는 장녀 미쉘의 의지가 워낙 강하고, 결국 그녀의 뜻을 꺾지 못한 밀런에게 깊이 실망한 탓이었다.

밀런은 이 사태를 관망한 아버지가 원망스럽지 않았다. 오히려

이렇게 되어 버린 게 다행이란 생각도 들었다. 이 길이야말로 제가
선택한 길이었다.

"알렉스와 모종의 계약을 한 거지?"

"어떻게 아세요?"

잘 가꿔진 정원을 쳐다보며 향기로운 찻물을 들이켜던 밀런이 눈
웃음쳤다.

"내가 그걸 모르겠어?"

"미리 말씀드리지 못해 죄송해요. 섭섭하셨다면…….”

"아니다. 섭섭하긴."

그가 웃으며 클로이에게 상체를 가까이 했다. 얼굴에는 약간의
장난기가 묻어났다.

"그런데 내가 너무 방해꾼이 된 기분이라 그건 좀 그래."

"방해꾼이라니요. 그렇지 않아요."

"그럼 둘이 무슨 대화를 나눈 거냐? 내게만 살짝 말해 봐."

"그냥, 4년 뒤에는 이혼할 수 있다는 말을 했어요."

"오호라."

"기다릴 수 있겠냐고 여쭤봤더니…….”

"알렉스는 그럴 수 있다고 대답한 거군. 그래, 알 만해."

"그분이 말씀하시던가요?"

"아니, 왠지 그랬을 것 같더라고."

클로이의 눈이 동그래졌다. 찻잔을 든 채로 굳어 버린 그녀에게
밀런이 순순히 사실을 말했다.

"네가 너무 좋대. 그런데 순순히 우리 결혼을 내버려 두잖아. 어
디 그럴 사람이야?"

"그럴 사람…… 아닌가요?"

"언제 이렇게 그의 이미지가 좋아졌지? 둘 사이에 무슨 일이 있었길래."

밀런이 짓궂은 얼굴로 씩 웃었다.

"예비 남편을 두고 바람이라도 피웠나?"

"기사님!"

"기분 나빴다면 미안."

"그런 일은 정말 없었어요."

"있었어도 뭐, 상관은 없어. 서운하게 들렸나?"

눈을 맞추던 클로이는 당황하며 찻잔으로 시선을 돌렸다. 뭐라고 대답을 해야 하나. 정말 정략적인 결혼이지만 어쨌든 밀런은 곧 남편이 될 사람이었다. 그녀가 난감해하자 밀런이 히죽거렸다.

"아무튼 왠지 그럴 것 같았어. 근데 알렉스가 계속 담담한 척하길래, 내가 속 좀 긁었지."

당시 상황을 떠올리던 그가 풋, 하고 웃음을 터뜨렸다.

"너한테 오팔 반지를 결혼 예물로 줄 거라고 했더니 아주 뒤집어지더라고."

오팔은 보통 행운이나 건강을 소원하는 부인들이 소지했다. 나쁜 보석은 아니지만 결혼 예물로 새 신부에게 줄 만한 보석은 결코 아니었다.

"아, 그 중고 드레스도 구하느라 마을깨나 뒤졌는데……."

"그래서 그분이 예물을 준비해 주시는 건가요?"

"응."

클로이는 그간 알렉산드로를 제대로 마주친 적이 없어서 이런 내막을 알지 못했다. 다만 시종들이 디자이너를 데려와서 치수를 재고 하는 게 그의 배려라고 어렴풋이 눈치채고 있었다.

오갈 데 없는 밀런이 볼모나 다름없이 잡혀 있는 처지에 그럴듯한 예물을 준비하는 게 말도 안 되기 때문이었다.

"날이 참 좋다. 우리 결혼식 날에도 그래야 할 텐데. 야외 예식을 할 건 아니지만 말이야."

태평도 하셔라. 클로이는 조용히 찻물을 음미하며 픽 웃었다.

"서류 정리만 끝나면 앞으로 수도에서 생활하게 될 거야. 별로 겁낼 것 없어."

"기대되네요."

"그래, 수도는 재밌는 곳이니까."

클로이에겐 아무렇지 않은 척했지만 밀런은 결혼 날짜가 다가올수록 불안했다. 그도 그럴 게, 마음에 걸리는 게 한 가지 있었다.

'반도라스 영애가 왜 이렇게 조용하지……?'

헤일라 반도라스.

그녀가 어떤 사람인가? 엄청난 추진력으로 별명은 멧돼지, 독설로도 유명해서 독사. 아카데미에선 황녀, 황자들과 말싸움도 피하지 않았다. 그 거칠 것 없는 언행으로 내놓은 목이 여러 개라고 한때는 전설의 괴수 '히드라'라고도 불렸다.

'과연 그녀가 날 이대로 놓아줄까…….'

미셸과 헤일라는 수도 사교계의 유명 인사였다. 둘은 한때 같이 다니기도 했었다. 미셸이 분명 이 소식을 전했을 텐데 헤일라가 너무 조용한 게 이상했다.

'아무리 요양 중이라도 말이지.'

명목은 요양이지만 그녀가 일탈을 즐기기 위해서 수도를 떠났다는 걸 모르는 사람은 없었다. 헤일라는 자유로운 생활을 즐기기로도 유명했으니까.

'빨리 해치웠어야 했는데, 괜히 결혼을 보름이나 미뤄선.'

알렉산드로가 원망스러웠다. 드레스와 예물을 제대로 준비하겠다고 무려 보름씩이나 결혼을 미뤘다. 남의 결혼식을 이래라저래라 하는 게 못마땅하지만 밀런은 찍소리 않고 알렉산드로의 말을 따랐다.

'헤일라 반도라스. 지금 대체 어디서 뭘 하는 거야?'

나타날 거면 제발 빨리 나타났으면. 갈수록 마음을 졸여 하루하루가 초조했다.

때마침 하인들이 시끌벅적 몰려가는 걸 보고 밀런은 자리에서 일어섰다. 외출했던 알렉산드로가 돌아올 시간이었다.

"이만 가 볼게. 네 예물을 고르러 가기로 했거든."

"어쩐지, 공작성이 시끄럽더니 상단들이 와서 그렇군요. 용병들이 많이 보여서 의아했거든요."

"남부의 내로라하는 보석 상단들을 전부 불렀다더군. 수도보다 나은지 얼른 가서 봐야겠어."

"전 드리는 게 아무것도 없는데……."

"신경 쓰지 마. 어차피 내가 주는 것도 아니니까."

밀런은 가벼운 볼 인사로 약혼녀에게 예를 갖췄다.

"간다."

"네, 나중에 뵈어요."

남부의 가장 큰 다섯 개의 상단이 공작성을 찾았다. 상단주들은 경쟁하듯 온갖 현란한 장신구를 펼쳐 놓았다. 눈부신 그 사이에서 알렉산드로는 신중하게 보석을 골랐다.

　"이봐, 칼스버그. 내 결혼식에 장소도, 주례도, 예물까지 전부 네가 준비해 주는 건 참 영광인데 말이야."

　그의 옆에서 구경하던 밀런이 불평하듯 작게 속삭였다.

　"내 신부에게 줄 반지까지 네가 고르겠다니 이건 좀 너무하지 않아?"

　"나도 원하지 않아."

　"근데 왜 이러는 거야? 그냥 돈만 납부해!"

　"어쩔 수 없다. 네 끔찍한 안목을 확인했으니."

　"아니, 그때는…… 하여튼 이건 너무 월권이야."

　밀런이 아무리 툴툴거려도 알렉산드로는 눈길 한 번 주지 않았다. 그의 시선은 오직 보석에 꽂혀 있었다.

　"결혼 예물이라고 하셨지요? 저희는 다이아몬드를 전문으로 하는 '쌍둥이 형제 상단'입니다."

　노신사는 싱긋 웃으며 커다란 알이 박힌 반지와 목걸이 세트를 보여 주었다. 샹들리에 아래 보석들은 제 몸값을 경쟁하듯 앞다투어 찬란하게 번쩍였다.

　"결혼 예물이라면 당연히 순결한 흰색 다이아몬드지요."

　알렉산드로는 그중에 가장 큰 다이아몬드가 들어간 반지 하나를 들어 올렸다. 눈부신 보석 위로 예리한 시선이 떨어졌다.

"그래, 그게 제일 크네. 그걸로 해."

멀리서 신기하게 생긴 진주 목걸이를 들어 올리던 밀런이 말했다. 알렉산드로는 그를 무시하고 상인과 대화를 이어 갔다.

"원산지가 어디지?"

"서부의 유명한 다이아몬드 광산입니다."

"엘몬트 다이아몬드 광산인가?"

엘몬트 광산은 어마어마한 규모의 보석 광산으로, 과거 그레이엄 영지에 속해 있었다.

"맞습니다. 보석도 잘 아시는군요. 엘몬트 다이아몬드 광산의 최고급 다이아몬드입니다."

"감정서."

"물론 지참했습니다. 여기 있습니다."

상인은 기쁜 얼굴로 감정서를 내밀었다. 이를 받아 든 알렉산드로는 감정서를 꼼꼼히 확인했다. 전생에 그가 질리도록 봤던 감정서라 가짜의 구별 정도는 우스웠다. 상인의 보석은 진짜 엘몬트 광산의 다이아몬드였다.

"엘몬트 광산이라면 황실 소유 아냐? 어쩌다 여기까지 왔지?"

"이 다이아몬드는 그레이엄이 황가가 되기 이전에 채굴된 것이다."

"맞습니다. 날짜도 정확히 적혀 있지요? 그래서 이 반지는 더 희소성이 있습니다."

"그럼 백 년이나 된 거야? 여태 왜 안 팔렸지?"

밀런이 진주 목걸이를 제 목에 걸어 보며 물었다. 상단주는 난감하게 웃었다.

"아무래도 이, 가격이……."

"오늘 주인을 만나겠군."

의미심장한 밀런의 말에 상단주의 얼굴에 절로 기대감이 서렸다.

알렉산드로는 다시 한번 반지를 불빛에 비춰 보았다. 다이아몬드의 질도 물론 중요하지만, 보석을 감싸고 지지하고 있는 세팅이 얼마나 정교한지도 중요했다.

"이걸로 하겠다."

마침내 알렉산드로가 결정을 내리자 동시에 다른 상단주들이 아쉬운 기색으로 탄식을 내뱉었다.

"아주 탁월한 선택이십니다!"

쌍둥이 형제 상단의 상단주는 싱글벙글 웃으며 목걸이와 반지의 감정서를 넘겼다.

"칼스버그 영지에 머무르게 되어 영광입니다."

값비싼 보석은 그 자리에서 구매할 수 없었다. 이 보석은 온전히 상단의 소유가 아니었다. 판매권은 상단에 있지만 보석은 은행과 광산의 공동 소유물이었다. 따라서 은행과 광산 양쪽에 이 사실을 알리고, 구매하는 쪽에서 따로 감정사도 불러야 했다.

"저희가 공작성에 하루만 더 신세를 져도 되겠습니까? 데려온 용병의 수가 많아서 오늘 당장 마땅한 숙소를 찾기가 어려울 것 같습니다."

"허락하지."

보석을 완전히 양도받기 위해서는 적어도 일주일은 걸린다. 반지의 경우 크기도 다시 맞춰야 했다. 이 과정을 모두 알고 있는 알렉산드로는 쉽게 허락했다.

감흥 없이 다른 보석들을 살펴보던 그때였다.

"다이아몬드는 아니지만, 엘몬트 광산의 보석을 좋아하시는 것 같아서 보여 드립니다."

거물을 만난 상단주는 재빨리 뒷줄에 있던 목걸이를 꺼내 보였다.

"'제국의 바다'입니다."

상단주가 들어올린 커다란 사파이어 목걸이가 알렉산드로의 눈에 들어왔다.

"엘몬트 사파이어 광산에서 온 최고급 사파이어에 장인이 세팅한 보물입니다. 마찬가지로 희소성이 있습니다."

알렉산드로는 그 사파이어 펜던트를 부드럽게 손에 쥐었다.

"뭘 그렇게 많이 사려고 그래. 목걸이 하나, 반지 한 쌍이면 됐지."

물론 알렉산드로는 밀런의 말을 들은 척도 안 했다.

'푸른 사파이어가 베아트리체에게 얼마나 잘 어울렸던가.'

제 눈동자를 닮은 보석, 사파이어에는 얽힌 추억이 많았다.

알렉산드로는 저절로 회상에 잠겼다. 자신이 선물했던 서른여섯 개의 사파이어 목걸이를 목에 걸고, 애정이 가득 담긴 눈으로 저를 올려다보던 그 순한 갈색 눈동자.

'그 순간의 나는 얼마나 행복했던가…….'

죽어도 여한이 없다고 생각했던가. 아니면 그 행복을 잃기 싫어서 죽음을 두려워했던가. 어느 쪽이든 행복에 겨워 살던 제 인생의 가장 찬란한 시절이었다. 하루하루가 너무나 행복했던 그때가 도무지 잊히질 않았다.

제국이 들썩였을 만큼 대단한 그 보석 때문이 아니었다. 가장 높은 자리에서 세상을 내려다보던 권력 때문도 아니었다.

그때 제 옆에 있던 여자 때문이었다.

'베아트리체.'

제 감정은 그때와 한 치도 달라진 게 없는데, 사랑하는 여자를 코 앞에 두고 사랑한다는 고백조차 할 수 없는 이 처지가 서글퍼졌다.

참으려고 그렇게 애썼는데, 사파이어 목걸이에 결국 무너지고 말았다. 알렉산드로는 쓰린 가슴을 위로하듯 푸른 사파이어를 움켜쥐었다.

"이것도 같이."

"저희 쌍둥이 형제 상단의 더없는 영광입니다!"

상단주가 함박웃음을 터뜨리며 급하게 서류를 찾았다.

"그럼 이 보석의 소유주가 되실 행운의 숙녀분 성함을 좀 알 수 있을까요?"

"……."

알렉산드로는 비참한 심정으로 옆을 돌아보았다. 밀런이 진주 목걸이를 벗으며 해맑게 대답했다.

"레이첼 도미닉. 레이첼 도미닉 백작 영애다."

"……."

"사흘 뒤에 내 신부가 될 사람이지."

쇼핑을 마친 두 사람은 예정된 결혼식 장소를 둘러보았다. 사제들, 주례, 그리고 증인 1명만 자리할 비공개 예식인 만큼 단출한 연회장이었다. 내내 친구의 눈치를 살피던 밀런이 말했다.

"알렉스, 네 심경이 얼마나 괴로울지 다 안다. 굳이 네가 우리 결혼식의 증인을 설 필요 없어."

"내가 해."

"……너 혹시 일부러 그러냐? 고통을 즐기는 거야?"

알렉산드로는 굳이 대답하지 않았다. 주위를 둘러보던 그는 한곳을 보고 멈칫했다. 미리 갖다 둔 건지, 천장을 장식할 하얀색 베일이 쌓여 있었다.

알렉산드로는 신부의 웨딩드레스를 연상시키는 그 하얀 베일에서 눈을 떼지 못했다.

"하아, 넌 영지에서 1년은 더 있을 거지?"

밀런이 사제의 의식을 위해 마련된 대리석 탁자에 걸터앉으며 물었다.

"집사장 할배가 널 붙잡으려고 아주 몸살을 앓던데."

"서녘으로 간다."

"서녘? 갑자기 거긴 왜?"

알렉산드로는 뒤도 돌아보지 않은 채 답했다.

"기사 서임을 받으려고."

"말을 좀 알아듣게 해. 서녘에는 신전도 없잖아. 그런데 어떻게……."

"황제의 기사가 될 거다. 신전이 아니라."

"그게 무슨 소리야? 이미 거절했잖아."

수도 무투회에서 두 번째 우승을 거머쥐었을 때, 알렉산드로는 황궁의 부름을 받았지만 거절했다. 황궁도 체면이 있지 거절한 이를 다시 부를 일은 없었다.

이제 와서 알렉산드로가 황제의 기사가 되려면 그럴듯한 공적이
필요했다.

"야만족만 득시글대는 서녘에 가서 어떻게 서임을 받겠다고……
너 설마 야만족 토벌에 참가하려는 거냐?"

뒤늦게 그 의도를 눈치챈 밀런의 목소리가 확 높아졌다.

"공작가 도련님이 거길 왜 가! 미쳤어?!"

서녘의 야만족은 악명이 높았다. 밀런은 수도를 떠나기 직전 알
렉산드로와 함께 보았던 장관을 기억했다. 황궁에서도 야만족 토
벌을 위해 기사단을 서녘으로 파견했지만 반년째 좋은 소식이 없
었다.

"그놈들이 얼마나 무시무시한지 몰라서 그래?!"

"그들은 그저 먹고사는 게 급한 오합지졸이다."

"뭐?"

"기사단에 맞서면 토벌당한다는 걸 분명히 알고 있어. 여태 진척
이 없는 건 다른 이유일 가능성이 크지."

밀런은 친구를 따라 머리를 굴렸다. 서녘의 영주들은 몇 년째 야
만족 때문에 황실과 소원해진 가문들이었다. 그들 역시 제국 기사
단에 자금을 대는 건 마찬가지이건만. 느슨해진 동맹 관계를 고려
하면 결론은 하나뿐이었다.

"그렇다면……?"

설마 그들이 반역을 도모하는 건가? 등골이 오싹했다. 할 말을
잃은 그는 널찍한 친구의 등짝을 쳐다보다 간신히 입술을 떼었다.

"그렇다고 해도 너 혼자 거길 간다고 뭐가 달라질 것 같아? 아

니, 갑자기 기사 서임은 왜 받겠다는 건데!"

아마 클로이가 스치듯이 했던 그 말 때문이겠지. 기사님과 결혼하는 게 꿈이었다던.

'저 등신 같은 놈.'

밀런은 하얀 베일을 만지작거리는 알렉산드로가 그렇게 미련하고 멍청해 보일 수 없었다. 묵묵히 연회장을 나서는 알렉산드로의 뒷모습을 노려보다 밀런이 중얼거렸다.

"……나도 간다. 야만족 토벌."

알렉산드로는 갑작스런 밀런의 출정 결정을 만류했다. 만약 그런 위험한 곳에 갔다가 재수없게 목숨을 잃어 클로이가 과부가 되면 어찌한단 말인가? 이혼도 못 해 주고.

밀런은 가문의 일을 끝내는 게 우선이었다. 그렇게 설득하자 밀런은 서류 준비에 열을 올렸다. 조카를 양자로 들이는 일이 가장 민감한 사안이었다.

다행히 미쉘의 적극적인 도움으로 일은 빨리 마무리 지어졌다.

그러는 사이, 결혼식은 벌써 하루 앞으로 다가왔다.

"반지도 마음에 들 거야. 내가 고르진 않았는데 정말 예뻐."

클로이는 밀런과 가볍게 팔짱을 끼고 정원을 산책 중이었다. 날씨도 선선하고 햇볕도 따사로운데 당장 내일 결혼식을 치른다 생각하니 클로이는 이상하게 착잡했다.

"알렉스가 숙녀의 보석을 아주 잘 아나 봐."

"은근히 능숙하시더라고요."

"깜짝 놀랐다니까."

알렉산드로 본인 말로는 여자를 만나 본 적도 없다면서 막상 행동은 그렇지 않았다. 의심되는 게 한두 가지가 아니었다.

"그런데 오늘 공작성이 왜 이렇게 소란스럽죠? 결혼식은 약식이라면서요."

"아, 그게 우리 결혼식 때문이 아냐."

"그럼요? 시종장이 특히 바빠 보이던데."

밀런은 클로이에게 걸음을 맞추며 내일 있을 행사를 설명했다. 칼스버그 영지의 일이었다.

"저번 축제 때 보름달이 뜨지 않았잖아."

"그랬죠. 하필 그날 안개가 자욱해서……."

원래는 풍요로운 한 해를 기원하며 보름달에 소원을 비는 게 축제의 하이라이트였다. 그런데 달이 자취를 감춰 행사가 무산되는 바람에 한바탕 난리가 났었다.

"신기하게도 내일 보름달이 다시 뜬다지 뭐야. 축제 때보다 더 크고 둥근 달일 거래."

"아하, 그래서 지금 공작성이 이렇게 소란스럽군요. 내일 행사를 준비하려고."

"그렇지."

"영지민들 마음을 달래 주려고 열심이네요."

새삼 칼스버그 대공이 얼마나 좋은 영주인지 실감났다. 심지어 그는 수도에 있는 시간이 더 많은데도 영지민들은 그를 전폭적으로 신뢰하고 지지했다.

"칼스버그 대공님은 인품이 훌륭한 분이실 것 같아요. 영주님도 안 계신데 시종들이 저렇게 애쓰는 걸 보면요."

"말도 마라."

밀런은 진절머리가 난다는 듯 낮게 혀를 찼다. 이곳의 하인들과 얘기를 나누다 보면 항상 마지막은 칼스버그 대공이 얼마나 뛰어난 사람인가 하는 찬양으로 귀결됐다.

"대공님도 언젠가 위인으로 남겠지. 저 가문에 유명한 사람이야 즐비하다만."

"칼스버그 가문은 정말 대단해요. 역시 제국에서 가장 뛰어난……."

순간 쿠피히트 가문도 제국의 공작가 중 하나란 걸 상기하곤 클로이는 급히 말끝을 흐렸다.

'기분이 상한 건 아니겠지?'

다행히 밀런은 신경도 쓰지 않는 눈치였다.

"그 집안에 모자란 건 무인뿐이지만 이젠 뭐, 알렉스가 있으니."

그는 알렉산드로와의 대화를 상기했다. 서녘의 야만족 토벌에 관해서였다. 저 같은 범인들은 누가 등을 떠밀어도 가지 않을 위험천만한 곳에 제 발로 가겠다는 알렉산드로가 신기하고 존경스러웠다.

"마음을 잡았나 봐. 갑자기 기사 서임을 받겠다네?"

"알렉산드로…… 님이요?"

"응. 기사단에 들어가서 몇 년간 서녘의 야만족 토벌에 자원하겠대."

'야만족 토벌?'

순간 클로이의 눈이 확 커졌다. 자세히는 몰라도 매우 위험한 일처럼 들렸다.

"이제야 한자리하고 싶은 모양이지. 그 사지에 뛰어들겠다는 걸 보면."

"그렇다고 해도 굳이…… 그러실 필요 없지 않나요?"

"전혀 그럴 필요 없지."

기사단에 입단한 신입들은 시종인 '종자' 단계부터 시작하지만, 수도의 무투회 우승자는 최소 10년 이상 수련한 중급 기사로 대우받는다.

"사실 알렉스는 벌써 몇 번이나 황궁 근위 기사단에서 제의를 받았어. 근데 거긴 죽어도 가기 싫은가 봐."

"왜요?"

"근위 기사단은 사실 실력보단 얼굴이거든. 겉모습만 번지르르한 놈팡이들과 어울리기 싫은 거겠지."

"아……."

알 만하다. 그래도 그렇지 왜 그런 위험천만한 곳을 자처해서 간단 말인가? 남들은 억만금을 줘도 안 갈 텐데. 그런 개고생을 자처하는 게 영 바보 같고 미련해서 제 가슴이 다 답답했다.

"가족들은요? 많이 위험한 것 같은데, 칼스버그 가문의 유력한 후계자가 그런 사지에 목숨을 걸고 떠나는 걸 허락하시겠어요?"

"그야 반기지 않겠지. 하지만…… 이 집안에 알렉스를 말릴 수 있는 사람이 아무도 없어."

밀런은 비밀을 말하듯 클로이의 귓가에 속삭였다.

"그 성격을 누가 말리겠어? 누구 말인들 듣겠냐고, 알렉산드로가."

클로이는 저도 모르게 동감하며 고개를 끄덕거렸다. 하긴, 그러니까 제국을 유랑하겠다는 말도 안 되는 일도 허락했을 것이다.

'그 남자가 다른 사람의 명령을 듣는 게 상상이 안 돼.'

의기소침하게 제 눈치를 살피던 그 모습도 얼마나 충격이었던가. 그날 밤의 일만 생각하면 아직도 등골이 오싹했다.

"나도 다녀와도 돼?"

"……네?"

순간 생각에 잠겨 있던 클로이가 깜짝 놀라 눈을 깜빡였다. 밀런이 해맑게 말했다.

"야만족 토벌."

"…….."

"나도 다녀와도 되냐고."

할 말을 잃은 그녀가 입술만 달싹였다. 여태껏 야만족 토벌이 얼마나 위험한지 실컷 떠들어 놓고, 거길 가겠다고? 제정신인가? 그런 표정으로 쳐다보자 밀런이 변명하듯 말했다.

"수도에 돌아가 봤자 내가 뭘 하겠어. 아버지 눈 밖에 났는데 나도 내 살길 스스로 찾아야지. 안 그래?"

"근위 기사단도 있잖아요."

"거긴 원한다고 들어갈 수 있는 데가 아니야. 난 입단 권유도 못받았어."

"그래도…… 그래도."

당황하며 눈을 굴리던 클로이가 걸음을 멈췄다.

"뭔가 다른 수는 없나요? 꼭 그런 위험한 곳에 가셔야겠어요?"

"어험."

밀런은 놀라 헛기침을 했다. 클로이가 간절하게 저를 올려다보는 눈빛이 정말 사랑으로 결혼을 약속한 소중한 약혼녀가 진심으로 남편을 걱정하는 것 같았다. 이런 반응은 예상치 못했는데. 머리를 긁적인 그가 중얼거렸다.

"이미 같이 가자고 말했는데……."

"저를 남편 따라 죽지 못한 미망인으로 만드시려고요?"

"어허, 요즘 누가 그런 말을 써."

"근데 왜 거길 가겠다는 거예요? 하필이면 그런 사지에!"

"오, 벌써 날 이렇게 걱정해 주는 거야? 이거 감동인데."

장난스럽게 상황을 모면하려는 진지하지 못한 태도에 클로이가 그를 째려봤다.

"근데 혹시, 까먹은 건 아니지?"

"뭘요."

"내가 죽으면 내 재산은 다 네 거야."

그가 철없이 히죽 웃었다. 가볍게 등짝을 맞은 밀런은 이만 가서 알렉산드로와 의견을 나눠야겠다며 부리나케 정원을 나갔다.

"예비 신부가 거긴 너무 위험해서 못 가게 한다고 자랑이나 해야지!"

클로이는 뺀질이처럼 사라지는 그의 뒤에 대고 소리쳤다.

"안 가겠다고 해요!"

"생각해 보고!"

끝까지 미적지근한 대답에 그녀는 불안한 심경을 감출 수 없었다.

'그 사람도 안 갔으면 좋겠는데…….'

하지만 어떻게 알렉산드로를 말린단 말인가. 제가 무슨 자격으로.

'집안에서 말리겠지. 아무리 그래도 설마, 대공작 가문의 가장 유력한 후계자를 그런 사지에 보내겠어?'

클로이는 야만족 토벌에 관해 아는 게 없었다. 워낙 위험한 곳이라 그곳에 보내지는 전사들은 용병이나 큰 죄를 지은 죄인들이라 했다. 황실에서 서녘의 위험 상황을 감지하고 기사단을 파견한 것도 단 한 번뿐이었다.

'누군가는 말릴 거야. 내가 아니어도 가지 말라고 할 거야, 분명히.'

그래, 그럴 거다. 정원에 혼자 남은 클로이는 애써 불안한 마음을 다잡았다.

깊은 고뇌에 빠진 탓일까. 그녀는 제 뒤에 드리운 커다란 그림자를 미처 보지 못했다.

"도련님, 이게 무슨 마른하늘에 날벼락 같은 소립니까! 야만족이라니요! 야만족 토벌이라니요!"

집사장은 거의 뛰어가듯 알렉산드로의 옆을 따라붙었다. 말도 안 된다는 듯, 그가 언성을 높였다.

"도련님이 왜 그런 사지로 떠나십니까? 도련님이 대체 왜요!"

따지다 보니 집사장은 화가 치밀었다. 잇새로 거친 숨이 터졌다.

"그레이엄 영지에 사는 사람들은 그곳을 '죽음의 평원'이라 부른 답니다!"

그레이엄 영지와 옛 엘파사 왕국이 있던 지역은 모두 황실령이 되었다. 하지만 사람들은 아직도 그레이엄 영지만은 그 이름으로 불렀다.

"야만족뿐만 아니라 그곳을 지키는 전사들의 수준이 너무나 저급해서 도처에 범죄가 끊이지 않는다더군요!"

야만족이 들끓은 건 30년 전부터였다. 제국이 통일되고, 옛 엘파사 왕국의 백성들에게 후한 위로금이 전해지면서 그레이엄 영지와 엘파사 왕국의 접경 지역에는 야만족이 생겨났다.

황실 가문이 된 그레이엄이 완전히 수도로 옮겨 가고, 경비대가 점차 사라지자 치안이 느슨해진 탓이었다.

"도련님이 대체 뭐가, 어디가 모자라서 그런 곳에 가신단 말씀입니까?"

"귀가 따갑다. 그만해."

"도련님!"

시종장은 둘의 뒤를 따르며 초조하게 양측의 눈치를 살폈다.

'저 노인네 정말 노망이 들었나. 누구한테 소리를 치고 지랄이야?'

그의 시선이 숨 가쁘게 양쪽을 오갔다.

'근데 우리 도련님도 정말 이해가 안 가. 대체 왜 거길 가시겠단 거지?'

고개를 뻣뻣이 든 집사장이 비장한 어조로 말했다.

"도련님께서 대공작의 작위를 받으실 날만을 기다렸습니다. 그 누구보다 제가 가장 간절했을 겁니다. 잘 아실 테지요!"

"집사."

"저를 처음 만난 그날! 다섯 살 그 어린 나이에 60대 노인이었던 제게 뭐라 하셨습니까!"

"……."

"'사는 게 낙이 없어 죽고만 싶다'했더니 그러셨지요!"

"……."

"삶을 소중히 여겨라, 다 부질 없다 여겼던 그 마지막 날에는 지난 모든 날들이 그리울 것이다!"

다섯 살이 저런 말을? 시종장은 눈을 휘둥그레 떴다가 이내 이해가 간다는 듯 고개를 끄덕였다. 그래, 둘째 도련님은 조숙했다. 보통 어린애가 말을 잘하는 수준이 아니라 생각이며 행동이 워낙 어른 같았다.

'어린애 몸에 노인이 있다고들 했었어.'

시종장은 눈앞의 말싸움도 잊고 어린 날의 알렉산드로를 떠올렸다.

'유치가 빠져서는 다 새는 발음으로 동생들에게 설교를 하시곤 했지.'

그때를 그리던 시종장의 입가에 저절로 미소가 떠올랐다. 알렉산드로는 이제 막 말을 시작한 어린 동생들에게 삶과 행복, 사랑에 관한 설교를 늘어놓곤 했다. 돌이켜보면 떡잎부터 완전히 달랐다.

'그 난해한 얘기들이 헛소리가 아니었어.'

문득 아들이 하는 말에 깊은 감명을 받은 칼스버그 대공은 어린 알렉산드로를 데리고 변방의 영지를 자주 시찰 다녔다. 더 많은 걸 보고 배우라는 가르침이었다.

그 덕분인지 알렉산드로는 어느 순간 완전히 다른 사람이 되었다.

'열 살 무렵이었던가?'

어릴 때부터 천재 소리를 듣던 알렉산드로는 갑자기 검술이며 마장 마술에 큰 흥미를 보이기 시작했다. 물론 전에도 관심 있어 하긴 했지만 어린 도련님은 집안의 분위기를 따라서 책만 열심히 읽었다.

그랬던 그가 열 살 무렵부터는 확 달라졌다. 그 나이에 가질 수 없는 절대적인 자아를 갖고, 누구의 말도 듣지 않고 스스로 고민하고 판단한 뒤 결정하기 시작한 것이다.

이후부턴 어느 누구도 알렉산드로에게 대들거나 명령할 수 없었다.

'그럼, 어딜 감히 도련님께.'

한 배에서 난 동생이며 형은 물론이고, 심지어 부모인 대공 부부조차도 아들을 어려워했다.

그런데 저 집사장이 정신이 나갔는지 감히 도련님 앞에서 목에 핏대를 세웠다.

"어떻게 이러실 수 있습니까! 도련님이 스스로를 후계자라 인정하는 그날만을 기다리던 이 늙은이에게 어떻게 이런 실망을 안겨 주십니까!"

"후우……."

"결혼을 하지 않으시겠다는 것도 이해가 안 되는데 하다 하다 이제는, 이제는 죽음의 평원으로 떠나겠다 하십니까!"

집사장은 거의 악을 썼다.

"그것도 4년씩이나—!"

말을 마침과 동시에 집사장은 목뒤를 잡고 쓰러졌다.

"집사장님!"

"알프레도 님! 알프레도 님!"

"어서 가서 의사를 불러라!"

달려들어 그를 부축한 시종들은 난리가 나서 우왕좌왕했다. 집사장에게 한 마디 하려던 알렉산드로는 그냥 입을 다물었다.

다행히 집사장은 진짜로 정신을 잃은 게 아니었다.

"으흥……."

그가 슬그머니 실눈을 뜨는 걸 보고 알렉산드로는 저도 모르게 어이없는 비소를 터뜨렸다.

'누굴 닮았나 했더니.'

구렁이처럼 능글거리는 게 던칸을 연상시켰다. 그가 베아트리체 앞에서 저런 쇼를 벌이는 걸 몇 차례나 목격했었다.

'능청스런 노인들은 꼭 저런 식으로 고집을 피우는군.'

여전히 시종의 부축을 받으며 사경을 헤매는 척하는 집사장을 내려다보며, 알렉산드로는 품에서 편지를 꺼냈다.

"시종장."

"예!"

"아버님께 전하는 편지다. 지금 전령조를 보내."

"……."

시종장은 마치 부고 소식을 알리는 조의문처럼 그 편지를 내려다 보았다. 아들의 반복된 일탈에 이미 익숙해진 칼스버그 대공은 이마저도 '그래, 그러거라.' 할 게 뻔했다.

"뭐 하나."

고민하던 시종장이 어렵게 말문을 열었다.

"도련님, 물론 도련님의 뛰어난 검술 실력은 정평이 나 있지만 그래도 그 위험한……."

싸늘한 알렉산드로의 눈빛을 정통으로 맞은 시종장은 얼른 말을 바꿨다.

"……이런 중요한 말씀은 인편을 보내시는 게 낫다고 사료됩니다. 제가 직접 갈까요? 오랜만에 수도 구경도 할 겸……."

알렉산드로는 더 대화를 이어 갈 의지가 없다는 듯 편지를 건네고 몸을 돌렸다.

그때, 미련을 버리지 못한 집사장이 신음하듯 애원했다.

"그럼 가면무도회라도……."

"……."

"내일 밤……."

"알았다."

그놈의 무도회 타령. 지긋지긋해진 알렉산드로는 쉽게 이를 허락했다. 당장 내일 밤인데 뭐 그리 많은 인원이 오겠나 싶어서였다.

집사장은 유언이 끝난 사람처럼 다시 툭 고개를 떨어뜨렸다.

"어어, 집사장님!"

그 쇼를 지켜보던 시종장이 착잡한 한숨을 내쉬었다. 알렉산드로가 어깨 너머로 명령했다.

"전령조를 보내. 지금 당장."

"예!"

대충 상황을 마무리한 그는 응접실로 향했다. 남부의 귀족들이 자신을 기다리고 있었다.

귀찮은 일을 그렇게 거부하던 알렉산드로가 마음을 바꾼 건 밀런의 일 때문이었다. 자신이 가문 간 불화라는 큰일을 저질렀다. 각오는 되어 있었으나 그토록 후계를 부정해 왔으니 부모님과 형님께 사죄하는 마음이었다.

긴 복도를 걷던 그가 문득 창문 밖으로 시선을 던졌다.

아름다운 정원. 한적한 그곳에 길 잃은 산토끼처럼 우두커니 서 있는 클로이가 보였다. 가끔은 스스로의 눈썰미가 무서울 정도였다.

'어떻게 이렇게 귀신같이 찾아내는지.'

모르겠다. 그냥 항상 시선이 닿는 곳에 그녀가 있었다. 그녀가 있는 곳에 제 눈이 따라가는 건지, 아니면 우연인지. 우연을 가장한 운명의 증거일지도 모른다. 홀로 쓸쓸한 미소를 띠던 그때였다.

갑자기 클로이의 뒤에서 나타난 누군가 그녀의 입을 틀어막고 큰 나무 뒤로 몸을 숨겼다. 눈 깜짝할 새 벌어진 일이었다.

"도련님……? 도련님!"

"어디 가십니까!"

알렉산드로는 급하게 복도를 뛰어나갔다.

클로이는 순식간에 그늘진 나무 뒤로 끌어갔다. 사방이 가려져 있어 쉽게 발견되기 어려운 곳이었다.

"읍! 으읍!"

아무리 소리쳐도 소용없었다. 얼굴을 반이나 가릴 만큼 커다란 손이 그녀의 입을 틀어막고 있었다.

"쉬이…… 해치지 않아."

정체를 알 수 없는 남자. 그가 나무에 몸을 기댄 채, 클로이의 뒤에서 상체를 끌어안듯 몸을 결박하고 있었다. 정말 죽일 생각은 없는지 악력이 그리 세진 않았다.

"소리 지르지 않는다고 약속하면 손을 놓아주지."

"읍! 으읍! 으읍!"

클로이는 열심히 고개를 끄덕였다. 그러자 그가 천천히 얼굴에서 손을 떼었다. 잔뜩 긴장한 클로이는 뭍에 나온 물고기처럼 할딱였다.

입을 풀어 주고도 그녀가 조용하자 그는 결박한 몸도 천천히 놓아주었다. 자유로워진 클로이는 거의 튕겨나가듯 움직였다.

뒤를 돌아보자, 의문의 사내가 그녀를 보고 반가운 미소를 지었다.

"팔자가 좋아졌군. 못 본 사이에."

붉은 머리의 거한. 이 인상착의를 쉽게 잊긴 어려웠다.

"해결사 릭 쉐도우……?"

이 남자가 왜 여기 있지? 의문과 동시에 클로이의 머릿속에 공작성을 방문한 상단과 그들을 따라온 용병들이 떠올랐다.

제 결혼반지를 구매한 곳이 쌍둥이 형제 상단이라고 했었다. 그리고 릭 쉐도우는 쌍둥이 형제 용병단에 속해 있었다.

한 명은 용병단을, 한 명은 상단을 하고 있는 쌍둥이였나 보다!

"내 이름을 기억해 주다니 영광이군. 무려 백작 영애께서."

"……."

클로이는 마른 입술을 축였다. 딱히 지은 죄는 없지만 불량스러운 저 말투 때문에 저절로 겁이 났다.

따지고 보면 키도 알렉산드로보다 작고, 체격도 그보다 작다. 한데 저 붉은색 머리카락이 문제였다. 꼭 고슴도치처럼 사방으로 뻗친 저 붉은 머리가 영 미치광이 같아 보여 주눅이 들었다.

클로이는 주먹을 꽉 움켜쥐었다. 겁먹지 말자. 겁은 티도 내지 말자. 저자는 아무것도 아니다. 사람을 납치하거나 해칠 거라면 진작 덤볐겠지.

'그래, 난 아무것도 겁나지 않아. 겁쟁이가 아니야!'

단단히 마음먹은 그녀가 일부러 고개를 치켜들었다.

"무, 무, 무슨 일이시죠?"

"그냥."

씩 웃은 그가 한 발자국 가까이 다가왔다.

"개인적인 호기심?"

"개, 개인적이 호기심이 왜 하필이면 저한테……."

"고귀한 영애께서 왜 그런 시골 바닥을 누비고 돌아다니셨을까. 그것도 거지 같은 몰골로 말이야."

릭은 클로이를 가운데 두고 원을 그리듯 천천히 걸음을 옮겼다.

"도박에는 또 어떻게 그렇게 능한 거지?"

클로이는 꼼짝도 할 수 없었다. 그는 먹이를 앞에 둔 미친개처럼 보였다.

"돈을 후하게도 나눠 주시더군? 거저 얻다시피 했더라도 말이야."

"……."

"도미닉 백작가가 누군가에게 돈을 나눠 줄 만큼 넉넉한 집안도 아닌데 말이지……. 안 그런가?"

제게 속삭이듯 하는 말에 클로이는 거의 졸도 직전이었다.

'이 사람이 내 출신까지 대체 어떻게 알지……?'

용병단의 정보력은 아무도 따라갈 수 없었다. 그렇다 해도 용병과 생전 처음으로 이렇게 오랜 대화를 나눠보는 클로이는 그저 경악스럽기만 했다.

릭이 마침내 자리에 멈춰 섰다. '흐음' 하고 여유롭게 팔짱까지 꼈다.

"미끼를 던졌는데 물고기가 조용하길래 다시 보니까 갑자기 소공작과 결혼을 한다네. 이게 뭐지?"

혼자 말하고 그가 어이없다는 듯 웃었다.

"뭐 그런 호기심?"

어느새 가까이 다가온 그가 두 번째 손가락으로 그녀의 턱을 들어 올렸다. 클로이는 침을 꼴깍 삼켰다.

요리조리 얼굴을 뜯어보다시피 한 그가 말했다.

"확실히 내 취향은 아니야."

"그, 그것참 다행이군요."

"물론 백작 영애께서도 일개 용병이 마음에 들진 않겠지."

'응?'

뉘앙스가 뭔가 이상하다. 클로이는 눈알만 굴려 그를 응시했다가 광견병 걸린 개처럼 번뜩이는 눈빛에 급히 다시 시선을 돌렸다.

"무척 영악해 보이면서도 순진해 보여. 머리를 쓰는 것 같은데 얄밉지 않아. 겁쟁이 주제에 제법 강단은 있고…… 넌 뭐지?"

좋게 말하면 부리부리한 안광이 심히 부담스러운 사내였다.

"왜 귀여워 보이지? 겨우 이런 얼굴이."

그가 검지로 클로이의 얼굴을 획획 돌렸다.

"왜 여기까지 날 쫓아오게 만들었지?"

"오시라고 한 적이, 맹세코 단 한 번도……."

그녀가 절레절레 고개를 젓던 그때였다.

픽, 소리와 함께 릭이 떨어져 나갔다. 나무에 부딪친 그는 꽤 아픈 듯 인상을 찡그렸다. 놀란 클로이가 가슴께를 부여잡곤 옆을 돌아보았다.

'밀런?'

인 줄 알았지만 알렉산드로였다. 그가 맹렬히 화가 난 얼굴로 가슴을 들썩였다. 움켜쥔 주먹 때문인지 하얀 셔츠의 가슴과 팔뚝이 찢어질 것처럼 팽팽했다.

"도련님! 도련님……!"

뒤에서 시종들이 그를 불러 대는 소리가 들려왔다.

"워워, 기사님. 이거 오해가 있으셨습니다."

릭은 무고한 사람처럼 두 손을 들어 올렸다가 비겁하게 재빨리 주먹을 날렸다. 이를 가볍게 피해 낸 알렉산드로는 거의 눈이 뒤집혀서 그에게 달려들었다.

'이걸 어떡하지?'

두 남자가 엉켜든 난장판을 보면 시종들이 얼마나 놀랄지 눈에 훤했다. 게다가 상대는 용병 아닌가.

"도련니임……!"

시종들이 달려오는 뒤편을 쳐다보다, 당황한 클로이는 덥석 알렉산드로를 말리기 시작했다.

"그만하세요……! 전 괜찮아요. 그만하세요! 이러지 마세요!"

알렉산드로는 릭을 나무에 밀어붙이고 일방적으로 구타하고 있었다. 도무지 멈출 기세가 없자 발을 동동 굴리던 클로이는 냅다 허리를 끌어안았다.

"그만 하시라니까요!"

그러자 마법처럼 알렉산드로가 뚝 멈춰 버렸다. 움직이는 인형의 열쇠를 뽑은 것처럼, 작은 미동도 없었다.

"쿨럭, 백작 영애께서…… 제게…… 맡길, 용무가 있다고…… 따로 부르신 것뿐입니다."

얼굴이 피떡이 된 릭이 변명하듯 말했다. 기가 막혔다. 용병 사내의 교활함은 미처 따라갈 수가 없었다.

'내가 언제! 내가 언제 불렀어!'

화가 나서 뭐라고 반박하려던 그 순간이었다.

두근. 두근. 두근. 두근.

클로이의 귀와 얼굴 전체에 거센 심장 박동이 느껴졌다. 얼굴이 확 달아올랐다.

"⋯⋯!"

그제야 자신이 알렉산드로를 끌어안고 있단 걸 깨달은 그녀가 화들짝 손을 놓고 멀어졌다.

아직도 볼과 얼굴에 딱딱한 저 등짝의 감촉이 선명했다.

'얼굴이 또 빨개졌겠지.'

안 봐도 뻔했다. 클로이는 열이 오른 양 볼을 감싸 안고 어쩔 줄 몰랐다.

'미쳤나 봐. 내가 왜 그랬지. 왜 마음대로 끌어안아서⋯⋯!'

두근. 두근. 두근. 두근.

알렉산드로의 심장 뛰는 소리가 도무지 잊히질 않았다. 누군가 귀 옆에서 둥, 둥, 둥 악기를 치듯이 온 세상이 전부 두근거렸다.

이상한 일이었다. 더는 그의 등짝에 귀를 대고 있지도 않은데 그 고동이 제게 울리고 있었다. 그것도 아주 빠른 속도로⋯⋯.

'이 소리가 원래 이렇게 선명한가?'

이 소리는 원래 이렇게 듣기 좋은가. 원래 이 거센 심장 박동은 전염되기까지 하는 건가. 그래서 내 가슴도 덩달아 뛰고 있나.

"아주, 쿨럭! 중요한 용무라 하셔서, 하는 수 없이."

허공에 주먹을 치켜들고 있던 알렉산드로는 뒤늦게 용병을 놓아 주었다. 뭐라고 계속 변명을 했지만 알렉산드로는 어떤 말도 듣지 못했다.

세상이 멈췄다가 다시 시작되었다. 중간에 무슨 일이 있었는지는 무의미했다.

"두 번 다신 그녀의 곁을 얼쩡거리지 마라."

평소 같으면 용병을 확실히 처리했겠지만 지금의 알렉산드로에 겐 더 급한 일이 있었다. 뒤를 돌아본 그의 짙은 눈썹이 미세하게 구겨졌다.

'어디 갔지?'

클로이가 보고 싶었다. 그 얼굴, 그 눈빛, 손짓, 입술을 달싹이는 모습. 그녀의 모든 게, 너무나…… 보고 싶었다.

하지만 클로이는 이미 정원을 달려 나가는 중이었다. 드레스 자락을 움켜쥐고 병아리처럼 쪼르르 뛰어가는 모습이 어찌나 귀여운지 한걸음에 쫓아가 옆을 따라가서 얼굴을 보고 말을 걸고 싶었지만 알렉산드로는 그러지 못했다.

내일이 바로, 밀런과 그녀의 결혼식이었다.

아침부터 공작성의 하인들은 바쁘게 움직였다.

오후에는 약식이라도 결혼식을 준비해야 하고, 저녁에는 보름달에 소원을 비는 행사를 주관해야 하고, 밤에는 가면무도회가 있었다.

집사장은 하얀 꽃과 베일로 단출하게 꾸며진 연회장을 바라보다 심술궂은 소리를 냈다.

"떼잉."

배알이 꼴렸다. 지금 결혼이 시급한 사람이 누군데 남의 가문 결혼식이나 준비하고 있다니. 그것도 소탈하고 영리한 백작 영애를 놓친 게 무척이나 속이 쓰렸다.

'어쩌면 도련님의 신부가 됐을지 모르는데.'

아무리 생각해도 알렉산드로의 눈빛이 심상치 않았다.

'도련님이 언제 그런 눈으로 사람을 쳐다본 적이 있었나.'

그가 애지중지하는 말, 크산토스 외에는 일절 없었다. 사람도 아니지만. 미련을 떨치지 못한 집사장이 어깨를 축 늘어뜨린 채 연회장 이곳저곳을 확인했다.

"집사장님!"

뒤에서 급하게 시종이 달려왔다. 집사장은 심드렁히 몸을 돌렸다.

"무슨 일이냐. 방정맞게."

"죄, 죄송합니다. 사안이 워낙 급한 일인 듯하여……."

"뭐지."

"저, 그게…… 헤일라 반도라스 영애께서 방문하신답니다."

"반도라스?"

일순 집사장의 눈이 확 커졌다. 전혀 예상치 못한 이의 방문이었다. 물론 그녀가 밀런의 전 약혼녀라는 건 모르는 사람이 없기는 하지만…….

"그 영애께서 여긴 왜?"

"그, 그게, 쿠피히트 소공작과 도미닉 백작 영애의 결혼을 축하하기 위해서랍니다."

"뭐야?"

초대도 안 했는데 굳이 이 먼 길을 달려와선 축하를 해 주겠다? 헤일라 반도라스는 성격이 불같았다. 언질도 없이 찾아와서 절대 축하만 해 줄 리 없었다.

"언제 온다던가?"

"내일입니다."

천만다행이라고 해야 하나. 집사장은 안도의 한숨을 내쉬었다.

'더는 소란이 일어나선 안 돼.'

이 신성한 칼스버그 공작성이 치정극의 현장이 되는 꼴을 지켜볼 순 없었다.

'아무리 이 결혼이 마음에 안 들어도 그건 안 되지.'

집사장의 눈치를 살피던 시종이 초조한 얼굴로 덧붙였다.

"그런데 어쩌면 조금 더 빨리 도착하실 수도 있다고……."

"뭐야? 얼마나 빨리?"

"모르겠습니다. 거기까진 언질이 없으셨어요."

곰곰이 경우의 수를 따져 보던 집사장은 상상하기도 싫은 최악을 떠올리곤 사색이 됐다.

"안 되겠다. 얼른 가서 소공작께 알려라. 예식을 조금 앞당겨야겠다고 말씀드려! 시종장에게도!"

"알겠습니다. 이유를 물으시면 뭐라고 할까요? 솔직하게 말할까요?"

"일단 큰 비상사태라고 해!"

“예!”

명령을 받은 시종은 고개를 숙여 예를 갖추곤 급히 연회장을 달려 나갔다.

밀런은 연회장 문을 열고 들어오는 알렉산드로를 보곤 감탄을 내뱉었다.

“워.”

짝. 짝. 짝. 연달아 박수까지 쳐 준 그가 ‘브라보’ 하며 엄지를 추켜올렸다.

“지금 이거 누구 결혼식이야? 나야, 너야?”

“정숙해라.”

“이렇게 차려입으면 신부가 누굴 쳐다보겠어, 응? 나도 너를 쳐다보겠는데?”

“밀런.”

“그만큼 멋있다는 얘기지.”

알렉산드로는 예의를 지키라며 앞에 서 있는 신전의 사제들과 주례를 맡은 집사장을 눈짓했다.

“…….”

“…….”

사제 둘은 그에게 넋을 놓고 있다가 집사장이 몸을 툭 치자, 그제야 헛기침을 하며 정숙을 되찾았다.

'신랑이 누굽니까?'

'모르겠습니다. 듣기로는 분명 쿠퍼히트 소공작이라고 했는데……'

사제 둘이서 눈빛을 교환하는 동안 집사장은 쓰린 가슴을 달래야 했다.

'세상에, 우리 도련님. 저렇게 멋있는 분이 대체 무슨 하자가 있어서…… 아이구.'

안타까움에 집사장은 눈을 뗄 수가 없었다. 머리를 완전히 뒤로 넘긴 오늘의 알렉산드로는 그 잘난 얼굴이 더 완벽하게 드러났다.

심지어 알렉산드로는 밀런보다 더 훌륭한 연미복 차림이었다. 잘하지도 않는 견장이며, 브로치 같은 보석 장신구까지. 모친인 칼스버그 부인의 생일에서도 본 적 없는 완벽한 모습에 눈이 부실 정도였다.

'대체 누구에게 보여 주려고 저렇게.'

이 결혼식의 참석 인원은 사제 두 명과 집사장, 그리고 밀런과 레이첼 백작 영애뿐이었다. 하객이나 축하 사절단은 일절 없었다.

드넓은 연회장은 꽃과 베일로만 장식되어 있어 우아하고 고급스럽긴 하지만 다소 휑해 보였다.

커다란 제단 위에는 예물이 든 보석 상자와 성수, 그리고 종이 있었고, 사제 둘은 그 제단 아래에 서 있었다.

"자, 그럼 신부가 도착하면 시작하겠습니다."

아무리 약식 결혼이라도 사제가 거행하는 의식은 필수였다.

초대 교황이었던 그레이엄 대제가 결혼을 신성한 의식으로 결정한 이후부터, 이는 어쩔 수 없는 절차였다.

"마침 오셨군요."

클로이는 들러리 네 명의 도움을 받았다. 긴 드레스 자락을 든 그녀들은 클로이가 사제의 앞까지 가는 걸 도왔다.

"아름다우시군요."

"아름다운 신부님이십니다."

꽃길을 걸어오는 동안 모두가 그녀를 쳐다봤지만 알렉산드로만은 아니었다. 클로이도 그에겐 눈길을 주지 않았다.

들러리들이 나가고, 마침내 연회장의 문이 닫혔다. 집사장은 신랑과 사제의 옆에 섰고, 알렉산드로는 그들의 뒤에 섰다. 굳이 따지자면 그는 이 결혼식의 증인이자 유일한 하객이었다.

"자, 그럼 쿠퍼히트 가문의 밀런과 도미닉 가문의 레이첼의 결혼식을 시작하겠습니다."

사제가 선언하자 밀런은 눈을 감고 기도문을 외우며 무릎을 꿇었다. 동시에 사제 한 명은 천천히 종을 울렸고, 다른 사제는 밀런의 머리 위에 성수를 뿌리며 기도했다.

"신의 어린 양이 오늘 이 자리에서 맹세합니다. 이 서약이 진실된 것임을 신께 약속합니다."

"그에게 영원히 변치 않을 진실 된 사랑을 주소서. 서로 다른 두 사람을 오직 같은 한 길로만 인도해 주시옵소서."

두 사람의 뒷모습을 바라보던 알렉산드로는 결국 눈을 감았다.

옛날 제 결혼식이 떠올랐다. 그날은 인생에서 가장 행복한 날이었다. 베아트리체와 함께 보낸 행복한 날들이 물론 여럿 있지만, 결혼식은 그중에서도 최고의 하루였다.

웨딩드레스를 입은 베아트리체가 제 손을 잡았을 때는 세상을 다

가진 것 같았다. 틀린 말도 아니었다.

'그녀가 내 전부였으니.'

세상 그 전부였다…….

알렉산드로는 요동치는 가슴 때문에 미칠 것 같았다. 이날이 올 거라고 수없이 되새겼고, 앞으로 4년간 이렇게 살아야 한다는 걸 머리로는 받아들였는데 이 미련한 가슴이 차마 그러질 못했다. 당장이라도 저 작은 손을 붙들고 이곳을 뛰쳐나가고만 싶었다.

후회스러웠다. 굳이 이 결혼식을 제 눈으로 지켜봐야겠다고 고집했던 것도 바로 저인데.

'내가 왜. 왜…….'

알렉산드로는 심장을 파고드는 회한을 삼켰다. 원망할 사람이 아무도 없다는 걸 잘 알면서도 이 신세가 너무나 한탄스러웠다. 이미 다치고 멍울진 가슴이 더욱 쓰라렸다.

하지만 여기서 좌절하고 포기할 순 없었다.

'4년만 기다리면 된다.'

적어도 살았는지 죽었는지 모를 제 사랑을 찾아 제국 전역을 헤매는 것보단 훨씬 낫지 않은가.

'정말 그것보단 낫다.'

실망하고, 위로하고. 다시 아픈 가슴을 달래고, 또 괴롭히고…… 어디 있는지 모를 그녀를 찾아다닐 때는 매일이 그 반복이었다.

알렉산드로는 하루에도 수십 번씩 독약 같은 희망을 품었다. 그러면 달콤한 사탕을 삼킨 것처럼 잠깐 속이 나아졌다가 부지불식간에 다시 외로워졌다. 그 짓을 얼마나 반복했는지 이젠 고통마저 제 사랑의 일부처럼 익숙했다.

그가 다시 눈을 떴을 때, 마침내 종소리가 멎었다. 사제들의 긴 기도가 전부 끝났다. 집사장은 엄숙한 목소리로 신랑을 불렀다.

"밀런 테일러 쿠퍼히트."

밀런이 일어서고, 그다음은 클로이였다.

"레이첼 도미닉."

내내 머리를 숙이고 있던 그녀가 고개를 들었다.

"두 사람은 엄숙히 신께 서약하시오."

밀런과 클로이는 사제들의 앞에 깍지 낀 손을 내밀었다. 두 사람 사이에 논의는 없었지만 밀런은 당연한 듯 먼저 입을 열었다.

"아버지와 어머니, 그리고 신께 약속합니다."

이어서 클로이가 서약의 뒤를 읊었다.

"오늘부터 내 삶의 마지막 날까지……."

그녀의 낭랑한 음성은 알렉산드로가 옛날에 했었던 결혼 맹세를 떠올리게 했다.

오늘부터 내 삶의 마지막 날까지 우리는 함께할 것이며, 서로를 존중하며 오직 서로만을 사랑할 것을.

오직 아내만을 사랑하겠다는 그 서약은 알렉산드로가 시작한 이후로 귀족들 사이에서 크게 유행하여 결혼 서약의 정석이자 모범으로 교양서에도 실렸다.

착잡했다. 제가 한 그 서약을 그녀와 다른 남자가 하고 있는 걸 우두커니 지켜보고 있다는 사실이 믿기지 않을 정도로 잔인했다. 그저 모든 게 악몽 같았다.

이제 서약의 마지막이었다.

"입맞춤으로, 영원한 사랑을 맹세합니다."

밀런과 클로이가 한목소리로 말했다. 두 사람의 얼굴은 점점 가까워졌다. 저 입맞춤이 끝나고, 두 사람이 반지를 나눠 끼면 정말 부부가 되는 것이었다.

'안 돼.'

가슴이 터질 것만 같았다. 일순간 머리끝까지 피가 거꾸로 솟는 기분이었다. 숨이 가빠지고, 급격히 감정이 북받친 알렉산드로는 주먹을 움켜쥐었다.

꿈이길. 제발 이 모든 게 지독한 악몽이기를!

'안 돼……!'

저도 모르게 둘 사이로 뛰어들려던 바로 그때였다.

'안 됩니다!'

'이러시면 정말 안 됩니다!'

갑자기 밖이 소란스러워졌다. 클로이에게 입을 맞추려던 밀런이 어리둥절하게 문가를 응시했다. 사제들과 집사장도 마찬가지였다.

"신성한 결혼 예식 중에 무슨……."

모두가 당황한 그때, 밖에서 날카로운 여자의 목소리가 스쳤다.

'저리 비켜!'

'안 됩니다!'

'이거 놔라! 감히 누구 몸에 손을 대는 것이야!'

'저희는 명령을 받았을 뿐입니다!'

'명령? 감히 내 앞에서 명령을 운운해?'

몸싸움이라도 하는지 문이 부서질 듯 쿵쿵거렸다. 이어서 시종장의 성난 목소리가 들려왔다.

'아무리 공작 영애라 하셔도 이러시면 정말 곤란합니다!'

말 끝난 동시에 밀런이 놀란 고양이처럼 펄쩍 뛰었다.

"헤일라야. 헤일라 반도라스가 왔어!"

"전 약혼녀께서요? 이미 파혼을 하신 것 아니었어요?"

클로이가 되묻자 사제들이 놀란 숨을 들이켰다. 식겁한 밀런은
집사장과 사제들을 다그쳤다.

"어서 예식을 끝내시오! 어서!"

"아, 아니, 이게 지금."

"대체 어떻게 된 일인지……."

사제들은 처음 보는 상황에 당황해선 어쩔 줄 몰랐다. 그나마 많
은 결혼식을 거치며 온갖 경우를 다 봐 온 집사장이 제단에서 다시
종을 갖다 주며 말했다.

"대충 어서 끝내시오. 마무리만 남았으니까, 어서!"

"결혼을 어떻게 대충……."

"신성한 예식은 그럴 수가……."

사제가 우물쭈물하는 사이.

쾅! 굉음과 함께 문이 열렸다. 움찔한 밀런이 신음하듯 문밖에
선 그녀를 불렀다.

"헤일라."

문을 걷어차고 들어온 헤일라는 아무 일 없었다는 듯 태연히 드
레스 자락을 정리했다.

"밀런. 오랜만이야."

헤일라는 당당한 걸음으로 연회장에 들어섰다. 찰랑이는 금발에

장신인 그녀가 오만한 표정으로 걸어오는 모습이 꼭 여신 같았다.
이젠 아무도 그녀를 가로막을 수 없었다.

'뭐가 어떻게 된 거지?'

클로이는 잔뜩 겁먹은 밀런과 헤일라 반도라스를 번갈아 보았다.

'다 정리가 된 거 아니었나?'

밀런이 쿠피히트의 후계자를 포기하면서 이들의 약혼도 파기된
줄 알았다. 그렇지 않고서야 다른 여자와 결혼을 추진했을 리 없으
니까.

'설마 그런 미친 짓을……?!'

경악한 클로이는 우아하게 제 앞을 스쳐 가는 헤일라의 옆모습을
바라보다 획 잡아당기는 손에 끌려갔다.

알렉산드로였다. 그는 우선 클로이를 제 뒤로 감추고 상황을 주
시했다.

"헤일라, 우선 진정하고 심호흡을……."

짜악! 다짜고짜 밀런의 뺨을 때린 헤일라는 싱긋 웃으며 두 번째
뺨도 후려갈겼다.

"대체 어떻게 된 거지?"

"아니, 세상에 글쎄……."

시녀와 시종들이 한 장면이라도 더 보려고 문 사이로 고개를 빼
꼼 내밀었다. 식겁한 시종장은 재빨리 연회장의 문을 걸어 잠갔다.
이 충격적인 광경은 모두에게 손해가 컸다.

"헤일라, 우선 내 말부터 들어 보시오. 누구에게 무슨 말을 들었
는지 모르지만……."

후드려 맞은 뺨을 감싸 쥔 밀런이 깨갱깨갱 뒷걸음질 쳤다. 하지

만 분노한 헤일라는 그의 말을 듣지 않았다.

"네놈이 감히 내게 언질도 없이 도둑 결혼을 해?"

"오, 오해요. 오해가 있었소, 헤일라."

짜악! 멱살을 쥔 그녀가 뺨을 한 대 더 때렸다. 금세 밀런의 눈에 눈물이 글썽글썽 차올랐다.

"헤일라!"

"네 까짓 게 나를 파혼녀로 만들 생각을 했어? 네가 이렇게 나오면 내가 가만있을 줄 알았나 보지?"

얼굴을 가까이 한 헤일라가 한쪽 입술을 끌어 올렸다.

"여태껏 완벽한 내 인생엔 어떤 오점도 없었어. 그런데 네가, 겨우 네 주제에."

밀런의 이마를 검지로 꾹꾹 눌러 대는 그녀의 눈이 번뜩였다. 그 눈빛에서 섬뜩한 광기를 읽은 밀런은 유순히 헤일라의 분노를 받아 냈다.

"몰래 결혼식을 치를 깜찍한 생각을 하셨겠다? 그것도 이렇게 멀쩡한 약혼녀를 두고서?"

"오, 오해요……."

"하! 오해? 오해라고?"

성난 그녀가 밀런의 은발을 움켜쥐고 고개를 치켜올렸다.

"미쉘에게 전부 들었어! 그 미친년이 어떤 계획을 세우고 있는지, 네 백부라는 그 고자 놈과 결탁해서 무슨 궁리를 하고 있는지 난 다 알고 있었다고, 밀런. 응?"

헤일라의 한마디, 한마디에 살기가 어려 있었다. 밀런은 배고픈 늑대 앞의 순한 양처럼 바들바들 떨었다.

"난 네가 두 연놈들을 보란 듯이 죽여 놓는 데 돈을 걸었어. 멋지게. 아주 멋지게 말이야."

"……."

"그런데 이게 뭐야. 나만 엿 먹었잖아?"

침을 꼴깍 삼킨 밀런은 자신을 구해 줄 누군가를 찾기 위해 사제들과 집사장을 힐끔거렸다. 하지만 저 못지않게 겁먹은 세 사람은 조개처럼 입을 다물고 멀리서 방관만 하고 있었다.

행여 헤일라와 눈이라도 마주칠까 고개를 푹 숙이고 있는 그 모습이 과거를 연상시켰다.

아카데미에서, 헤일라가 나타나 제게 말을 걸면 제 친구들은 항상 저런 모습으로 숨죽이고 있었다.

"밀런. 네가 나를 아주, 병신으로 알았구나. 그렇지?"

"그, 그렇지 않소. 아니오. 절대 아니오!"

밀런이 도리질했다. 그 모습에 더욱 화가 난 헤일라는 옆에 있던 은촛대를 쥐어 들었다. 그녀의 아름다운 초록색 눈동자가 복수심에 희번덕거렸다.

"아니야? 절대 아니라고?"

촛대 위에 불타는 양초는 없었다. 하지만 밀런의 얼굴을 위협하는 날카로운 꼬챙이가 그보다 더 아슬아슬했다.

"그럼 뭐야."

인상을 팍 구기고 있던 헤일라가 돌연 비릿한 미소를 머금었다.

"갑자기 사랑하는 여자라도 생긴 거니? 그래?"

"……."

"어디 얼마나 예쁜지 네 신부 얼굴 좀 볼까?"

잇새에서 쇳소리가 나왔다. 분명 입은 웃고 있는데 눈은 사람을 잡아먹을 것처럼 부릅떠서 공포스러웠다.

"내 남자를 낚아챈 그 괘씸한 년…… 눈알을 하나 뽑아 가야지 이거 억울해서 안 되겠어."

밀런을 제단으로 밀친 헤일라가 은촛대를 든 채로 사방을 두리번거렸다.

"어딨어. 쥐새끼처럼 어딜 숨었어!"

소리친 순간, 그녀는 알렉산드로의 뒤에 숨은 풍성한 웨딩드레스를 발견했다.

"오호라."

한 손으로 제 뒤의 클로이를 감싼 알렉산드로는 다른 한 손으론 헤일라의 은촛대를 붙잡았다.

"반도라스 영애."

남녀 사이의 일엔 끼어들고 싶지 않았다. 당연히 밀런이 약혼을 파기한 줄 알았는데 그게 아닌 모양이라 알렉산드로도 당황스러웠다. 그렇다면 불륜 아닌가?

"일단, 진정하시오."

하지만 이미 웨딩드레스를 발견한 헤일라의 눈에는 아무것도 보이지 않았다.

"내 남자를 빼앗아 가고도 무사할 줄 알았어! 당장 이리 나와!"

그녀는 은촛대를 버리고, 드레스 자락을 양손으로 움켜쥐곤 씩씩대며 클로이를 찾았다.

"헤일라!"

밀런은 눈을 꾹 감고 소리쳤다.

"이 결혼식의 주인공은 내가 아니라 알렉산드로요!"

헤일라는 거짓말처럼 뚝, 모든 행동을 멈췄다. 연회장에는 침묵이 무거운 침묵이 감돌았다.

'아니, 저분이······?'

'저분이 미쳤나.'

사제들은 거북이처럼 고개를 들고 주위를 살폈다. 그 옆에 집사장도 휘둥그레진 눈으로 밀런을 쳐다봤다.

'제정신인가?'

다들 한마음으로 그렇게 생각했지만 이해는 가는 게, 저 반도라스 영애가 결코 만만치 않았다. 하긴, 요양을 떠난 사이 갑자기 약혼자를 뺏겼으니 얼마나 억울하겠는가?

밀런 쿠피히트가 남의 영지에 찾아와 기어코 온 사방에 재를 뿌리고 간다고 집사장은 속으로 이를 갈았다.

"정, 정말이오. 믿어 주시오, 영애."

제단에 쓰러져 있던 밀런이 더듬더듬 몸을 일으키며 말했다.

"오늘 결혼하는 사람은 내가 아니라 알렉산드로요. 난 영, 영원히 당신 것이오."

그러자 인형처럼 굳어 있던 헤일라가 어깨 너머로 날카롭게 소리쳤다.

"날 정말 등신으로 알아!"

"아니오! 아니오, 영애!"

밀런은 다급히 손까지 내저었다. 그 모습이 퍽 애처롭고 간절해 보였다.

"복장을 보시오. 누, 누가 신랑이겠소? 나겠소, 아니면 알렉산드로겠소?"

휙 뒤돌아 알렉산드로를 머리부터 발끝까지 훑어본 그녀는 어쩌면 그럴 수도 있겠다는 의심이 들었다.

"……그럼 네 머리카락은 왜 젖어 있지?"

헤일라는 성큼 다가가 제단의 성수 그릇을 뒤집어엎었다.

와장창! 사방으로 물이 튀었다.

"저 빌어먹을 사제 놈들에게 의식을 받은 거 아냐?!"

"아, 이것? 땀이오, 땀……."

급히 주머니를 뒤적거린 밀런은 손수건을 꺼내 이마와 머리카락을 닦았다.

"설마하니 내가 남의 영지에서 이렇게 단출한 도둑 결혼식을 올리겠소?"

"……."

"헤일라, 저 두 사람은 몰래 사랑을 키워 왔고, 당신도 알다시피 알렉산드로는 떠들썩한 자리를 좋아하지 않아 우리끼리 약식으로 결혼을 하려 했던 거요. 난 증인을 서려고 했던 거고."

"흐음."

"그리고 설마, 내가 이 자리에서 결혼을 바꾸겠소? 미친놈도 아니고. 내가 정신병자요?"

밀런은 헤일라를 달래는 동시에 알렉산드로와 눈을 맞췄다.

'내가 미친놈이다. 한 번만 살려 줘. 제발 도와줘.'

그때, 알렉산드로의 옆에서 클로이가 빼꼼 눈을 내밀었다.

'내가 정신병자다. 클로이, 제발 도와줘. 한 번만 살려 줘.'

궁지에 몰린 밀런의 눈빛이 너무나 간절했다.

'이번 한 번만 도와주면 평생 두 사람을 은인으로 모시겠다. 알렉스! 클로이! 제발, 제발!'

알렉산드로는 깊게 심호흡을 했다. 이 상황은 그조차 당혹스러웠다. 만약 제게 선택권이 있다면, 당연히 맞다고 하겠지만…… 결혼은 클로이와 합의가 필요한 일이었다. 정확히는 그녀의 허락이 필요했다.

무엇보다 알렉산드로는 이런 식으로 결혼하고 싶지 않았다. 얼렁뚱땅, 남이 깽판을 놓은 이런 자리에서…….

고민하던 그 순간이었다. 제 손등에 가녀린 손끝이 와 닿았다. 경계심 많은 고양이가 보송한 앞발을 뻗듯 조심스럽게, 클로이가 제 손을 잡아 왔다. 아주 살며시.

"반도라스 영애."

뒤에 있던 그녀가 슬며시 앞으로 걸어 나오며 한쪽 드레스자락을 들고 인사했다.

"처음 뵙겠어요."

알렉산드로에겐 클로이의 모든 말과 행동이 느리게만 보였다. 그가 떨리는 눈으로 제 손을 잡아 준 그녀의 손을 힐긋 내려다보았다. 천천히 그 손끝에서부터 팔과 어깨까지를 훑어 올라간 그가 클로이의 옆얼굴을 응시했다.

"이 자리는 저와 알렉산드로 칼스버그의 결혼식이랍니다."

똑똑히 정면을 주시하는 그녀의 곧은 시선이 거짓말 같았다.

"쿠피히트 소공작은 신성한 예식의 증인으로 이 자리에 참석했어요. 어떤 오해가 있었는지는 알겠으나, 더는 무례를 삼가 주세요."

감격스러움에 알렉산드로는 밭은 숨만 내쉬었다. 제 손을 잡은

이 손길이 멀어질까 봐 한순간 말도 잊었다.

'이 여자는 베아트리체가 분명하다.'

별안간 그런 확신이 들었다. 더는 어떤 증거도, 의심도 없었다. 제게 구원의 동아줄을 내려 줄 수 있는 여자는 그녀뿐이니까.

어쩌면 클로이는 그저 밀런을 도와주려는 의도였겠지만, 그에겐 그랬다.

"······반도라스 영애."

알렉산드로는 그녀와 깍지 낀 손을 들어 보였다.

"오늘 이 결혼의 주인공은 우리가 맞소."

어느새 표독스럽던 헤일라의 눈동자에 당황한 빛이 섞였다.

"이 난리를 피웠으니, 어떻게 보상할지 각오해 두시오."

갑작스런 선포에 사제들은 한마음 한뜻으로 집사장을 응시했다.

'이래도 되는 걸까요?'

'정말 괜찮겠습니까?'

집사장은 결연하게 고개를 끄덕였다.

'어쩔 수 없습니다. 그냥 이렇게 갑시다.'

차라리 이 경우가 나았다. 기어이 싸움이 나겠구나 싶었던 이 무시무시한 일을, 이렇게 유연하게 대처한 그녀에게 박수를 보내고 싶었다. 게다가 알렉산드로를 다루는 태도에선 능숙한 조련미가 느껴졌다.

집사장의 입가에 슬그머니 미소가 드리웠다.

'이제 우리 마님이다. 우리 마님이야!'

"내 오해였군요. 이런, 실수를 저질렀네요."

헤일라는 언제 난리를 피웠냐는 듯 우아하게 웃으며 상황을 정리했다.

"이걸 어쩌나. 성수를 다 엎어 버렸으니. 호호."

"아, 아닙니다. 여유 있게 가져왔으니까요."

꼭 다른 사람을 보는 것 같았다. 이중인격이나 다름없는 그 모습에 겁먹은 사제들이 부리나케 다시 성수를 채웠다.

헤일라는 사죄의 의미로 밀런과 함께 이 결혼의 증인이 되기로 했다.

"성대한 결혼식이군요. 제국의 두 가문이 증인을 서다니."

밀런과 헤일라는 아직 결혼 전이었기에 반도라스, 쿠피히트 공작가를 말하는 것이었다. 약혼자의 팔짱을 낀 헤일라가 말했다.

"비록 약식이라도 모두가 부러워할 거예요. 안 그런가요, 밀런?"

그녀가 부드러운 눈웃음을 치며 묻자, 밀런이 어색하게 고개를 끄덕였다.

'헤일라에겐 두 명의 인격이 있다. 난 대체 누구와 결혼하는 걸까……'

사제들이 제단을 정리하는 사이, 밀런이 소곤거리며 물었다.

"난 미쉘 누님의 양자를 입적하기로 했소. 그 사실을 이미 알고 있는 거요?"

헤일라가 그림처럼 웃으며 복화술로 대답했다.

"물론이지."

"헤일라, 정말 미안하오. 내가 생각을 잘못했소. 당신이 이렇게 아량이 넓은 줄 알았더라면 진작 사실을 말했어야 했는데…… 사실 난 다른 여자와 결혼을 준비하던 게 맞소."

"아니까 닥쳐."

복화술을 끝낸 헤일라는 다시 싱긋 웃으며 화제를 돌렸다.

"그래서, 결혼식은 어디까지 진행되었죠? 보아하니 아직 예물을 교환하기 전인 것 같은데."

사제들은 흠칫했지만 헤일라는 두 사람을 칭찬하는 데 여념이 없었다.

"이렇게 보니 두 사람은 정말 잘 어울리는군요? 사랑으로 맺어진 결혼이라! 아아, 부러워라."

"……."

재빠르게 알렉산드로와 클로이의 눈치를 살핀 집사장은 점잖게 예를 갖추며 대답했다.

"결혼식은 아직 시작되지 않았습니다."

"다행이군요. 두 분의 성스러운 예식을 하나도 놓치지 않으니까요. 함께 기도하며 축복하겠어요."

그 사이에서 클로이는 난처하게 눈만 굴렸다. 이 자리가 타인의 결혼식이란 걸 알면 헤일라가 연회장을 떠날 줄로만 알았다. 그러면 그냥 급한 김에 내뱉은 임기응변이었다고 하려고 했는데…….

밀런의 팔짱을 낀 채로 행복하게 웃고 있는 헤일라를 보니 차마 나가라는 말이 안 나왔다. 사제들과 집사장은 각자 맡았던 역할대로 척척 다시 예식을 준비 중이었다.

'난 그럼 결혼을 처음부터 다시 해야 해? 알렉산드로와?'

이러다가 빼도 박도 못하는 거 아닌가. 아니지, 우선 가짜로 결혼식을 치르고 나중에 없던 일로 무를 생각인가?

힐긋 알렉산드로를 쳐다봤지만 그는 어느새 냉정한 표정으로 돌아와 무슨 생각인지 알 수가 없었다.

'이 사람은 이대로 나와 결혼할 건가? 괜찮은 거야?'

나중에 결혼 무효를 하려는 걸까? 아니다, 예식의 증인이 둘이나 있는데 그럴 수는 없었다.

좀 물어보고 싶었다. 전에 제게 호감을 고백했던 그 마음은 그대로인지. 그래서 이 결혼을 승낙한 건지.

4년을 기다리겠다고는 했지만 그 이후부터 두 사람은 어떤 감정적 교류도 없었다. 알렉산드로가 제게 호감이 있는 건 사실이지만 단순히 호감만으로 결혼까지 할 결심이었는지는 알 수 없었다.

게다가 그가 그때 말하지 않았던가?

'지금 당장 결혼하자는 말은 아니라고, 분명 그랬었어.'

혼란스러웠다. 바쁜 사제들의 뒷모습을 보니 결혼을 하긴 하려는 것 같은데…….

'서약이 끝나면 무를 수 없는데.'

결혼 무효에는 신랑이나 신부 어느 한쪽 집안의 중대한 과실이 있을 경우 가능했다. 하지만 도미닉 가문은 이 결혼에 아예 관여하지도 않았고, 칼스버그 가문은…….

'제국의 가장 권위 있는 명문가에서 실책을 잡을 리는 없지.'

혹시 이혼할 셈인가?

그러면 두 번째 부인을 구하기 어렵지도 않을 테니까.

'그래, 일단 결혼식을 끝내고 물어보자.'

모든 게 불확실한 그 순간. 맞잡은 그의 커다란 손이 아직도 제 손을 놓지 않았다는 게 그나마 위안이었다.

"서로를 존중하며 오직 서로만을 사랑할 것을."

결국 결혼식은 처음부터 다시 치러졌다.

"입맞춤으로…… 영원한 사랑을 맹세합니다."

알렉산드로는 떨리는 마음을 애써 감추며 클로이와 마주 봤다. 따지자면 베아트리체와의 두 번째 결혼인데 어째서 이렇게 긴장되고 떨리는지 모를 일이었다.

그녀의 뒷머리를 감싸고, 상체를 숙이는 그 순간 알렉산드로는 심장이 밖으로 튀어나올 것만 같았다. 애써 여유를 가장한 그 모습이 클로이에겐 전혀 읽히지 않았다.

'이 사람은 아무렇지도 않나 봐.'

그의 좋은 향기가 코로 훅 끼쳤다. 서로의 얼굴이 한 뼘 거리로 가까이 다가왔다.

'어어…… 입술이다. 입술, 입술이……!'

만약 입을 맞추면 첫 키스였다. 그녀가 참지 못하고 눈을 질끈 감아 버렸다. 그러자 알렉산드로가 멈칫하고는 각도를 바꿨다.

볼에 부드러운 감촉이 닿았다. 그마저도 잠깐 머물렀다 금방 떨어졌다. 전적으로 그의 배려였다.

클로이는 입술이 멀어진 걸 알면서도 잠시 눈을 뜨지 못했다.

'심장이 터지겠어.'

알렉산드로가 닿았던 그 부분이 꼭 인두를 지진 것처럼 뜨거웠다. 이럴 수가. 겨우 볼에 한 뽀뽀가 이런데…….

'입맞춤은 대체 어떻게 하는 거지.'

이것만으로도 다리가 다 후들거리는데! 클로이는 옆에서 들린 집사장의 헛기침 소리에 겨우 정신을 차릴 수 있었다.

"흠흠. 신께 바치는 서약이니만큼 정직하여야 합니다. 신랑은 신부의 입술에…… 그럼 이제 반지 교환이 있겠습니다."

그 순간 떨어진 날카로운 시선에 집사장은 얼른 말을 바꿨다.

알렉산드로가 예물이 든 보석 상자를 앞에 내밀었다. 뚜껑을 열자 휘황찬란한 보석들이 빛을 발했다. 두근거리던 클로이는 순간 싸늘히 식어 내렸다.

'이게 뭐야.'

평범한 예물이 아니라, 지역의 보물급이었다. 보석을 많이 본 적이 없어 정확히 급을 모르는 클로이조차도 경악스러울 정도였다.

'무슨 이런 어마어마한 보석을 가져왔지?'

워낙 새가슴이라 그런지 반갑지도 않았다. 클로이는 자신의 네 번째 손가락에 들어가는 차갑고 무거운 금속 질감이 부담스럽기만 했다. 차라리 가짜였으면 좋겠는데 가짜가 아닌 것 같아서 더 무서웠다.

'다이아몬드가 내 손톱만 해.'

커다란 알 때문에 반지가 밑으로 돌아갔다. 그 모습을 지켜보던 클로이는 그만 타이밍을 놓치고 말았다.

"신부님?"

"……아."

클로이가 예물 상자에서 조심스레 남성용 반지를 꺼내자 알렉산드로는 태연히 왼손을 내밀었다.

클로이는 그의 네 번째 손가락에 조심스레 반지를 밀어 넣었다. 손가락이 제 두 배는 될 듯 길고 우아했다. 손등에 불거진 핏줄과 뼈마디가 굵은 점만 빼면 시를 쓰는 시인의 손이라 해도 믿길 정도였다. 클로이는 저도 모르게 그의 손등과 손가락을 제 손끝으로 훑었다.

'난…… 이 손을 알아.'

본 적이 있다. 그림으로 그릴 수도 있을 만큼 눈에 익숙했다. 칼을 많이 잡은 기사의 손. 하지만 날 만지던 순간만큼은 언제나 부드러웠던…….

"흠흠, 신부님?"

"아."

클로이는 제게 목걸이를 채워 주려고 가만 들고 있는 알렉산드로를 보고 퍼뜩 정신을 차렸다. 그가 부드럽게 다가와 그녀의 어깨 너머로 목걸이를 채워 주었다.

순식간에 목이 묵직해졌다. 이렇게 주렁주렁한 목걸이는 처음인데도 신기하게 금방 익숙해졌다.

'그래, 어차피 이 순간뿐이야.'

이 예물들은 제 것이 아니었다. 이혼을 하면 돌려줘야 했다. 클로이는 자신이 지참금도 내지 않았다는 사실을 분명히 염두에 두었다.

예물을 나눠 끼자 사제들이 입을 모아 선언했다.

"이로써 두 사람의 결혼이 성립되었습니다."

대낮에 약식으로 끝난 결혼. 제국 공작 가문의, 그것도 대공이라는 명예로운 감투까지 받은 명문가 후계자의 결혼식으로는 매우 소박했다.

하지만 가문을 모시는 사람들은 더 바랄 게 없었다.

'드디어 알렉산드로 도련님이 결혼을 하셨다.'

특히 집사장은 크게 안심했다. 스무 살 전에 결혼하지 않으면 객사하고 말거라는 그 끔찍한 예언은 저주나 다름없었다. 더군다나 수도에서 입지를 쌓을 생각은 않고 제국을 유랑했던 알렉산드로의 행동은 집안 사람들의 불안을 가중시켜 왔다.

'이제 그 빌어먹을 예언에서 해방이구나.'

집사장은 이제 막 부부가 된, 데면데면한 두 사람을 응시했다. 객관적으로 고목나무에 붙은 매미 같았지만 집사장의 눈엔 다르게 보였다.

'아주 잘 어울려. 퍼펙트.'

헤일라와 밀런이 그들에게 축하 인사를 건네며 저들 결혼식에도 와 달라 초대하는 중이었다.

"남편끼리 가장 친한 친구이니 우리도 좋은 친구가 되었으면 좋겠어요. 호호호."

넷 중에 웃고 있는 사람은 헤일라밖에 없었다.

하긴, 이 결혼이 어떻게 성사되었는가. 집사장은 제단 위의 종과 성수를 정리하는 사제들에게 다가가 조용히 속삭였다.

"이 일이 절대 밖으로 새어 나가지 않게 약속하셔야 합니다."

사제들은 그보다 더 조용히 속삭였다.

"이 일이 세간에 알려졌다간 남부 대신전의 큰 망신입니다."

"목을 자른데도 오늘 일은 털어놓지 않을 겁니다."

한 결혼식에 사람만 바꿔 예식을 두 번이나 치렀으니 사제들도 할 말이 없었다.

'그래. 이제 마님만 결혼을 받아들이면 돼.'

겉으로는 완벽했으나, 언뜻 보이는 클로이의 당혹스런 눈빛에는 마음의 준비가 되지 않은 느낌이 역력했다. 빨리 헤일라가 사라지길 바라는 듯 초조한 기색이었다.

그래도 두 사람은 깍지 낀 손을 아직 놓지 않았다. 희망이 보였다. 집사장은 없는 희망도 발견해 내고 싶은 심정이었다.

"오호호호호."

헤일라의 높은 웃음소리가 연회장을 울렸다. 어색한 분위기가 더 길어지기 전에 집사장은 웃는 낯으로 네 사람에게 다가갔다.

"전 그럼 대신전에 잠시 다녀오겠습니다. 네 분은 자리를 옮겨 편하게 말씀 나누시지요."

"호호, 너무나 그러고 싶지만 저도 제 약혼자를 오랜만에 만났답니다. 밀런과 단둘이 할 말이 남았군요."

헤일라가 화사하게 웃으며 집사장에게 부탁했다.

"우리를 조용한 곳으로 안내해 주시겠어요?"

"알겠습니다. 아, 그리고 예식이 약식이었던 만큼 결혼 증명서가 완벽히 완성될 때까지 두 분의 성혼은 외부에 함구해 주십시오."

"알겠어요, 집사장. 난 입이 무거운 사람이랍니다. 호호호."

"그럼 시종을 불러오겠습니다."

네 사람에게 예를 갖춘 집사장은 곧장 연회장을 나갔다. 그러자 앞에서 대기 중이던 시종장이 쪼르르 달려왔다.

"집사장님, 어떻게 됐습니까? 누가 죽었나요? 쿠피히트 소공작입니까, 아니면……?"

"어허, 재수 없는 소리!"

집사장은 간략하게 안의 상황을 설명했다. 얘기를 듣던 시종장의 눈이 점점 커졌다.

"……알겠나? 그렇게 됐으니 앞으로 '마님'의 심기를 불편하게 하지 말게."

종종 귀족가의 하인들은 아직 작위를 물려받지 않았지만 가장 유력한 후계자의 아내에게 아첨을 하려고 마님이라 부르곤 했다. 집사장도 알렉산드로에게 후계자라는 부담을 주기 위해 클로이를 마님이라 부르기로 했다.

칼스버그 대공 부인이 아직 살아 있지만 그녀가 가장 아끼는 아들도 알렉산드로였다. 앞으로 '노마님'으로 불릴지언정 이를 언짢게 여기지 않을 터였다.

"물론입니다!"

당부를 들은 시종장은 주먹을 불끈 쥐었다. 그러면서 절레절레 고개를 저었다.

"세상에, 반도라스 영애께서 그런 큰 활약을 하실 줄은……."

"됐고, 어서 신방이나 준비하게."

"신방이요?"

화들짝 놀란 시종장이 금세 안색을 바꿨다. 신방이라. 듣기만 해도 설레었다.

"알겠습니다. 당장 신방을 준비하지요!"

비장하게 결의를 다진 그가 잽싸게 시녀장을 찾았다.

"로라! 로라! 신방을 준비합시다!"

헤일라와 밀런이 떠나고, 나긋나긋한 시녀들이 다가와 클로이를 씻겼다. 시중을 들며 시종일관 방긋대는 시녀들의 태도에 그녀는 어리둥절했다.

'왜 아무도 이상하게 생각하지 않는 거야?'

원래 클로이는 밀런의 신부였다. 한데 결혼식이 끝난 그 순간부터 모두가 그녀를 하늘이 정해 준 알렉산드로의 운명의 짝처럼 대하고 있었다.

'나만 이상한 거야?'

아니, 언제 이혼할지 모르는데. 이건 무를 수도 있는 결혼인데! 심지어 호칭도 아주 자연스러웠다.

"결혼 축하드려요, 마님."

"반지가 어찌나 크고 아름다운지 다들 마님을 부러워한답니다."

심히 부담스러운 그 호칭에 결국 클로이가 먼저 입을 열었다.

"내게 '마님'이라는 호칭은 좀 아니지 않나요?"

이미 시녀장에게 단단히 교육받은 시녀들은 도무지 영문을 모르겠다는 듯 능청을 떨었다.

"대공 부인께서도, 에이드리안 도련님의 부인께서도 이곳에 계시지 않는걸요."

"맞습니다. 마님은 마님이세요."

열렬히 고개를 끄덕이는 두 사람을 보며 클로이는 더 할 말이 없었다. 상황이 당혹스러웠지만 그보다는…….

'아, 개운해.'

온갖 꽃잎이 떠다니는 향긋한 욕조에서 시녀들의 시중을 받으며 시원한 음료까지 마시니 천국이 따로 없었다.

"마님, 시원하시지요?"

특히 시녀 중에는 어깨를 잘 주무르는 이가 있었는데 그 손길이 어찌나 야무지던지 이래도 되나, 하는 걱정마저 사라졌다.

결국 시녀의 손길에 녹아 완전히 흐물흐물해진 클로이는 저절로 상황을 낙관적으로 받아들이게 되었다.

'그래. 일단 알렉산드로와 집사장에 물어보자. 이후에 어떻게 할 건지를.'

설마 이렇게 얼렁뚱땅 그 남자를 결혼시키려는 건 아니겠지. 명색이 대공작 가문의 후계자인데.

그런데 그럴 모양이었다.

목욕재계를 마친 클로이는 당연한 수순처럼 신혼부부를 위해 마련된 신방으로 안내되었다. 고민이 무색하게도 벌써 신방 문 앞이었다.

"도련님은 곧 오실 겁니다. 마님께 드릴 선물을 가지러 가셨으니 너무 서운하게 생각하지 마십시오."

"그렇군요. 알겠습니다."

"마님."

그놈의 마님 소리. 참 익숙해지지도 않는다. 클로이는 속내를 숨기며 '네.' 하고 대답했다.

"말씀을 편하게 하시지요."

시종이 부드럽게 웃으며 말했다.

"정식으로 결혼을 발표하기는 시간이 걸리겠지만, 그래도 마님께서 제게 극존칭을 쓰시면 제가 너무나 불편합니다."

'아직 마님을 계속 할지 안 할지도 모르겠습니다만……'

너무 급박한 상황이라 일단 결혼을 하긴 했지만, 알렉산드로와 부부로 사는 생활을 한 번도 머릿속으로 그려 본 적이 없었다.

그가 결혼을 무르거나 이혼을 하자고 하면 기꺼이 동의할 테지만 만약에, 만약이라도 이 결혼을 계속 이어 가자고 하면…… 그럼 어떡하지?

무엇보다 지참금이 문제였다. 고민하던 그녀는 신방에 들기 전, 앞에 있는 이에게 묻기로 했다. 큰 잔치라도 난 듯 연신 싱글벙글인 시종이었다.

"시종장. 맞나요?"

"예! 맞습니다, 마님. 제가 시종장입니다!"

"이름은 무엇인가요?"

"이런, 이런. 제가 제 소개를 먼저 했어야 하는 건데 순서를 잊었습니다. 용서하십시오!"

깍듯이 고개를 숙인 그가 자신의 긴 약력을 읊기 시작했다.

"……후작저에서 3년을 일했고, 마님께서 결혼하신 뒤 수도의 대공저에 왔습니다."

시종장은 칼스버그 부인의 사람이었다.

"그리고 마님께서 요양을 하시러 영지에 내려오시면서 저도 함께 따라왔다가 눌러앉았지요. 이름은 데비입니다!"

시종장이 깜찍하게 소개를 마치자 옆에 서 있던 경비병이 갑자기 끼어들었다.

"다들 도비라고 부릅니다, 마님."

"도비라고 하세요."

"어허!"

다들 오래된 사이라 하인들끼리 허물이 없어 보였다. 칼스버그 부인의 사람이면 마땅히 수도에 있어야 할 텐데, 남아 있는 걸 보니 이 가문에 애정이 깊은 사람이구나 싶었다.

"그간 서재를 자주 찾으셨다 들었습니다. 책에 관심이 많으신 듯한데 별관의 도서관도 보여 드리겠습니다, 마님. 나중에 말이지요."

"도서관이 있군요."

역시 칼스버그 대공저답다.

"예. 남쪽 별관의 도서관과 대공님의 서재도 제가 관리하고 있습니다."

보통 도서관은 집사장이 맡는 게 관례이기에 조금 의아했지만 지금은 그보다 중요한 게 있었다.

클로이는 시종장을 데리고 복도의 구석진 곳으로 향했다.

"데비, 칼스버그 가문에서 일한 지는 오래되었나요?"

"예, 10년이 넘었습니다. 수도 공작저에서만 5년을 있었으니, 칼스버그 가문을 모신 지 도합 12년째군요."

이런 대귀족 가문에서 오래 버텼다는 건 입이 무거운 사람이란 소리였다.

"그럼 솔직하게 물어볼게요."

"예, 뭐든 대답하겠습니다! 물어만 보십시오!"

쉬잇, 조용히 하라는 제스처를 취한 그녀가 목소리를 낮췄다.

"이 결혼이 평범한 일이 아니란 걸 모두 다 알 텐데, 왜 나를 마님으로 대하는 건가요?"

"그거야…… 도련님과 결혼하셨잖습니까?"

"아이참, 그 말이 아니잖아요."

"그 말이 맞습니다, 마님!"

"계획에 전혀 없던 결혼을 했으니 무를 수도 있고, 이혼을 할 수도 있잖아요?"

"예? 이혼이요?"

화들짝 놀란 시종장은 식겁해선 고개를 저었다.

"마님, 알렉산드로 도련님은 번복할 행동을 하실 분이 아닙니다."

그래, 그런 사람이긴 하지. 모시는 사람을 철저히 파악했구나. 클로이는 내심 시종장에게 동감했다.

"이혼하거나 무를 생각이었다면 애초에 이 결혼을 하지도 않으셨을 겁니다. 절.대.로."

"그래도 이렇게……."

클로이는 한껏 목소리를 낮추고 속삭였다.

"번갯불에 콩 구워 먹듯 결혼했는데 '마님' 소리가 쉽게 나오나요?"

"예, 마님. 나옵니다! 잘만 나오는군요!"

시종장은 이혼 같은 건 꿈도 꾸지 말라며 엄한 얼굴을 했다.

"과거에 어떤 일이 있었든지, 전 모릅니다."

갑작스런 충성이 지나칠 정도였지만 클로이는 그리 거북하지 않았다.

"마님께선 이제 칼스버그의 사람입니다. 제겐 그것만 중요합니다."

단호한 그 말이 어쩐지 안심되었다. 신기하게도.

'여긴 텃세도 없나 봐.'

어쩜 시종장이며 경비병이며 이렇게 기다렸다는 듯이 두 팔 벌리고 환영이지? 때마침 모퉁이에서 익숙한 얼굴이 나타났다.

"아, 로라."

신방을 꾸미고 나오던 시녀장 로라였다. 클로이도 한 번 얘기를 나눈 적이 있었다. 그녀와는 이미 안면이 있었기에 클로이는 시녀장이 자신을 어떻게 대하는지 확인해 보고 싶었다. 보통 안주인이 새로 들어오면 가장 큰 불화가 생기는 게 바로 시녀장이니까.

먼저 알은체를 해야 하나 고민할 새도 없이 시종장이 로라에게 손짓했다.

"어서 마님께 인사하시게."

"어머, 마님. 제가 급하게 신방을 꾸리느라 정신이 없었습니다."

로라는 한 손으로 드레스 자락을 살포시 들어 올리고, 한 손으로는 가슴께를 짚으며 고개를 숙였다.

'정말 나를 마님으로 대하고 있어.'

그 예의 바른 모습에 클로이도 화답하며 예를 갖췄다.

"반가워요. 우린 이미 인사를 나눈 적이 있지요, 로라."

손을 내밀자 로라가 자연스레 그 손등에 입을 맞췄다.

"이런 관계가 될 줄은 그땐 미처 몰랐지만……."

어색함이 묻어나는 클로이의 말에 시녀장이 번쩍, 무섭게 고개를 들었다.

"마님."

그녀의 맹목적인 눈빛에 흠칫한 클로이는 순간 잡힌 손을 빼고 싶었다.

"두 분의 결혼을 진심으로 축하드립니다. 진심으로! 진심으로요!"

시녀장은 빼앗긴 보물을 되찾은 사람처럼 매우 기뻐했다.

"마님은 연회만 즐기세요! 힘들고 어려운 건 제가 다 하겠습니다!"

그녀가 두 주먹을 불끈 쥐며 말하자 옆에서 시종장이 흐뭇한 미소를 지었다.

"어허, 먼저 마님께도 의사를 여쭤봐야지 않나."

"도비는 조용히 하게! 자고로 몸 편하고 마음 편한 게 최고야! 안 그렇습니까, 마님?"

"일…… 일단 천천히 집안 분위기를 익히고 싶군요."

저도 모르게 그런 말이 나왔다. 그러자 시종장과 시녀장이 기특해 죽겠다는 듯이 흡족한 얼굴로 서로를 응시했다.

"우리 마님."

"퍼펙트."

부담스럽게 반짝이는 두 사람의 시선이 제게 닿았다.

'뭐지. 뭔가 이상해. 차라리 알렉산드로가 오면 제대로 대화를 해

보는 게 낫겠어.'

결국 급히 인사를 마친 클로이는 두 사람에게서 도망치듯 신방으로 향했다. 그리고 붉은 벨벳과 장미꽃으로 장식된 거대한 문을 보자 정신이 번쩍 들었다. 정말 신혼부부의 신방이었다.

'그럼…… 첫날밤도 있는 걸까?'

응큼하게도 그런 생각이 제일 먼저 들었다. 클로이는 휘이휘이 고개를 저었다. 진정해야했다. 아무리 그가 섹시한 남자라지만 이렇고 저렇고 그런 음탕한 상상까지 미리 할 순 없었다.

첫날밤은 밀런과의 결혼에선 전혀 고려치 않았던 선택지였다. 그래서 저절로 긴장되었다.

안으로 들어서기 전, 클로이가 슬쩍 뒤를 돌아보았다. 그러자 아직도 제 쪽을 쳐다보고 있는 시녀장과 시종장이 두 주먹을 불끈 쥐고 입으로는 '파이팅!'을 외쳤다.

이 결혼을 지속할지 아직 알 수 없었기에 클로이는 약간 떨떠름했다.

'그래도 나를 배척하거나 이상하게 생각하는 것보단 훨씬 낫지. 일단 그렇게 생각하자.'

그들의 응원 덕분인지 걸음이 한결 가벼워졌다. 신방의 문을 열자마자 장미 꽃잎이 뿌려진 길이 그녀를 안내했다.

"참 화려하다."

첫 감상이었다. 꽃길을 따라가니 거대한 침대가 나타났다. 새하얀 시트, 짙은 붉은색 벨벳 장막이 드리워진 침대는 어떤 목적의식이 분명히 느껴졌다.

민망해진 클로이는 괜히 주위를 서성였다. 곳곳엔 하얀색 베일이

가득했고, 좋은 냄새가 났다.

'그가 곧 올 텐데.'

어색하게 서서 머리를 긁적이던 클로이는 일단 은촛대를 치웠다. 헤일라의 섬뜩한 눈빛이 떠올라 괜히 꺼림칙하고 무서웠다.

'그래, 기왕 이렇게 된 거.'

심호흡을 하고, 편한 마음으로 침대에 앉은 클로이는 한쪽에 마련된 마른 과일을 집어 먹었다.

'밀런을 도와주기로 마음먹은 건 바로 나야.'

광기에 휩싸인 연회장. 그 혼돈의 카오스에서 먼저 알렉산드로에게 손을 내민 건 바로 저였다.

'내가 먼저 결혼을 제안했어. 그에게.'

그리고 그가 받아들였다. 만약 이 결혼을 지속한다면 그녀에게도 나쁘지 않은 수였다. 숙부의 깽판을 수없이 봐 온 클로이는 적어도 알렉산드로가 그런 남자는 아니라고 직감했다.

'아니, 나쁘지 않은 정도가 아냐. 사실…… 꽤 괜찮아.'

그에게 호감이 있다는 건 둘째 치고, 객관적으로 판단했을 때 알렉산드로는 훌륭한 혼처였다.

하지만 클로이는 자신이 지참금을 한 푼도 내지 않았다는 사실과, 그에 비해 지나친 예물을 받았다는 걸 똑똑히 인지하고 있었다. 밀런과는 그 대가로 양자를 입적하기로 합의했었지만 알렉산드로하고는 어떤 합의도 없었다.

때마침 밖에서 문을 여는 소리가 들렸다. 신방에 들어올 사람은 신랑뿐이었다. 꿀꺽. 클로이는 말린 체리를 삼켰다.

'지금이 기회야.'

꿀에 절인 살구를 입에 넣는 동시에 알렉산드로가 제 앞에 나타났다. 꽃길을 밟고 온 새 신랑의 손에는 심지어 사파이어 목걸이가 들려 있었다. 깜짝 놀란 클로이는 우물거리던 살구를 꿀떡 삼켰다.

"그건 또 뭐예요?"

멋없는 질문에 알렉산드로의 얼굴에 실망이 번졌다. 살짝 상기되어 올라가 있던 입매가 스르륵 밑으로 내려왔다.

"너는 왜…… 다시 태어나도 이렇게 달라지질 않아."

"네?"

대체 무슨 소리냐는 듯 그녀의 눈이 동그래졌다. 알렉산드로는 쓴웃음을 삼켰다.

"아니다. 아무것도."

그가 목걸이를 탁자에 내려놓았다. 촤르륵, 금속이 떨어지는 소리가 요란했다. 목걸이에 시선을 두었던 클로이는 움찔 놀라며 그에게로 눈을 돌렸다.

"지금은 네가 반기질 않으니 나중에 주지."

그는 너무나 자연스레 클로이의 옆에 앉았다. 묵직하게 시트가 내려앉는 느낌에 클로이는 기겁하며 침대에서 벌떡 일어섰다.

'왜?' 하고 영문을 모르겠다는 듯 의문 섞인 눈빛이 그녀를 좇아 왔다. 기가 막혀 입이 떡 벌어졌다.

'어쩜 사람이 이렇게 능숙하지?'

어떻게 그렇게 슬그머니 제 옆에 궁둥이를 붙이고 앉을 수가! 다 큰 성인 남녀가 한 침대에!

물론 결혼을 하긴 했지만…….

"우, 우선 합의가 필요할 것 같아요. 단도직입적으로 여쭤볼게요."

제 침대처럼 편히 앉은 알렉산드로가 그녀를 올려다보며 계속 말
해보라 눈짓했다.

"저와 이혼하실 건가요?"

"……이혼?"

내내 호의적이었던 그의 눈빛이 순간 맹렬하게 변했다. 신방의
온화한 분위기는 오간 데 없었다. 대적하듯 서로를 응시하던 와중
에 깊은 심호흡을 마친 알렉산드로가 먼저 입술을 떼었다.

"난 그럴 생각 없어. 조금도."

무심히 눈을 내린 그가 탁자의 와인을 따르며 대답했다.

"그럼…… 결혼을 무를 생각이세요?"

"……."

잔을 가득 채운 그는 물처럼 벌컥벌컥 술을 들이켰다. 클로이는 숨
죽인 채 대답을 기다렸다. 짧은 순간이 한나절처럼 길게 느껴졌다.

"그 상황에서 내게 결혼을 제안한 건 너야."

"아시다시피 그때 그 상황에선……."

"밀런을 도와주려는 갸륵한 마음이었겠지, 물론."

탁. 거칠게 술잔을 내려놓은 알렉산드로가 그녀의 말을 끊으며
삐딱한 눈을 했다.

"하지만 너는 날 책임져야 할 거야."

거인 같은 그가 천천히 몸을 일으키는 모습이 위협적이었다. 그
를 화나게 했다. 저도 모르게 두려움이 물밀 듯 밀려왔다. 클로이
는 떨리는 손끝을 애써 가라앉혔다.

"그러니까, 그게 언제까지……."

"죽을 때까지."

말이 채 끝나기도 전이었다.

"결혼 무효를 한다거나, 이혼 같은 건 없어."

어느새 그녀의 등에 벽이 닿았다. 알렉산드로는 유린하듯 칼스버그 가문의 휘장을 툭 건드렸다.

"이 가문의 역사에 그런 불미스런 일은 없었으니까. 단 한 번도!"

기막히다는 듯 코웃음을 친 그가 그녀를 잡아먹을 것처럼 노려보았다.

"서약까지 다 해 놓고 앙큼하게 이혼하자는 소리를 해?"

지나치게 으르렁거리는 그 반응에 클로이의 눈가가 가늘어졌다.

"혹시 취하셨어요?"

두 손을 꼭 모으고 있던 그녀가 드레스 자락을 움켜쥐었다.

"그럼 나중에 다시 얘기해요. 오늘은 이만……."

클로이는 대답을 듣지도 않고 침실을 나가려 했다. 아차, 싶었던 알렉산드로는 급히 그 앞을 가로막았다.

그가 상상했던 첫날밤은 결코 이런 분위기가 아니었다. 물론 마냥 화기애애할 거라고 예상하진 않았다. 어쩌면 말 한마디 없이 각자 어색하게 밤을 보냈다가 각각 따로 눈을 뜨는, 저만 한숨도 자지 못하는 그런 괴로운 시간이 되리라고는 짐작했다.

그래도 어쨌든 부부로써 한 침실을 공유하고 나면 한 발자국 제게 마음을 열어 주지 않을까 하는 기대가 있었다. 그래도 이 남자가 인내심은 있구나 하고 좋게 보아 주지 않을까 하고.

그런데 보자마자 기껏 하자는 얘기가 '저와 이혼하실 건가요?'라니. 이혼은 전생에서도 들어 본 적 없는 말이었다.

전혀 예상치 못한 말에 너무 놀란 나머지 과민 반응을 했다. 이를 깨달은 그의 기세가 확 낮아졌다.

"저런 과실주로…… 취하진 않아."

하지만 클로이는 쉽게 경계를 풀지 않았다. 의심 어린 눈으로 그의 상태를 살피듯 그저 빤히 응시했다.

"정말 취하지 않은 거죠?"

매우 조심스러운 그 모습에 알렉산드로는 순간 머리를 맞은 기분이었다. 스치듯이 들었던 그녀의 숙부의 만행이 떠올랐다. 도미닉 가문에서 팔려 가듯 결혼하고 도망치길 반복하던 그녀의 과거도 함께 되새겨졌다.

"잘못했다."

워낙 적응을 잘해서 지금이야 밝은 표정을 되찾았지만, 처음 만났을 때의 클로이는 그렇지 않았다.

"내가 미안해."

전적으로 자신의 잘못이었다. 그녀의 인생에서 결혼은 결코 행복한 사건이 아니었을 텐데. 애써 먼저 제 손을 잡아 준 그녀의 결단을 이런 식으로 망쳐 버릴 순 없었다.

"이제 술은 입에도 대지 않을 것이다. 절대."

알렉산드로는 다시 나와 대화를 해 주지 않겠느냐고 부드럽게 회유했다.

"제발, 클로이."

애원의 말까지 나오자 반신반의하던 클로이가 마침내 작게 고개를 끄덕였다.

"……알겠어요."

크게 안도한 알렉산드로는 깊은 한숨을 내쉬며 그녀를 소파로 인도했다. 잠깐 잊었나 보다. 이 콩알만 한 여자의 마음을 돌리기는 결코 쉽지 않다는 걸. 예전이나 지금이나 그랬다.

본인은 아니라고 하지만 성격도 솔직히 똑같이 닮았다.

'얼굴도 그렇고.'

첫눈에 그녀를 알아봐 놓고도 애써 아니라고 부정했던 그 긴 시간들이 바보처럼 느껴졌다. 겨우 정인이 있다는 사실에 마음이 상해서는…….

알렉산드로는 클로이가 또 침실을 나가 버릴까 봐 아예 그녀의 발치에 한쪽 무릎을 꿇고 앉았다. 잘못을 빌려는 의도도 있었다.

눈높이가 뒤바뀌자 클로이는 내심 뜨악했다.

'이건 꼭…….'

주인 지키는 사냥개가 떠올랐다. 오직 주인에게 꽂힌 맹목적인 눈빛이나 명령만을 기다리겠다는 듯이 얌전한 태도가 그랬다. 결국 클로이는 맞은편 소파를 권했다.

"저기 앉으세요."

"아니다. 난 이게 편해."

그가 진심을 표명하듯 팔걸이에 어깨를 걸쳤다. 그러면서 은근슬쩍 팔로 그녀의 허리를 감았다.

"하던 얘기부터 마무리 지어 볼까."

'제가 불편한데요' 하려던 클로이는 그냥 내버려 두기로 했다. 그를 내려다보는 위치는 확실히 속마음을 말하기가 전보다 훨씬 쉬웠다.

"너무 불쾌하셨다면 죄송해요. 그…… 기사님께는 첫 결혼인데."

알렉산드로는 그놈의 호칭부터 좀 고치자고 지적하고 싶은 걸 꾹

참았다.

"어쨌든 결혼 생활을 이어 가시겠다는 거죠?"

"맞다."

"하지만 전 지참금을 내지 않았잖아요. 사제들이 제 가문을 적어 갔고, 상의도 없이 이런 어마어마한 예물을 받았는데."

귀족끼리의 결혼에 예물은 사전에 상의를 해야 했다. 지참금도 물론이었다. 당연한 절차이긴 하지만, 알렉산드로는 설마 그녀가 그런 걸 걱정하는 줄은 꿈에도 몰랐다.

"나중에 이혼하게 되면 값을 물어 줘야 할지 모르고……."

이혼을 제기하는 쪽에서 지참금이든 예물이든 두 배로 갚아야 하기 때문에 사실 이 문제는 깨끗이 하는 게 맞았다.

도미닉 가문은 이런 돈을 물어 줄 여력이 없었다. 청구한 돈을 갚지 못하면 가족들이 죽을 때까지 노역을 하게 될지 몰랐다. 도망치긴 했어도 클로이는 도미닉 가문에 폐를 끼치고 싶진 않았다. 무엇보다 이런 보물의 주인이 되었으니 소문이 퍼지는 건 삽시간이다.

'당장 수도로 떠날 것 같지도 않아.'

이러다 도미닉 가문에서 연락이라도 오는 날에는…….

"내가 과한 반응을 보인 건 사과하지."

"아니에요. 이런 명문가에서 처음으로 이혼을 했다간 가문의 수치가 된다는 것도 이해해요."

"하지만 그놈의 이혼 소리는 좀 그만했으면 좋겠군."

저도 모르게 날 선 말이 나와 알렉산드로는 주먹을 말아 쥐고 짧게 헛기침을 했다.

"가문을 들먹인 것도, 내가 비겁했다."

그러자 클로이의 눈에 이채가 돌았다. 자존심이 센 남자라 이렇게 순순히 모든 걸 인정하고 사과할 줄은 몰랐다.

하지만 돌아보면 알렉산드로는 제게 모든 걸 다 내보였다. 정말 밑바닥까지 내려가 애원했고, 간절하게 매달렸다.

'나한테만…… 그랬어.'

집안사람들한테도 까칠하단 소리를 듣는 남자가 제게는 신기하리만치 솔직하게 애정을 갈구하는 모습이 어쩐지 짜릿했다. 이를 인지하자 아까와는 다른 이유로 가슴이 뛰기 시작했다.

"이혼을 거부하는 건 이 가문에 오점을 남길까 봐 두려워서가 아니야."

시선을 맞춘 알렉산드로는 무릎 위에 놓인 그녀의 손을 살며시 붙잡았다.

"너와 절대 헤어지고 싶지 않아. 오직 그 이유야."

그는 처음부터 솔직하게 말하지 못해 미안하다고도 덧붙였다.

"지참금이나 예물을 걱정했다면, 그래 그건 전혀 예상하지 못했다. 우리가 합의해야 하는 부분인 건 맞지."

"안 주고, 안 받는 걸로……."

"그럴 순 없어. 처음부터 널 위해 준비했으니 그건 네 거야."

말은 강압적인데, 행동은 그렇지 않았다. 그가 부드럽게 그녀의 손을 제 얼굴로 가져갔다.

"받아."

손등에 느껴지는 입술의 감촉에 클로이는 등줄기가 쭈뼛 섰다.

"넌 4년 후에 서로를 알아가자고 했지만 어쨌든 난 청혼했을 거야."

결혼반지의 기원은 서로를 묶은 족쇄라 했다. 이기적이지만 알렉

산드로는 그녀가 부담스러워하는 더 많은 것들을 선물해야겠다고
다짐했다.

"그럼…… 4년을 앞당겼다고 생각하라는 말씀이신가요?"

"맞아."

둘뿐인 침실에 침묵이 감돌았다. 불편한 침묵은 아니었다. 분위
기는 신혼 비슷했다. 두근두근. 클로이는 떨리는 마음에 잡힌 손을
빼지도 못하고 움직이지도 못했다.

그런 그녀를 달래 주듯, 알렉산드로가 씩 웃으며 입을 열었다.

"그럼 부부가 되었으니 말을 높이지요, 부인."

"네?"

"어떻습니까."

클로이는 할 말을 잊었다. 어떻게 저렇게 자연스럽게 존대가 나
오는지 신기하기만 했다.

'난 너무 어색한데.'

꼭 제게 존대를 해 본 사람처럼, 익숙하게만 말한다.

"싫습니까?"

"네. 너무 어색해요. 그냥 하던 대로 해요. 어울리지도 않아요."

지금 존대보다는 더 신경 쓰이는 게 있었다. 클로이는 간신히 굳
은 입술을 열었다.

"그럼 혹시…… 만약에."

이렇게 결혼까지 다 했는데.

"당신이 찾던 여자가 내가 아니면, 그때는 어떡해요?"

상상도 하기 싫은 일이었다. 굳이 얘기를 꺼내기도 싫지만, 모른
척 이 남자를 가졌다가 훗날 다른 여자에게 그를 다시 돌려줘야 한

다면 견딜 수 없을 것 같았다.

알렉산드로는 차분히 고개를 저었다.

"그럴 리 없어."

"애타게 찾았잖아요. 만약에, 정말 만약에 그 여자가 어디선가 당신을 기다리고 있는데 내가 당신을 선점하고 있는 거라면……."

"답답한 소리를 하는 걸 보니 내가 찾던 여자가 확실하군."

"나 농담하는 거 아니에요."

"나도 농담은 아니었어."

알렉산드로는 보드라운 그녀의 손에 얼굴을 붙이곤 피식 웃었다.

"그 여자가 내가 맞다는 확실한 증거라도 있나요?"

"있고말고."

그의 여유로운 미소에도 클로이는 불안하기만 했다. 만약 아니라면, 그땐 어떡하지. 나는 벌써 이 남자를…….

"그 증거가…… 무엇인데요?"

고심하던 그녀가 어렵게 다시 입술을 열었다.

"내가 증거야."

"……."

"내 심장, 내 기억, 나의 모든 게 네가 바로 그 여자라고 말하고 있어."

맥이 쭉 빠졌다. 막막한 소리지만 클로이는 이상하게도 안심됐다.

"나 말고는 그녀를 아는 사람이 아무도 없으니까, 클로이."

자세 때문인지 커다란 짐승이 제게 애교를 부리는 것 같기도 하고…… 기분은 훨씬 나아졌다. 아직 다가오지 않은 일을 괜히 먼저 불안해할 필요는 없었다.

만약 어느 날 누군가 찾아와서 이 남자는 원래 제 것이라고 주장하면, 그때 돌려주자.

"불안한가?"

"조금요."

그러면서 클로이는 무의식적으로 그의 머리카락을 매만졌다. 손가락에 감기는 부드러운 감촉이 신기하게도 큰 위로가 됐다.

가만히 그녀의 손장난을 즐기던 알렉산드로는 옛날 일들이 떠올라 슬그머니 웃음이 삐져나왔다. 그와 동시에 누군가 죽창으로 가슴을 콕콕 쑤시는 것처럼 찌릿찌릿했다.

그녀는 알지 못하는 저 혼자만의 추억. 아름답다 여겼던 그 기억들이 지금 클로이를 불안하게 한다면…….

"……그럼 더는 그 얘기를 꺼내지 않을게. 어때."

그녀가 작게 고개를 끄덕였다. 소심한 몸짓이었지만 내내 눈을 떼지 않았던 알렉산드로에겐 쉽게만 읽혔다.

"저도 그 남자는 잊을게요."

더는 지난 환상에 눈이 멀어 현실을 저버리지 않으리라. 이젠 정말 스스로 선택한 결혼을 했으니까. 그 남자가 이 남자든 아니든, 그런 것에 연연하지 않으리라.

하지만 그녀의 결심이 무색하게도 알렉산드로는 잊지 않고 전에 했던 얘기를 들춰냈다.

"그러고 보니 네겐 확실한 방법이 있다고 하지 않았나."

"네?"

"어떤 방법이 있다고 했잖아."

"아……."

"네가 찾던 남자가 나인지, 확인할 방법."

말이 끝나는 동시에 마법처럼 그녀의 눈앞에 알렉산드로의 나신이 그려졌다. 얼굴이 확 뜨거워진 클로이는 퍼뜩 고개를 흔들었다.

'점이 있는 부분만 떠올리자. 제발, 점이 있는 부분만!'

하지만 야속한 머릿속 기억들은 결코 그녀가 원하는 것만 내주지 않았다.

"흠흠, 이걸 확인하기 전에 먼저 말씀드릴 게 있어요."

"말해. 성의껏 들을 테니까."

"너무 이상하게 생각하지 마세요."

"알았다."

오직 단둘뿐인 공간. 이 남자라면 제 치부라도 받아들여 주리라는 이상한 확신이 들었다. 그래서 클로이는 한 번도 입 밖으로 꺼낸 적 없는 자신의 이야기를 털어놓았다.

"전 어릴 때부터 원치 않는 환청을 들었어요."

어떤 남자의 목소리. 나를 사랑한다 말하는 간절한 그 고백.

"그 사람 때문에 다른 남자와의 결혼은 꿈도 꿀 수 없었어요."

"그냥 잊어버렸으면 되지 않느냐. 차라리 그게 나았을 것을."

"저도 노력했지만 그러지 못했어요. 끝내 잊히지가 않았으니까."

내 마음인데 내 마음이 아닌 것 같은 그 기분. 가슴은 멋대로 뛰고, 머릿속은 제 의지에서 벗어나 하염없이 그 사람만 그리게 되는…… 알렉산드로는 그녀의 심정을 이해했다.

"그런데 최근에는 더 이상한 일이 벌어졌어요."

"더 이상한 일?"

"예전에는 환청에 그쳤는데, 이제는 심지어…… 환상까지 보여요. 당신을 만나고부터요."

긴장한 그녀가 마른침을 삼켰다. 부드럽게 풀어져 있던 알렉산드로의 얼굴이 긴장으로 굳어졌다.

설마.

'전생의 기억일까?'

그는 차마 묻지 못했고, 클로이도 차마 말을 꺼내지 못해 서로 쳐다만 봤다.

"설명하기가 참 난감한데, 주로 뭐냐면."

주저하던 그녀가 어렵게 용기를 냈다.

"당신의 나신이 자꾸만 아른아른……."

귀까지 빨갛게 달아오른 클로이는 눈을 꼬옥 감았다. 그와 동시에 알렉산드로는 홀린 듯 스르르 고개를 들었다.

"나의 나신?"

전생의 그녀에게 의미가 있던 순간들, 예를 들면 대관식이라든지, 쌍둥이의 생일이라든지, 저와의 사랑의 도피라든지. 그 많은 일화 중 하나를 기대했건만 그녀가 기억하는 게 오직 제 나신뿐이라니.

알렉산드로는 이 사실에 웃어야 할지 울어야 할지 알 수 없었다.

아, 물론…… 기억에 남을 만하지. 그녀에게 충분히 인상적이었을 수없이 많은 밤들이 그에게 자신감을 주었다.

"사실은 굉장히 자세하게 그려져요. 어느 정도냐면 그게, 몸에 있는 점까지……."

"점?"

그는 큰 점이 없었다. 제 몸을 그렇게 샅샅이 살펴본 적도 물론 없었다. 자연스레 알렉산드로의 한쪽 입가가 삐뚜름히 올라갔다.

그래, 내 몸은 나보단 당연히 네가 더 잘 알겠지. 그렇게 말하고 싶지만 이미 토마토처럼 붉어진 귀여운 얼굴을 더 지켜보기로 했다.

"아주 작은 점이요. 펜으로 콕 찍은 것 같은 작고 귀엽고……."

야한 점. 클로이 차마 그 말까지는 내뱉지 못했지만 그는 이미 모든 걸 예상한 목소리였다. 얼굴이 터질 것만 같았다.

"내 몸의 어디에?"

"가슴하고 왼쪽 장골에…… 거, 거기 점이 있나요?"

"글쎄."

"아니, 뭐 있거나 없거나 상관은 없지만…… 어엇."

눈을 뜬 클로이는 서로의 입술이 닿을락 말락 한 가까운 거리에 깜짝 놀랐다. 씩 웃은 그가 고개를 틀어 그녀의 귓가에 입술을 갖다 댔다.

"네가 확인해 봐."

속삭이는 음성이 꼭 사람을 홀리는 악마 같았다. 클로이는 펄쩍 뛰었다.

"제, 제, 제가 어떻게."

알렉산드로는 그녀와 시선을 맞춘 채로 천천히 상의 단추를 풀기 시작했다.

툭, 툭, 툭……. 그 소리가 무척 야릇했다.

"싫으면 날 멈춰, 클로이."

일부러 느릿하게 옷을 벗는 그의 행동에서, 저지하면 언제든지 손을 멈추겠다는 분명한 의도가 느껴졌다.

"싫으면 날 원하지 않는다고 말해."

물론 그럴 수 없겠지만. 그의 집요한 눈빛이 그렇게 말하고 있었다. 맞다. 그녀는 알렉산드로를 저지할 수 없었다. 그저 쳐다보고만 있을 뿐인데도 사로잡힌 것처럼 꼼짝도 할 수 없었다. 뱀 앞의 쥐가 된 기분이라 등골이 오싹했다.

'아직 해도 다 안 떨어졌는데.'

뉘엿뉘엿 노을이 저물어 가는 저녁 무렵이었다. 그녀가 간신히 숨만 쉬고 있는 사이, 어느새 상의를 다 벗은 그가 하의에 손을 가져갔다.

클로이는 드레스 자락을 꾹 움켜쥐었다. 뭐라도 붙잡지 않으면 심장이 터질 것 같았다. 결국 알렉산드로가 완벽한 나신이 될 때까지 그녀는 아무것도 하지 못했다.

"잘 봐."

그는 마음껏 감상하라는 듯, 한 발자국 뒤로 물러서 주기까지 했다.

'세상에…… 저게 어떻게 저런…….'

정작 벗은 사람은 저렇게 자신만만하건만 단추 하나 풀지 않은 클로이는 부끄러워 미칠 지경이었다.

"뒤로 돌아볼까?"

목까지 새빨갛게 변한 그녀는 말을 잊은 채 씩씩 숨만 몰아쉬었다.

알렉산드로는 동의로 알아듣고 느릿느릿 제자리를 돌았다. 알 수 없는 긴장감에 온몸이 짜릿했다. 동시에 절로 감탄이 터져 나왔다.

'앞모습도 대단하지만, 뒷모습도 정말 끝내주는 몸이야.'

특히 그의 넓은 어깨에서부터 척추를 따라 떨어지는 선이 정말 남자다웠다. 게다가 그 밑에 탄탄하게 올라붙은 엉덩이는…….

"점은 찾았나?"

점 같은 건 안중에 없었다. 애초의 목적은 이미 잊은 지 오래였으니까. 어찌나 집중했는지 콧물이 다 나왔다.

"더 가까이 보여 줄…… 클로이."

갑자기 눈이 확 커진 알렉산드로가 성큼 다가왔다.

"어어…… 이, 이, 이렇게 막 다가오시면…….."

"클로이!"

바짝 얼어 있던 클로이는 그가 가까이서 자신을 만진다는 사실에 현기증이 다 났다.

"갑자기 왜 그러느냐? 웬 코피가 이렇게……! 클로이! 클로이!"

볼, 이마, 입술, 어깨…… 그의 손이 다급하게 닿았다. 그 모든 부분이 타는 듯 뜨거웠다.

"의사! 의사를 불러라!"

해롱해롱해진 클로이에겐 급하게 움직이는 알렉산드로의 몸만 눈에 들어왔다.

그의 나신 위, 정확한 그 부위에 콕 찍은 점 두 개.

'이건 내 환상인가? 아니야, 이건…….'

이 뜨거운 체온과 매끈한 피부는 진짜 알렉산드로였다.

어떻게 사람의 몸이 이럴 수가. 너무 완벽했다. 세상에 이런 몸이 또 있을까? 점이고 뭐고 어지러워 눈앞이 핑핑 돌았다. 비릿한 피 냄새 때문에 정신을 차릴 수가 없었다.

그나마 알게 된 한 가지…….

'이 남자를 좋아하게 될 것 같아.'

그것만은 분명했다.

클로이는 한참이나 코피를 쏟았다.

"이젠 코피가 멈춰야 하는데…… 마님, 그간 몸 상태는 좀 어떠셨습니까?"

"다 나 때문이다. 전부 내 욕심 때문에……"

피가 멎지 않아 고생하는 걸 보고 알렉산드로는 안절부절못했다.

'저 사람 잘못이 아닌데.'

듣고 있자니 땅 파고 들어가서 집까지 지을 기세였다.

"차라리 내가 피를 흘렸으면 좋겠군."

정성스레 코피를 닦아 주던 그가 안쓰러워 죽겠다는 듯이 말했다. 그러자 의사가 기겁한 얼굴로 힐끔 그를 쳐다봤다. 귀로 들은 말을 믿지 못하겠단 얼굴이었다.

"다른 사람의 잘못이 아니에요. 원래 몸이 좋지 않았어요."

계속 의사에게 진료를 받았어야 했는데, 그러지 않았다.

"굳이 따지자면…… 내 잘못이네요."

"넌 아무 잘못도 없어."

시녀에게 새 수건을 건네받은 알렉산드로가 그녀에게 집중한 채로 고개를 저었다.

"내 탓이다."

알렉산드로는 더 이상 서로가 운명이란 것을 재판하듯이 증거로써 확인하고 싶지 않았다.

그때, 의사가 그에게 뭐라고 귓속말을 했다. 고개를 끄덕인 알렉산드로는 집사장을 포함한 모두를 침실에서 내보냈다.

"다들 자리를 비켜라."

셋만 남게 되자 의사가 정중히 고개를 숙였다.

"마님, 실례지만 하나 여쭙겠습니다."

"네."

"월경 주기는 일정하십니까?"

"네, 일정해요."

"그럼 마지막 월경은 언제 하셨습니까?"

순간 클로이는 쉽게 대답할 수 없었다.

'어, 그러고 보니…… 안 한 지가 꽤 됐잖아.'

곰곰이 따져 보니 도미닉 백작가에서 도망치기 전이 마지막이었다. 도망치고, 붙잡히고, 감금당하고. 갇혀 있던 열흘 동안은 물 한모금 마시지 못했다. 그 과정을 두 번 반복했다.

세 번째에 죽을 각오로 도망쳐 밀런에게 구해졌으니까. 밀런과 알렉산드로의 여정에 합류한 후에는 사정이 나아지긴 했지만 마음이 불안하긴 마찬가지였다.

"아마…… 네 달 전……?"

클로이는 간신히 기억을 더듬었다.

"네 달이나요?"

의사는 네 달이나 월경을 건너뛸 수는 없다고 단언했다. 확 얼굴이 펴진 그가 알렉산드로에게 물었다.

"혹시 마님께서 임신을 하신 건 아닐까요?"

"그건 아니에요."

아직 경험도 없는데 임신을 했을 리 만무했다. 알렉산드로가 대답하기 전에 클로이가 곧장 손을 내저었다.

"그냥 몸이 좋지 않아서 그랬을 뿐이에요."

"그렇다면 꽤 큰일인데요. 마님, 백작가에 계실 때 진료를 받아 보셨겠지요? 의사는 뭐라고 하던가요?"

"……."

진료라니. 저도 모르게 탄식이 나왔다. 클로이는 숙부와 계모의 눈엣가시였다. 식사조차 제대로 주어지지 않았던 그녀에게 의사의 진료는 사치였다. 약초에 관심을 가졌던 것도 그래서였다.

'내게 돈 쓰는 걸 세상에서 가장 아까워했었지.'

그들에게 당한 구박을 나열하자면 끝도 없었다. 아무리 가난하다 해도 백작가의 영애를 그렇게 팔아 치우듯 결혼시킬 수는 없었다.

하지만 그녀의 숙부는 그랬다. 소 입찰을 받듯 가격을 매기며 제 신랑감을 결정하던 그때를 떠올리고 클로이의 표정이 급격히 어두워졌다.

"마님, 그럼 월경은 언제 시작하셨습니까?"

"열다섯 봄부터……."

"지금 그게 그렇게 중요한가?"

알렉산드로가 신경질적으로 의사를 돌아보며 제지했다.

"코피를 멈출 방법이나 찾아와."

"아, 알겠습니다."

그의 싸늘한 눈빛을 정면으로 맞은 의사는 지혈에 좋은 다른 약초를 더 찾아오겠다며 허둥지둥 침실을 나갔다.

둘만 남겨지자 침묵이 맴돌았다. 신기하게도 클로이는 전처럼 어색하거나 싫지 않았다.

"내 잘못이다, 내 잘못."

한숨을 푹푹 내쉬며 자상하게 피를 닦아 주는 그를 보니 가슴이
따뜻해졌다.

'나를 많이 걱정해 주네.'

돌아가신 어머니, 아버지가 떠오를 정도로 극진한 보살핌이었다.

'그래, 이 사람은 이제 내 남편이야. 가족이 됐어.'

클로이는 이제야 자신이 결혼을 했다는 걸 실감했다.

"코피가 다 멎은 것 같아요."

"그런 것 같군. 다행이다."

안도의 한숨을 내쉰 그는 이제 젖은 수건으로 그녀의 얼굴을 닦
아 주었다.

클로이는 그런 그의 손을 턱 붙들었다. 급하게 걷어 올린 소매와
피로 엉망이 된 셔츠를 차례로 본 그녀가 그를 올려다보았다. 그러
자 당황하고, 조금은 의아한 얼굴이 그녀를 맞이했다. 파란 눈동자
에 들은 애정 어린 진심을 찬찬히 들여다보던 클로이가 마침내 입
을 열었다.

"저한테 왜 이렇게 잘해 주세요?"

순간 알렉산드로는 뒤통수를 맞은 사람처럼 멍해졌다. 별것 아닌
질문이었는데 뭐가 그렇게 그를 놀라게 한 건지 모를 일이었다. 아무
대답도 하지 못하고 넋을 잃은 그 모습은 꼭 회상에 잠긴 것 같았다.

분명 제 눈을 쳐다보고 있는데, 다른 사람을 보는 듯 멀고 아련
한 눈빛이었다. 서글프면서도 기쁜 듯한 미묘한 그 표정을 보고 클
로이는 알 수 없는 감정에 휩싸였다.

어색한 기류가 흐르던 그때, 다행히 의사가 돌아왔다. 시종이 문을 열어 주자 땀을 뻘뻘 흘리며 트레이 한가득 약을 갖고 들어왔다.

"마님, 지혈에 좋다는 모든 약초를 다 갖고 왔습니다. 우선 환으로 된 것부터 좀 드셔 보세요."

"코피는 멎었어요."

"정말입니까? 오, 신이시여. 감사합니다."

호들갑을 떨던 의사는 이번엔 심신을 안정시키는 물약을 권했다. 쓴 약을 들이켜던 클로이는 밖에서 들리는 요란한 소리에 눈을 돌렸다.

"저건 무슨 소린가요?"

"아, 사실은 오늘 보름달이 떴습니다. 원래는 축제 때 떴어야 하는데……."

"저도 들었어요. 달을 보며 소원을 비는 게 남부의 가장 큰 행사라고요."

"예. 그런데 그날은 웬일인지 안개가 자욱해서 달이 보이지 않았지요. 영지민들의 실망이 이만저만이 아니었습니다."

"정말 그랬겠어요."

"네. 그래서 도련님께서 특별히 오늘 폭죽까지 허락하셨습니다."

말이 끝나기가 무섭게 밖에서 '펑!' 하고 거대한 소리가 들려왔다. 전쟁이라도 난 것 같았다.

"지금 막 폭죽을 터뜨렸나 보군요."

귀를 틀어막은 클로이는 어안이 벙벙해졌다.

'이런 게 폭죽이라니.'

불꽃놀이는 분명 밤하늘에서 별이 쏟아지는 것처럼 아름답다고 했는데, 이게 대체 무슨 소리람. 또다시 들린 '펑!' 소리에 심장이 다 벌렁거렸다. 하마터면 비명을 지를 뻔했다.

크게 놀란 클로이를 보고 의사가 인자한 미소를 지었다.

"마님께선 불꽃놀이를 별로 안 좋아하시나 보군요."

그녀가 고개를 끄덕였다. 아직 한 번도 본 적 없지만…… 영원히 좋아하게 될 것 같지 않았다. 천둥 번개가 치는 것처럼 요란하고 시끄러웠다. 이 소리로만 판단하자면 불꽃놀이는 너무 무서운 놀이였다.

"그래도 달에게 소원은 빌어 보세요. 마님의 소원은 '건강 회복' 입니다. 아셨지요?"

"알겠어요. 고마워요."

의사는 꾸준히 먹을 약을 시녀에게 일러 놓겠다며 자리에서 일어섰다.

'불꽃놀이…… 한번 보기라도 할까?'

미련이 남은 클로이는 창가로 다가갔다. 하지만 폭죽이 모두 터진 뒤라서 보이는 건 아무것도 없었다. 불꽃놀이를 놓쳤다.

"도련님, 마님은 지금 건강이 많이 좋지 않으십니다."

의사는 알렉산드로에게 따로 당부를 일러뒀다.

"네 달이나 월경이 멈췄을 정도면 극도의 스트레스를 받았거나, 신체에 큰 문제가 있으신 게 분명합니다."

알렉산드로는 전에 클로이에게 붙여 주었던 의사를 떠올렸다. 멍도 다 가셨고, 약만 잘 바르면 다친 건 다 나았다고 했었다. 외상 때문은 아니었다.

"전에는 주기가 일정했다고 하시니, 제 생각에는 전자가 아닌가

합니다."

극도의 스트레스. 정신적인 문제라면 충분히 가능성이 있었다.

"결혼 준비가 고되었거나…… 백작가를 떠나오면서 아쉬움이 많으셨나 봅니다."

이 의사는 두 사람의 결혼에 대해 정확히 아는 게 없었다.

"평생 키워 준 부모 형제와 이별하셨으니 얼마나 슬프셨겠습니까? 갓 결혼한 신부들은 향수병을 앓는 경우가 많습니다."

의사는 그녀에게 잘해 주라고 당부, 또 당부했다. 알렉산드로의 성격이 다른 칼스버그 도련님들과 같지 않다는 걸 잘 알기 때문이었다.

"제발 마님께 다정하게 대해 주세요."

당부를 마치고도 할 말이 남은 것처럼 미적대던 의사가 어렵게 다시 말문을 열었다.

"그리고 신혼 기간인 건 알지만……."

"알았다."

"오늘 결혼하셨으니 두 분께서 얼마나 달콤하고 애틋하시겠습니까. 그래도 당분간은……."

"알았다고 했다."

의사를 돌려보낸 알렉산드로는 침실 안을 살폈다. 다행히 클로이는 창문 밖의 광경에 완전히 눈이 팔려 있었다. 조용히 문을 닫은 알렉산드로는 시종장을 불렀다. 멀지 않은 곳에 있던 그가 헐레벌떡 뛰어왔다.

"도련님, 찾으셨습니까? 마님께서는 이제 괜찮으신가요? 코피가 방금 멎었다고 들었는데……."

"시종장."

거두절미하고 그는 전부터 마음에 걸렸던 일을 지시했다.

"키아스 도미닉 백작, 그리고 그 가문에 대해서 알아봐."

"마님의 가문이요?"

시종장의 음성이 확 낮아졌다.

"마님께는 알리지 말아야겠지요?"

"그래. 조용히 알아봐. 그 가문에 대해서, 관계된 소문까지."

"알겠습니다."

안 그래도 시종장도 이상하게 여긴 바였다.

'마님은 본가에 편지를 보내 달라는 말씀조차 없으셨어.'

그녀는 알렉산드로가 이렇게 얼렁뚱땅 결혼해도 되는지 의아해하면서도, 정작 자신은 부모에게 허락을 받지 않았다. 무려 백작가의 영애가 이런 식으로 결혼을 진행할 순 없었다. 가문에서 쫓겨났거나, 아니면 비밀리에 결혼해야 하는 다른 이유가 있거나 둘 중하나였다.

'마님께선 본가의 가족들과 사이가 좋지 않으신가 보군.'

사람을 많이 만나 본 시종장은 짧은 첫인상으로도 알 수 있었다. 그가 모시게 된 마님은 여리고 경계심이 많았다. 백작가의 금지옥엽이라기엔 그 태도가 상당히 조심스러웠다. 그런 사람이 싫어할 만한 가족이라면 분명 이유가 있을 터였다.

'도미닉 백작이라.'

시종장의 머릿속에 어떤 그림이 그려졌다.

"한데 마님의 가문이라면, 왜 마님께 직접 여쭤보시지 않고……."

"말하기 싫은 눈치다. 너도 묻지 마."

역시. 비단 저만의 의미 없는 짐작이 아닌 듯했다.

"마침 사제들에게 혼인 증서를 다시 작성하여 보내겠다 일러두었습니다만 그건 어떻게 할까요?"

"미뤄 둬라."

단호한 대답에서 시종장은 알렉산드로의 의도를 짐작했다. 그녀를 좋아해서 한 결혼이니, 그녀가 배척하는 친정을 받아들일 생각은 없는 것이다.

"알겠습니다. 결혼 발표는 당분간 미뤄질 거라고 마님께도 말씀드리겠습니다. 이미 알고 계시겠지만요."

다행히 마님은 왜 결혼 소식을 늦게 알리느냐고 화를 낼 만한 사람도 아니었다.

'마침 대신전이라는 적절한 변명도 있지.'

자신의 혜안에 감탄한 시종장이 의미심장하게 말했다.

"도련님의 결혼 소식을 아직 수도에 알리지 않길 다행이군요."

어쩌면 마님의 이름이 바뀔 수도 있다. 그렇다고 대답은 하지 않았지만 알렉산드로는 이에 동의하듯 고개를 주억였다.

"도미닉 백작가의 일은 집사장을 포함한 어느 누구에게도 발설하지 마라."

8. 악연의 조우

8. 악연의 조우

· · ◆ · ·

"클로이, 아무래도 오늘 저녁은······."

조용히 안정을 취하는 게 좋겠다고 제안하려던 알렉산드로는 미처 말을 끝내지 못했다.

창가에 바짝 붙은 그녀가 너무나 흥미로운 눈으로 밖을 쳐다보고 있었다. 거울에 비친 상기된 그 얼굴에, 얼마나 이 축제를 구경하고 싶은지 고스란히 드러났다. 만약 귀가 달렸다면 쫑긋대는 그 모습이 상상되는 귀여운 뒷모습이었다. 침음을 삼킨 알렉산드로는 속으로 탄식했다.

'안 돼. 코피를 그렇게나 흘렸는데.'

사람 많은 광장에서 헤매다 또 쓰러지기라도 하면 어쩔 것인가? 안 된다고 하자. 안 된다.

마침 그 생각을 읽은 사람처럼 클로이가 스르르 고개를 돌리곤 창밖을 가리켰다.

"밖을 구경 갈까요?"

생글생글 웃는 그녀의 불그스레한 양 볼이 불룩했다.

"축제가 재밌나 봐요. 시끌벅적한 소리가 공작성까지 들려요."

"……."

알렉산드로는 입술을 깨물었다. 저 볼을 만지고 싶어 손이 근질거렸다.

"별로 좋은 생각이 아니야. 오늘은 자제하는 게 좋겠다."

이런 축제는 다음에도 있으니까. 남부에는 수도 못지않게 다양한 행사가 많아 언제든 즐길 수 있다고 덧붙였다.

"그럴 줄 알았어요."

그녀의 어깨가 축 늘어지며 아쉬운 듯 고개를 돌렸다.

"남부에서 가장 중요한 귀족 모임도 참석하길 꺼린다면서요."

"……."

'남부 신사회'를 말하는 게 분명했다. 갑자기 축제 얘기 중에 사교계 모임이 왜 나오는지 알렉산드로는 쉽게 짐작할 수 있었다.

집사장. 그 늙은이가 이제 막 결혼한 신부에게 무슨 말을 늘어놓은 건가.

'대체 그건 또 언제…….'

빠득 이를 간 알렉산드로는 속내를 숨기고 창가로 다가갔다.

"사람 많은 곳을 별로 좋아하지 않는 거죠?"

그는 바람이 불어오는 창문을 닫으며 흐트러진 그녀의 머리카락을 정돈해 주었다. 손가락을 스치는 부드러운 감촉 또한 전생에 수없이 느꼈던 그대로였다.

"그리 즐기지는 않지만, 네가 원하면 갈 수 있어."

"그럼 오늘 가요. 가서 달에게 소원을 빌어요."

"오늘은 네 상태가 별로 좋지 않아. 사람들에게 치여 봤자 피곤하기만 할 테니 다음에……."

시무룩해진 그녀의 귀가 아래로 축 처졌다. 순간 알렉산드로는 안쓰러운 나머지 이깟 일 하나 이뤄 주지 못하는 상황이 짜증스러워졌다. 그녀가 원한다는데 이것 하나 들어주지 못하나?

"저는 축제를 제대로 본 적이 없어요."

마을에서 축제가 한창일 때도 항상 클로이는 예외였다. 계모와 숙부는 백작 가문의 연약한 셋째 딸을 보호한다는 명목 아래 모든 행동에 제한을 뒀다.

"오늘은 별로 축제라고 할 만한 광경도 아닐 거다."

"맞아요. 아마 그렇겠죠. 그냥 풍등을 날리고, 수로에 배를 띄우고, 보름달에 소원을 비는 그런 작은 행사뿐일 거예요."

몸도 좋지 않은데 어딜 가겠냐며 그녀가 씁쓸한 미소를 지었다.

"즐거운 저들의 웃음소리 때문에 마음이 들떴나 봐요."

순식간에 생기를 잃은 클로이는 미련 가득한 얼굴로 창가에서 시선을 돌렸다.

"복잡한 사람들 사이에 휩쓸려 봤자 즐겁지도 않을 텐데."

안타까움이 극에 달한 알렉산드로는 저도 모르게 마음에도 없는 소리를 해 버렸다.

"내가 보호해 주면 될 거다."

"정말요?"

아차, 싶었지만 반짝반짝 빛나는 그녀의 눈길이 제게 닿자 저절로 고개까지 끄덕여졌다.

"그래. 너 하나 어려울까."

그러자 감동한 눈으로 저를 올려다보던 그녀가 수줍게 손가락을 꼼지락거렸다.

"사실은…… 데이트를 해 보고 싶었어요."

데이트? 전혀 의외의 말에 그의 눈이 점점 커졌다.

"순서가 바뀌어 결혼을 먼저 했지만 서로 마음을 나눌 기회는 없었으니까요. 이런 날이 우리의 첫 데이트라면 기억에 오래도록 남겠죠."

할 말을 잊은 알렉산드로는 연신 기특한 말만 내뱉는 그녀를 홀린 듯 쳐다봤다. 그래, 원하는 것 하나 들어주지 못한다면 결혼이 다 무슨 소용인가.

"둘이 손을 꼭 잡고 다니면 헤매지도 않고, 괜찮을 거예요."

감격한 알렉산드로는 자신만만하게 손을 내밀었다.

"가자."

"이 옷만 갈아입고요."

클로이는 편한 옷으로 갈아입고 나가자고 그를 침실에서 먼저 내보냈다.

슬슬 어두워지려 한다. 축제가 한창일 저녁 무렵이었다. 창밖을 힐긋 쳐다본 그녀의 입가에 미소가 걸렸다.

'아싸, 축제.'

저절로 콧노래가 나왔다.

결국 두 사람은 간단하게 호위만 대동하고 밖을 나왔다.

'너무 늦게 돌아오시면 안 됩니다. 오늘 밤, 가면무도회가 있다는 걸 잊지 마세요!'

알렉산드로는 집사장의 당부를 기억하곤 인상을 찌푸렸다. 결혼 발표는 미루더라도 귀빈들에게 얼굴은 보여야 한다고 했다.

'저 마차를 보세요. 전부 오늘밤 연회에 참석하러 오신 분들입니다.'

짐승 같은 인간들. 밤놀이라면 그저 환장을 했는지 겨우 이틀 전에 보낸 초대장에 그렇게 많은 인파가 모였다.

'야밤의 그 방탕한 연회를.'

공식적으로는 아직 미혼인, 칼스버그 가문의 둘째 도련님을 보러 온 이들이 대부분이지만 알렉산드로는 결혼 전이나 후나 가면무도회라면 딱 질색이었다.

"이거 정말 맛있네요."

달콤한 버터를 바른 길거리 음식이었다. 남들 다 하는 축제의 노점 음식 사 먹기지만 둘이라서 특별했다. 옥수수를 두 손으로 꼭 쥔 채 먹는 클로이의 모습이 으레 그 작은 동물을 연상시켰다.

'다람쥐.'

귀여워서 절로 웃음이 나왔다. 알렉산드로는 사람으로 복작거리는 광장의 이 저녁 거리가 조금도 불쾌하지 않았다.

두 사람은 광장 한가운데 위치한 커다란 마로니에 나무 아래에 앉았다.

"왜 그렇게 웃으세요?"

'네가 너무 귀여워서.' 하고 솔직히 말했다간 또 그녀의 얼굴이 벌게질까 봐, 알렉산드로는 그저 말없이 입가의 부스러기를 떼어 주었다.

그러자 마법처럼 시끄러운 주위의 소음들이 점점 멀어졌다.

"뭐, 뭐가 묻었었나요? 그냥 말하지, 창피하게……."

"아무것도 안 묻었다."

클로이가 의아한 눈으로 쳐다보자 그가 자상하게 아랫입술을 쓸며 말했다.

"그냥 닦아 주는 척 만진 거야."

"……."

달빛만 은은히 빛나는 곳에서 서로를 뚫어져라 바라보니 순식간에 분위기가 묘해졌다.

세상에 오직 둘만 남은 기분. 침을 꼴깍 삼킨 클로이는 저도 모르게 조용히 옥수수를 옆으로 내려놓았다. 그러자 기다렸다는 듯 그녀의 입술 근처를 배회하던 그의 손가락이 턱으로 옮겨 왔다.

커다란 손이 부드럽게 그녀의 고개를 들어 올리고, 당연한 수순처럼 그의 얼굴이 가까워졌다. 서로의 눈이 감기려는 그 순간이었다.

클로이는 알렉산드로의 등 뒤에서 귀신을 본 사람처럼 경악한 호위 두 명과 시선이 부딪쳤다.

"으흠흠."

재빨리 고개를 돌려 입술을 피한 클로이는 엉덩이를 털고 자리에서 일어섰다.

"저…… 저쪽으로 한번 가 볼까요? 강물에 배를 띄우나 봐요."

경비병을 등진 그녀는 어색하게 수로로 몸을 틀었다. 경비병이 그렇게 까무러칠 듯 놀란 것도 이해는 갔다.

'사람이 이렇게 다를 수가 있나.'

첫 만남을 비롯하여 그간 봐 왔던 알렉산드로와, 지금 제게 몹시도 다정한 저 남자하고는 백만 년쯤 거리가 있었다. 이중인격도 아니고 한 사람에게 이렇게나 다른 양면이 있다는 게 그녀도 놀라웠다. 하물며 그를 저보다 오래 봐 온 호위들은 어떤 마음이겠는가.

'알 만하다, 알 만해.'

클로이는 모른 척 주위를 둘러보았다. 먹거리 가득한 노점과 신기한 물건들이 늘어선 좌판, 예쁜 색종이가 걸린 아름드리나무, 예인들의 공연. 그녀의 눈에는 모든 게 신기할 따름이었다.

'사람들이 정말 많네.'

마침내 두 사람은 인파가 몰린 수로에 다다랐다. 클로이는 잔잔한 강물 위에 뜬 수많은 조각배를 보고 감탄을 금치 못했다.

아무것도 없는 배도 있었지만 대부분은 풍등을 위에 얹고 있어 온 사방이 환했다.

'사람들이 돈을 내고 조각배를 띄우는 거구나.'

역시 축제는 상술이었다. 한데 가만 보니 풍등을 띄우는 배와, 띄우지 않는 배의 가격이 동일한 모양이었다.

"어떤 사람들은 배에 풍등을 띄우지 않아요. 왜일까요? 같은 가격이라면 당연히 풍등을 올리고 싶을 텐데."

"저들은 소원이 없는 거야. 감사하기 위해 배를 띄울 뿐, 더는 바랄 게 없는 거지."

어둠을 밝히는 등이 없어 외롭다 생각했던 빈 조각배는 주인의 욕심이 덜어진 만큼 가벼웠다. 반면 사람들의 소원처럼 무거운 짐을 얹은 조각배는 빛나기는 하나, 눈이 부셨다.

저 밤하늘을 가득 채운 별빛과 잘 구분도 할 수 없었다.

'신께서는 과연 저 많은 불빛 속에 묻힌 모든 염원을 다 알아봐 주실까.'

아름다운 장관에 눈이 멀었는지 괜한 상념이 들었다.

'바라는 게 많은 인생보다 가진 것에 감사하는 삶이 나을지도 몰라.'

홀가분히 강물에 몸을 맡긴 채 흘러가는 빈 조각배처럼.

그때, 알렉산드로가 풍등을 사 왔다. 두 개를 사서 하나는 본인이 들고 하나는 제게 받으라고 건네주었다. 답지 않게 뭘 이런 걸. 멀뚱히 쳐다보고 있자 그가 눈짓으로 재촉했다.

'어차피 상술인데.'

어째서 저 달이 소원을 들어준다는 건지 클로이는 이제야 알 것 같았다. 오늘의 보름달은 커다라니 둥실한 게 아량이 꽤나 넓어 보였다. 어쨌든 소원을 빈다면, 어떻게 빌든 간절한 그 마음만 담아도 달은 개의치 않을 것이다.

"가자. 소원을 빌어야지."

진지한 그 모습이 왠지 웃겨서 클로이는 그를 빤히 바라봤다. 흘러나오는 웃음을 감출 수 없었다.

"어서."

결국 손을 잡고 물가로 향한 두 사람은 차례로 조각배를 띄웠다.

두 명의 염원이 담긴 두 개의 풍등이 강물을 따라 흘렀다. 그 불빛들이 커다란 하나의 반짝임 속에서 구별되지 않을 때까지, 클로이는 오래도록 눈을 떼지 않았다.

　이 순간은 오래 기억될 것 같다. 주위에는 수많은 사람들이 있었지만 클로이와 알렉산드로에게는 둘뿐이었다. 기분이 좋아진 그녀의 입술이 멋대로 움직였다.

　"대공님, 오늘 정말 감사드려요."

　순간 강물을 응시하던 알렉산드로가 스르르 옆을 돌아봤다.

　"이런 축제는 처음 와 봤어요. 이렇게 큰 달도 처음 봤어요. 정말 감사드려요."

　잘못 들은 것일까? 몹시도 그리워하던 과거의 그때와 현재가 맞물렸다. 장소도 다르고 시간도 다르다. 오직 눈앞에 있는 여자와 그녀를 향한 제 감정만 같았다.

　"……내게 정말 고맙다면."

　상기된 그녀의 얼굴을 바라보던 알렉산드로는 자연스레 예견된 수순처럼 입을 열었다.

　"한 가지만 말해 줘."

　"뭐가 궁금하세요?"

　장난기가 묻어나는 그녀의 표정이 퍽 즐거워 보였다.

　혹시 지금은 꿈속인가. 그렇다면 이 꿈에서 깨어나지 않으리. 이 순간 이 모든 게 환상이라면 차라리 환상 속에서만 존재하리라.

　"아까, 무슨 소원을 빌었지?"

　"아까요?"

　말해 줄까 말까. 곰곰이 생각하던 그녀의 얼굴이 별안간 확 붉어졌다.

　"먼저 말해 주세요. 무슨 소원을 비셨어요? 칼스버그의 도련님도 바라는 소원이 있기는 한가요?"

그가 후계에 욕심이 없다는 걸 익히 들어 알고 있던 클로이는 진심으로 궁금해졌다. 이 남자의 소원은 과연 무엇일까.

알렉산드로는 주저하다 입을 열었다.

"나는……."

사실 나는, 네 기억이 다시 돌아오길 빌었다. 우리의 모든 이야기들이 더는 나 혼자만의 것이 아니기를. 의도가 아닌 걸 잘 알면서도 알렉산드로는 그녀가 우연처럼 지난 기억을 들추는 말을 할 때마다 심장이 아릿했다.

제 욕심이 지나친 건지 그토록 바라던 그녀를 코앞에서 바라보고 있는데도 춥고 외로웠다.

이제는 오래되어 응어리진 그리움이 올라와 울컥했다. 시간이 지나면 바래지고 옅어질 거라 그렇게 믿고 바랐던 적도 있었다. 하지만 고독한 가슴에 뿌리내린 순정은 어떤 비바람에도 거둬지질 않았다.

"……비밀이다."

"뭐예요. 말해 줄 것처럼 하더니."

그녀가 귀여운 얼굴로 찌릿 노려봤다. 그러자 피식 웃음이 나왔다. 방금까지 괴로웠던 심경이 무색하게도 알렉산드로는 순식간에 기분이 좋아졌다.

예전이나 지금이나 제 감정이 어떻게 이렇게 오르락내리락하는지 놀라울 정도였다. 아무리 봐도 이 몸의 주인이 제가 아니라 꼭 그녀 같았다.

"너는."

"네?"

"넌 무슨 소원을 빌었지?"

가진 모든 걸 다 바쳐서라도 그녀의 소원을 이루어 주리라.

"바라는 게 있나."

예전이나 지금이나 알렉산드로는 사랑 때문에 욕심이 생겼다. 제 여자를 행복하게 만들어 주고 싶어서. 옆에서 웃는 얼굴을 보고 싶어서.

한데 그녀가 우물쭈물하며 말하길 꺼렸다.

"말해 봐. 어서."

재촉에도 도통 입을 열지 못하자 그는 순식간에 초조해졌다. 뭐지. 내가 이뤄 줄 수 없는 것을 빌었나, 설마.

"혹시 그 남자를 찾게 해 달라고 빌었어?"

"그 남자요?"

"솔직하게 말해 봐. 내 몸에 점이 없었던 건가? 그래?"

"아."

순식간에 그녀의 귀가 붉어졌다. 코피 때문에 점에 관해선 묻지 않으려고 했다. 그는 더 이상 서로의 운명을 확인하기 위한 증거가 필요하지 않았으니까.

하지만 그녀가 아직도 미련을 두고 있다면 알렉산드로는 기꺼이 없는 점이라도 만들어 줄 용의가 있었다.

그가 홀로 불안에 떠는 사이. 클로이의 입술이 열릴랑 말랑 잔망스럽게 움직였다.

'점은 생각도 안 하고 있었는데.'

점보다는 그의 나신⋯⋯ 그 잔상만 남았다. 짧게 고민을 끝마친 그녀가 번쩍 고개를 들었다.

"그게, 사실은 못 봤어요."

"뭐?"

"아니, 본 것 같은데 잘 기억이 나지 않아요."

허탈해하는 그에게 그녀가 작은 목소리로 덧붙였다.

"나, 나중에 다시 보여 주세요. 꼬옥⋯⋯."

이것 봐라. 부끄러워 얼굴을 붉히면서도 당부를 하는 클로이 때문에 알렉산드로의 얼굴엔 웃음이 서렸다. 선한 미소는 아니었다. 악당처럼 그의 한쪽 입술 끝이 슥 치켜 올라갔다.

"그러지."

정확하게 들을 수 있도록, 그가 상체를 숙여 클로이의 귓가에 대고 말했다.

"원하면 말해. 언제든, 어디서든."

"⋯⋯."

어쩔 줄 모르고 이리저리 움직이는 까만 눈동자가 무척 귀여웠다. 이렇게 부끄러워하면서도 은근히 욕망에는 솔직하다. 그런 매력도 전생이나 지금이나 똑같았다.

"그 남자에 관해서는 일절 생각도 못 했어요."

"어째서?"

꽤 간절하지 않았나. 그 남자 때문에 결혼에서도 세 번씩이나 도망쳤으니까.

정확한 대답을 듣고 싶어진 알렉산드로는 클로이에게 시선을 떼지 못했다. 그러자 아래를 쳐다보느라 커튼처럼 드리워진 그녀의 속눈썹이, 서서히 위로 들춰졌다.

"당신 때문에요."

두 사람의 시선이 마침내 허공에서 만났다.

"지금 내 눈앞에 있는 당신 때문에, 그럴 틈이 없었어요."

알렉산드로는 그만 말을 잊고 말았다. 가슴이 요동쳤다. 드디어 온전히 서로를 마주 보게 되었다는 벅찬 감정이 그를 흔들었다.

"아까 무슨 소원을 빌었냐고 물어봤죠. 나는 당신을 사랑하게 해 달라고 빌었어요."

알렉산드로의 입에서 탄식이 흘렀다. 사랑. 그녀의 입으로는 처음 듣는 말이었다. 잔뜩 고양된 그의 심박처럼 숨이 차기 시작했다.

"이 결혼은 내 선택이고, 난 더 이상 미련한 바보처럼 살지 않을 거예요."

클로이는 이제 알렉산드로에게 정착하고 싶었다. 자신을 반겨 주는 사람들의 곁에서, 선의의 애정을 나누고 싶었다.

"나도 이제 가족이라고 부를 수 있는 사람이 있었으면 좋겠어요."

너무 큰 욕심은 아니겠지? 제발 아니기를. 클로이는 저 멀리 강의 끝자락을 구경하기 위해 몸을 돌렸다. 커다란 반짝임의 일부가 되어 버린 제 소원이 제발 이뤄지길 기도하며.

알렉산드로는 말없이 클로이를 뒤에서 꼭 끌어안았다. 그녀의 고뇌가 꼭 제 것같이 느껴졌다. 저를 사랑하고 싶단 말에 잠시 설레었지만 그녀는 제 애정을 바라는 게 아니었다.

외로움에 지쳐 더는 홀로 싸우기 싫다는 의미였다. 기대어 쉴 수만 있다면 제발 어디든 안주하고 싶은 그녀의 지친 마음을 알렉산드로는 이해했다.

클로이의 목덜미에 고개를 파묻은 그가 가녀린 어깨를 밧줄처럼 옭아맸다. 절대, 무슨 일이 있어도 다신 놓아주지 않겠다는 말을 몸으로 대신했다.

'내가 네 곁에 없는 동안, 너는 어떻게 살아왔지?'

뜨겁게 달궈진 가슴 한편에선 그녀를 이토록 온기에 사무치게 만든 비루한 자들을 향한 복수심이 끓었다.

광장의 축제를 짧게 구경한 클로이는 돌아와선 무도회를 준비했다. 알렉산드로는 그녀의 몸 상태가 좋지 않으니 굳이 참석할 것 없다고 했지만 클로이는 가면무도회가 궁금했다.

'구경이나 해 보자.'

화려한 밤의 연회. 연애 소설 속에서나 보던 그 연회에 자신이 참석하게 되었다는 게 믿기지 않았다. 연회 같은 데는 평생 발도 못 디딜 줄로만 알았다. 꿈도 꾸지 말라며 윽박을 지르던 계모의 목소리가 아직도 귀에 선했다.

클로이는 악몽 같았던 도미닉 백작저를 떠올렸다.

'연회라니! 우리 가문의 수치나 다름없는 네 천한 핏줄을 자랑이라도 하려는 셈이니?'

철썩!

'거둬 준 것만으로도 고마운 줄 알아야지. 이 종년의 자식!'

철썩!

'돌아가신 아버지의 공로를 치하하는 연회잖아요. 올해는 구경이라도 한 번만 해 보고 싶어요…….'

백작의 첫 번째 부인이었던 친모는 신분이 낮았다. 글자도 읽을 줄 모르는 평민 출신 하녀였다. 그럼에도 두 사람의 진실 된 사랑은 결국 결혼까지 이어졌다.

하지만 주위의 손가락질 때문이었을까. 친모는 클로이가 열 살이 되기도 전에 그만 요절하고 말았다.

친모의 죽음 이후, 부친의 두 번째 부인이 된 여자는 손버릇이 험했다.

'어머니, 제발요.'

제게 꽂히던 그 차가운 시선. 생각만 해도 오금이 저렸다.

'레이첼. 정말 머리가 나쁜 거니?'

계모는 한때 '어머니'라는 호칭을 강요했다. 죽은 첫째 부인의 여식마저 사랑으로 거둬 주는 너그러운 계모 행세를 고수했기 때문이었다. 하지만 부친이 죽은 후에는 아니었다.

'나를 그렇게 부르지 말라고 분명 경고했을 텐데!'

시종들의 시선을 의식해 '어머니'라고 부르자 계모는 그녀를 매질했다. 시종들이 보는 앞에서 매질당한 이후, 그녀의 입지는 하녀보다도 못해졌다.

그럼에도 계모는 견딜 만했다. 진짜 악질은 따로 있었으니, 바로 숙부였다.

'부인, 그만하시오.'

유모가 말했었다. 저 두 사람이 간음을 저지르고 있다고.

클로이는 처음엔 믿지 않았다. 하지만 점차 정황이 뚜렷해지면서, 두 사람은 그 사실을 숨기려는 노력조차 하지 않았다.

'이런, 이런. 얼굴이 다 상했구나. 곧 결혼할 신부 얼굴이 이래서야…… 쯧.'

겁에 질린 클로이를 고개를 내저었다.

'저는 결혼하지 않기로 했어요. 이미 아버지께서도 허락해 주신 일이고, 숙부께서도 전에 분명히…… 아악!'

억센 손에 휘어 잡힌 머리카락이 다 뽑힐 것처럼 아팠다. 그 끔찍한 감각은 절대 잊을 수 없었다.

'무슨 소리냐? 넌 곧 결혼을 하게 될 거다.'

징그러운 뱀 같은 그의 목소리가 귓전을 울렸다.

'너처럼 쓸모없는 계집도 비싼 값에 사겠다는 분이 계시는구나, 레이첼.'

"마님?"

시녀의 부름에 간신히 악몽에서 벗어난 클로이는 애써 부드러운 미소로 답했다.

이런 거대한 성에서 시중을 받으며 연회를 준비하는 거울 속의 제 모습이 퍽 낯설었다.

어쩌면 자신이 이미 죽었다고 생각할지도 모른다. 도미닉 백작가에도 제 결혼 사실을 알려야 할지, 걱정이라면 그것뿐이었다.

'여기서 도미닉 백작가까지는 거리가 꽤 멀잖아.'

밤낮으로 말을 타고 달려도 사흘은 걸릴 터. 그들은 자신이 결혼을 했는지도 모를 것이다.

"무슨 생각을 그렇게 골똘히 하세요?"

시녀들이 조용히 머리 손질을 받는 그녀에게 말을 걸었다.

"음, 오늘밤 연회가 어떨까 해서."

"가면무도회는 처음이세요, 마님?"

"그래. 분위기가 어떤지 아니?"

"저희도 흘려들은 얘기만 있답니다."

"그간 소소한 연회는 있었지만 가면무도회는 처음이에요."

가풍이 워낙 조용하고 점잖다 보니 그간 가면무도회 같은 파격적인 연회는 전무했다.

"그래도 걱정 마세요. 귀빈들 모두 좋아하실 겁니다."

남부는 다른 변방과 달리 귀족들의 나이대가 그리 높지 않았다. 신사회, 숙녀회처럼 젊은 귀부인들의 주도적인 모임도 활발했다.

"그동안 공작성에서 주최한 연회는 정기적인 음악회뿐이었으니까요."

"대공님께선 늦게까지 토론의 장을 열곤 하셨지만 젊은 귀부인들이 원하던 연회와는 거리가 멀었지요."

그러니 집사장이 주도한 이 연회가 결코 노망이라 할 수만 없다는 게 시녀들의 의견이었다.

'집사장이 인기가 좋네.'

보통 집사들은 사용인들과는 그리 친하지 않았다. 한데 시녀들이 나서서 이렇게 두둔을 해 주는 걸 보니 집사장의 인품이 썩 훌륭한가 보다.

'더 들어 보자.'

클로이는 이어지는 시녀들의 말에 귀를 기울였다.

"집사장님은 원래 수도에서 알아주는 상인이셨어요. '마로니에 나무 사건'으로 유명해져서, 나중엔 황실 자문으로도 일하셨지요."

'마로니에 나무 사건'은 개량된 마로니에 나무를 정원에 심으면 가문이 유명해지고 부를 얻게 된다는 속설에서 시작되었다. 누가 처음 그런 소문을 냈는지 정확히 알려진 바는 없으나 덕분에 큰 이득을 본 자는 분명했으니, 바로 그였다.

고작 정원수 때문에 수도의 화폐 가치가 떨어져 물가가 상승했다. 제국 전역에 소문이 날 만했다.

유명세는 더 큰 유명세를 불러왔다. 지금이야 흔한 정원수가 되었지만 당시에는 귀족들이 마로니에 나무를 운반하려고 수도까지 다다르는 길을 뚫고, 대형 선박까지 만들었다.

결국 마로니에 나무는 황실에 알려질 수밖에 없었다. 고작 평민 상인 한 명 때문에 그 난리가 났으니, 황제는 단단히 화가 난 상태였다. 하지만 끝내 그의 현명함과 재치 있는 말솜씨에 감복하여 반대를 무릅쓰고 책사로 옆에 두었다.

"황제께서 '해밀턴 남작'이라는 명예 작위도 하사하셨는데, 그렇게 부르지 말라고 하세요."

"부끄러우신가 봐요."

얘기를 듣던 클로이는 왠지 알 것 같았다. 상인 출신인 집사장이 도서관과 서재 관리를 맡지 않은 이유를.

'글자를 늦게 배웠나 봐.'

제 입으로는 절대 말할 리 없는 사정이라, 미리 알았으니 좋은 관계를 유지하는 데 도움이 될 듯했다.

한참이나 집사장에 대해 재잘대던 시녀들이 말했다.

"마님은 참 과묵하세요."

"그래?"

"네. 에이드리안 도련님의 부인께서도 무척 조용하신 편인데, 마님은 더 말씀이 없으셔요."

클로이는 웃음으로 답을 대신했다. 어디서든 입을 열기보단 귀를 여는 게 현명한 처사라는 건 일찍이 깨우쳤다.

"다 되었어요. 보세요, 마님. 정말 아름다우세요."

"와, 정말 아름다우세요."

클로이는 머리만 손질을 받았다. 가면을 쓰면 거추장스러울 것 같아서 처음으로 머리카락을 틀어 올렸다.

"마님, 드레스도 갈아입으시지 않고요."

시녀들이 못내 아쉬운 얼굴로 다른 옷을 권했다.

"이런 단출한 드레스 대신 화려한 걸 한번 입어 보세요."

"맞아요. 반도라스 영애께서 여벌이 있다고 하셨잖아요."

헤일라는 그 도도한 분위기와는 달리 클로이의 침실을 찾아와 이런저런 도움을 주었다. 마치 그녀에게 준비된 드레스가 없다는 걸 빤히 아는 사람처럼 드레스도 보여 주고, 심지어는 가면까지 권해 주었다.

'두 사람은 가면무도회만 참석하고 내일 떠난다고 했지.'

밀런과 제대로 인사를 하지 못해 아쉬웠지만 약혼녀가 함께 있는 이상 오해받을 행동은 하지 말아야 했다.

"반도라스 영애께 말씀드릴까요?"

"아니, 됐다."

계속된 시녀들의 권유에 클로이는 고개를 저었다. 어차피 춤을

출 것도 아니었다. 짧게 구경만 하고 돌아올 거라 옷까지 갈아입을
필요는 없었다. 결혼 발표도 아직인데, 무리해서 친목을 쌓을 이유
도 없으니까.

'반지는 잃어버릴 수 있으니 빼고 다녀야겠다.'

시녀들을 내보내고, 반지를 잘 보관해 둔 클로이는 가벼운 마음
으로 연회장을 향했다.

가면무도회에 별다른 생각이 없었던 클로이와는 달리, 알렉산드
로는 큰 부담을 느끼는 게 분명했다.

"마님, 어디로 가십니까?"

"데비."

시종장이었다. 몸단장이 끝나길 기다리고 있었는지 복도를 나오
자마자 그를 마주쳤다.

"아마 연회장으로 가야겠죠?"

자신 없는 말투에 시종장은 그럴 줄 알았다는 미소를 지었다.

"가면무도회는 처음이라고 하셨지요? 제가 안내하겠습니다."

시종장은 자연스레 그녀를 정원으로 이끌었다.

"연회장에 남아 계신 분들은 토론을 좋아하는 연세 지긋한 귀부
인들입니다."

"그럼 연회장으로 가면 안 되겠군요."

"아무래도…… 남부의 문화에 아직 서툰 마님께는 추천드리지 않습니다."

"고마워요, 데비."

하마터면 큰일 날 뻔했다. 가면무도회는 역시 정원이었다. 정말이지 특이한 연회였다. 야외에서 하는 연회도 아닌데, 귀족들은 자유롭게 정원을 누볐다.

'이렇게 어두컴컴한데도 다들 열심이야.'

연애 소설에 나온 그대로였다. 화려한 차림의 귀족들이 손에 손을 붙들고 하하호호 웃으며 지나다녔다. 그걸 구경하는 것만으로도 클로이는 충분히 즐거웠다.

"마님, 도련님께서는 남색 연미복에 검은색 가면을 쓰고 계십니다."

시종장은 물가에 내놓은 아이 대하듯 신신당부했다.

"가면 때문에 못 알아보실 수 있으니 가슴에 행커치프 대신 카나리아 꽃을 꽂겠다고 하셨습니다."

가볍게 주위를 둘러보던 클로이가 시종장에게 시선을 돌렸다.

"마님, 붉은색 커다란 꽃 아시지요? 카나리아. 이렇게 생긴 꽃입니다."

손짓을 동원하던 시종장은 끝내 그림이라도 그려 줄 기세였다.

"가면 하나 썼다고 못 알아본다고요?"

클로이가 어이없어하며 되물었다.

"그 사람을요?"

"일단 본인께서는 그렇게 생각하시는 듯합니다."

그 역시 멋쩍은지라 두 사람은 동시에 황당한 웃음을 머금었다.

거적데기를 걸치고 있어도 알렉산드로를 알아볼 수 있을 거라고 내심 두 사람은 공감했다.

"그럼 전 도련님께 다녀오겠습니다. 마님이 오시거든 바로 알려 달라 하셨거든요."

"어디서 만나자는 말은 없었나요?"

헷갈리지 말라고 차림새까지 맞춰서 상세히 일러뒀을 정도면 분명 어디서 만나자는 언급도 있었을 텐데.

"역시 우리 마님! 이 아래로 곧장 가시면 미로 정원이 나옵니다."

미로 정원은 사실 사람이 출입하는 곳이 아니었다. 위에서 내려다보는 관상용 정원이지만 오늘 같은 날은 달랐다.

"혼자 들어가진 마세요. 도련님은 금방 오실 겁니다."

미로 정원을 두 사람의 만남의 장소로 추천한 것도 시종장의 안목이었다. 조용하고, 다른 이들의 이목을 피할 수 있고, 무엇보다 어둑했다. 두 사람에겐 아주 딱 알맞은 장소였다. 흐뭇한 얼굴로 꾸벅 인사한 시종장은 부리나케 화단으로 향했다.

그 근처에 젊은 영식들이 꽤 모여 있었다.

'시끌벅적하네.'

클로이는 한 시녀가 건넨 와인 잔을 들고서 귀뚜라미가 우는 야밤의 정원을 만끽했다. 알록달록한 음료에선 달콤한 향기가 났다. 목을 축이는 대신 클로이는 향만 취했다. 그것만으로도 충분히 낭만적인 밤이었다.

천천히 미로 정원으로 향하던 그때였다.

꺄르르, 하는 간지러운 웃음소리가 들려왔다. 여자들끼리 소곤소곤 유쾌한 대화를 하는 듯했다.

"난 수도에서 왔단다."

"어쩐지 분위기부터 남다른 포스가 느껴졌어요!"

"그래?"

어딘지 익숙한 음성이었다. 낮고 묵직하지만 음색은 꾀꼬리처럼 고운…….

'이거 설마, 반도라스 영애?'

평소의 고음과는 완전히 달라서 한 번에 눈치채기 어려웠다. 클로이는 저도 모르게 걸음을 멈추고 숨죽였다.

"수도는 어떤 곳인지 한번 가 보고 싶네요."

"궁금하니?"

그 두 여자가 클로이의 옆을 스쳐 갔다. 그중 한 명은 키가 커서 인상 깊었다. 스치는 짧은 순간, 가면 아래로 언뜻 찰랑이는 금발이 보였다. 이어서 클로이는 붉은 가면 안에 감춰진 초록색 눈동자를 확인했다. 역시 헤일라가 맞았다.

'다른 아가씨는 남부의 영애인가 봐.'

친화력도 좋다. 벌써 친구를 사귀다니. 가볍게 팔짱을 낀 채 어딘가로 향하는 두 여자의 모습이 무척 정다워 보였다.

'그러고 보니 고맙다는 말도 제대로 못 했네.'

클로이가 쓴 가면도 헤일라가 빌려준 것이었다. 요양 중이었다는 영애가 대체 왜 짐 꾸러미에 이런 야릇한 가면을 여러 개나 갖고 다니는지 놀랍지만…… 어쨌든.

'가서 인사나 할까?'

마침 알렉산드로를 만나러 가는 클로이와 방향이 같았다. 키가 큰 헤일라를 따라잡으려 걷다 보니 벌써 미로 정원의 입구였다.

'혼자 들어가지 말라고 했잖아.'

시종장의 당부를 기억하고 멈춰 선 클로이가 '헤일라 영애!' 하고 반갑게 말을 걸려던 그 순간이었다.

"어맛!"

미로 정원에 들어선 헤일라가 모퉁이를 돌자마자 다른 아가씨를 수벽으로 밀쳐 버렸다.

'뭐지? 사이좋게 들어오더니 왜 갑자기 싸우는 거야?'

그런데 푹신한 랠란디 나무의 수벽에 밀쳐진 아가씨는 화도 안 나는지, 풍만한 가슴만 들썩였다.

"남부의 아가씨들은."

헤일라가 수벽에 기대선 아가씨에게 한 뼘 거리로 바짝 다가섰다.

"다들 너처럼 귀엽고 아름답니?"

"내가 귀여워요?"

키득거리며 속삭이는 두 여자의 대화는 장난스러우면서 묘했다. 어떤 상황인지 파악도 전에, 서로의 얼굴이 가까워진다 싶더니…… 믿지 못할 광경이 펼쳐졌다.

'세, 세상에!'

소스라친 클로이는 급히 제 입을 틀어막고 뒷걸음질 쳤다. 결코 그럴 의도는 아니었는데, 보지 말았어야 할 장면을 목격했다.

'내가 몰래 뒤따라와서 훔쳐본 것 같잖아!'

사색이 된 클로이는 콩닥거리는 가슴을 부여잡고 정신없이 자리를 벗어났다. 이럴 줄 알았으면 미로 정원이고 뭐고, 얼씬도 않았을 것이다. 싸움이라도 난 줄 알고 말리려다가…… 완전히 실수였다.

밀런의 얼굴이 눈앞을 스쳤다. 평소처럼 해맑은 표정이라 더욱 안타까웠다.

'어쩜 좋아. 하필 왜 그런 장면을 목격했을까! 왜!'

당황하여 무작정 달리던 클로이는 미처 앞을 보지 못하고 벽에 부딪쳤다.

"꺄악!"

어마어마한 힘이 쓰러질 뻔한 그녀의 몸을 낚아챘다. 클로이는 자신을 잡아 준 팔뚝을 구명줄처럼 움켜쥐었다.

'벽이 아니었어.'

알렉산드로였다. 검은색 가면 뒤에, 보석처럼 빛나는 새파란 눈동자를 마주치자 믿을 수 없을 만큼 안심되었다.

살았다. 금기를 몰래 훔쳐본 도망자가 된 기분이라 클로이는 그가 꼭 제 편같이 든든했다.

'내 편이 맞긴 하지.'

알렉산드로라면 언제든 나를 보호해 줄 거야. 저도 모르게 그런 생각이 머리를 스쳤다. 부축을 받은 클로이는 뒤늦게 몸을 일으켰다.

"밀런은요?"

그녀는 당연한 수순처럼 밀런을 찾았다. 좀 전의 충격에 너무 몰두한 탓인지, 알렉산드로의 입가가 딱딱하게 굳어 가는 것도 미처 알아차리지 못했다.

"밀런은 어디 있어요?"

"……밀런?"

그러거나 말거나, 클로이는 뱀에게 쫓기는 쥐처럼 열심히 사방을 살폈다. 그리고 밀런이 근처에 없다는 걸 확인하고 나서야 마침내 안도의 한숨을 돌렸다.

"하아."

"밀런은 무슨 볼일이지?"

짐짓 싸늘한 그의 물음에 클로이는 이제야 규칙을 떠올렸다.

"아, 가면무도회에서는 서로의 이름을 묻거나 부르는 게 금지되어 있다고 했죠."

서로를 알아도 모른 척할 것.

특히 이성 간에 중요한 규칙이라고 했다. 익히 알고 있었지만 극한의 상황 때문에 머리가 하얗게 변했었나 보다. 클로이는 삐뚤어진 가면을 고쳐 쓰고, 구겨진 드레스 자락을 정리했다.

가만히 그녀를 살펴보던 알렉산드로가 손수건을 꺼내 들었다.

"왜 그렇게 뛰어왔어. 뭐가 그렇게 급해서."

다정하게 그녀의 턱에 맺힌 땀방울을 닦아 주던 그가 뒤를 돌아보았다. 둘이 만나기로 했던 미로 정원이었다.

"아, 안 돼요!"

마음이 급한 나머지 클로이는 그의 멱살을 덥석 붙들어 버렸다. 순간 널찍한 그의 왼쪽 가슴에 꽂힌 붉은 꽃 한 송이가 눈에 들어왔다. 동시에 매끈한 검은 가면 사이로 눈이 마주쳤다.

"뭐랄까, 오늘 상당히……."

꽃뱀 같다. 돈 많은 귀부인을 노리는 아주 잘생기고 튼실한 꽃뱀. 하지만 제 남편에게 차마 그렇게는 말할 수 없었다.

"상당히?"

"아, 아니에요. 왕자님 같다고요."

"무슨 일이 있었나 보군."

금방 결론을 낸 알렉산드로는 미로 정원으로 몸을 돌렸다. 그의 집요한 시선에 클로이는 심장이 요동쳤다. 두 여자는 아직 미로 정원에 있지 않은가?

'주의를 돌리자.'

결심한 그녀는 얼른 그의 옷자락을 잡았다. 오늘따라 더 근사한 그가 자신을 돌아보자, 자연스레 연애 소설의 한 장면이 떠올랐다.

"기사님께서는……."

입술은 저절로 소설 속 대사를 읊었다.

"운명의 짝을 찾으러 오셨나요?"

멈칫한 알렉산드로가 물끄러미 클로이를 주시했다. 기사님? 운명의 짝? 갑자기 역할 놀이라도 하자는 건가. 그렇다면 장단을 맞춰 주기로 했다.

"저는 이미 결혼한 몸입니다, 귀부인."

그가 태연히 말을 이었다.

"이 연회는 아내가 원해서 참석했을 뿐입니다."

'아내'라는 호칭에 귀가 새빨개진 클로이는 어쩔 줄 모르고 눈을 굴렸다. 이렇게 아무렇지 않게 받아칠 줄이야. 역시 능숙하다. 클로이는 재빨리 마음을 다잡고 능청을 떨었다.

"나랑 놀아요. 오늘 밤만 아내를 잊고요."

"그럴 수는 없습니다."

"저도 남편이 있어요."

"……그렇다면 반지는 어디 있습니까, 부인?"

그가 부드러운 손길로 클로이의 왼손을 들어 올렸다.

"아무리 봐도 여기 결혼반지가 없는데."

보란 듯이 손등을 가리키자 클로이가 덤덤히 고개를 끄덕였다.

"네, 빼 버렸어요."

"어째서?"

"그 사람은 너무 점잖아서 재미가 없거든요."

또박또박 돌아온 대답에 알렉산드로는 순간 말문이 막혀 버렸다. 그간 이 여자에게선 조금도 기대할 수 없었던 발칙한 말장난이었다. 갑자기 몸에 열이 올랐다.

'점잖아서 재미가 없다⋯⋯.'

제가 들으리라곤 전혀 상상도 못 한 소리였다. 그래서 더 충격이 컸다. 불과 몇 시간 전에 제 나신을 보고 코피를 쏟았던 그 여자가 맞나? 불쑥 저 가면을 벗겨 확인해 보고 싶었다.

"기사님께서 오늘 밤만 저의 외로움을 달래 주시겠어요?"

"⋯⋯."

할 말을 잃은 자신을 놀리는 데 재미가 붙었는지, 갈수록 가관이었다.

'점잖아서 재미가 없다고? 내가?'

알렉산드로는 들끓는 눈으로 그녀를 직시했다. 여러 가지, 차마 담을 수 없는 난잡한 생각들이 들이닥쳤다. 그녀를 몇 번이고 '재미있게' 해 줄 수 있는 훌륭한 물건과 충분한 지식이 있는데 이런 말이나 들어야 하다니⋯⋯.

가만히 입 안으로 혀를 굴리던 그는 이내 피식 웃어 버렸다.

"어디서 그런 발칙한 말을 배워 왔지?"

천천히 그녀의 가면을 벗겨 내자 클로이가 말똥한 눈을 깜빡댔다.

"『그레이 공작의 50가지 그림자』라는 소설에 나와요."

"그것도 참⋯⋯ 여전한 취미야."

알렉산드로는 아쉬운 손길로 그녀의 가면을 만지작거렸다. 자신을 도발하던 그 여자는 금세 가면으로 숨어 버렸나 보다.

클로이는 평소의 그 건실한 다람쥐로 돌아와 있었다.

"갈까요?"

그녀가 자연스레 그를 미로 정원의 반대편으로 이끌었다. 두 사람은 드문드문 놓인 등불을 따라 걸었다.

둘 사이의 정적을 깨부수듯 웃음소리와 재잘대는 말소리들이 밤바람에 흘러왔다. 귀족들의 연회는 새벽까지 계속될 모양이었다.

"할 만한 구경은 다 한 것 같아요. 아는 사람도 없고 해서 전 이만 돌아갈까 하는데."

별관 근처에서 멈춰 선 그녀가 물었다.

"더 계실 건가요?"

"……."

평소와 달리 알렉산드로는 정확한 답을 말하지 못했다. 그저 할 말이 남은 사람처럼, 엄지로 집요하게 그녀의 손등만 쓸었다. 아쉽다. 이렇게 헤어지기가.

사람을 괜히 달궈 놓고선…….

"그럼 전 자러 갈게요?"

그녀가 잡은 손을 붕붕 흔들어 댔다. 저런 귀여운 눈을 하고 있으면 단가. 뻔뻔하게.

"……재미있게 해 줘?"

"네?"

알렉산드로의 시선이 재빠르게 주위를 훑었다. 근처에 사람이 있기는 했지만 정원수에 가려서 두 사람의 모습은 제대로 보이지도 않을 위치였다.

그가 급하게 그녀의 허리를 감싸 안고 몸을 붙였다. 들고 있던 가면이 툭, 하고 바닥에 떨어졌다. 달빛이 내려앉은 그녀의 말간 얼굴이 반짝였다. 턱을 움켜쥔 알렉산드로는 충동적으로 입을 맞췄다.

놀란 클로이의 눈이 휘둥그레졌다. 그걸 마지막으로, 알렉산드로는 눈을 감았다. 그러자 부드럽고 촉촉한 그녀의 작은 입술이 그의 세상 전부가 되었다. 통통한 아랫입술과 윗입술을 차례로 가볍게 빨아들이고, 고개를 틀어 다시 맛보듯 숨을 섞었다.

자신이 떨고 있는지, 그녀가 떨고 있는지…… 어쩌면 둘 다의, 떨리는 몸이 손끝으로 선명히 느껴졌다. 더 참지 못한 알렉산드로는 빨려들어 가듯 그녀의 따뜻하고 미끄러운 입 안으로 침범했다.

"으읍!"

큰 충격을 받은 클로이의 몸이 요동쳤다. 한 손으로 그녀의 뒷머리를 받친 그가 도망치는 입술을 집요하게 따라갔다. 그러자 반항하듯 피하기만 하던 그녀가 이내 잠잠해졌다. 나중에는 소심하게 그를 따라서 응하기도 했다.

알렉산드로는 천천히 입술을 떼어 냈다. 가까이에서 서로의 달큼한 숨결이 느껴졌다.

"하아."

마주친 그녀의 눈이 반쯤 풀려 있어 헛웃음이 나왔다. 허리를 놓아주자 클로이가 자리에 풀썩 주저앉았다. 놀란 알렉산드로가 일으켜 주려 했지만 다리가 풀린 그녀는 그저 숨만 몰아쉬었다.

"분명히 처음인데 이상하게 처음이 아닌 것 같아요."

혼란스러운 듯이 탁 풀린 눈동자가 그를 올려다보았다.

"우리 이거, 언제 해 본 적이 있었나요……?"

알렉산드로는 무릎을 세우고 앉아 그녀의 입가를 닦아 주었다. 그래, 이럴 줄 알았다. 당연히.

"네 입술이 나를 모를 리 없지."

그가 조심스레 시선을 맞췄다.

"우리는 매일 입을 맞췄으니까. 전생에서."

그가 마침내 지난 추억을 고백했다. 참지 못하고 나온 말이었다.

'전생?'

클로이는 멍하니 그 의미를 되새겼다. 알렉산드로는 미칠 듯한 이 설렘이 우연이 아니라 운명이라 말하고 있었다. 사실이든 아니든 그런 건 상관없었다. 클로이는 처음으로 욕심껏 그의 옷자락을 움켜쥐었다.

부서지는 저 달빛에, 그가 사라져 버릴까 두려웠다.

알렉산드로가 거의 뜬눈으로 밤을 지새운 그날 아침.

홀로 잠든 클로이는 더없이 개운하게 눈을 떴다. 결혼식에, 풍등을 올리고, 가면무도회까지. 1년에 하루 있을까 말까 할 만큼 피곤한 일정이었지만 그래도 즐거웠다. 어제 있었던 모든 일들이 사실 환상은 아니었나 싶을 만큼.

'키스, 정말 좋았는데…….'

입술을 매만지던 클로이는 부끄러움에 몸서리치다 뒤늦게 침대에서 일어섰다. 아직 이른 시각이지만 오늘, 침실도 옮기기로 했고 나름 할 일이 많았다. 밀런과 헤일라가 떠나는 날이기도 했다.

'가서 배웅해야지.'

간단하게 단장을 마친 클로이는 문득 창문 너머를 응시했다. 밖이 소란스러웠다.

'상단이 이제 떠나나 보네.'

쌍둥이 형제 상단의 깃발이 달린 마차가 줄줄이 공작성을 나가고 있었다. 가볍게 눈을 돌린 클로이는 가볍게 짐을 꾸리기 시작했다. 하인들이 그녀의 개인 침실로 다 옮겨 줄 테지만, 깔끔한 인상을 남기고 싶었다.

그때였다. 똑똑, 정중한 노크 소리가 들렸다.

"마님, 데비입니다. 혹시 기상하셨습니까?"

조용한 목소리에 클로이는 금방 "네." 하고 대답한 뒤 문을 열어 주었다.

"좋은 아침이에요, 시종장."

"예, 좋은 아침입니다! 마님, 그런데 다름이 아니라……."

아침부터 데비의 표정이 별로 밝지 않았다.

"편지가 왔습니다."

목소리를 확 낮춘 그가 은밀하게 서신을 전했다.

"키아스 도미닉 백작으로부터 온 편지입니다. 마님의 본가에서요."

'본가'라는 그 말이 그녀의 가슴에 화살처럼 박혔다. 기분 좋은 아침은 저 멀리 날아갔다. 편지를 받아 든 클로이는 가문의 인장이 새겨진 실링을 확인했다.

'숙부님이 보낸 게 맞아. 대체 어떻게 알았을까?'

아무래도 제가 받은 반지 때문인 듯했다. 기실 그런 보물을 받았는데 소문이 퍼지지 않았을 리가 없었다. 겨우 평온해진 삶을 놓치고 싶지 않아 애써 모른 척하려던 제가 바보 같았다.

가벼운 종이 몇 장이 바위처럼 묵직했다. 그녀는 애써 미소 지었다.

"알겠어요. 고마워요."

"도련님께는 아직 알리지 않았습니다만, 어떻게 할까요?"

"상관없어요. 절차대로 해 줘요."

마님의 본가에서 온 편지는 원래 누구에게도 알리지 않는다. 하지만 시종장은 그녀의 경우는 좀 다르다고 판단했다.

"알겠습니다. 그럼 도련님께 말씀드리지요."

알렉산드로의 명령으로 도미닉 백작가를 조사한 시종장은 키아스 도미닉이 어떤 사람인지 알게 되었다.

'망할 후레자식. 우리 마님을 협박하려는 게 분명해.'

봉인을 뜯어보진 않았지만 불빛 위에 비춰 본 바로 그는 이미 편지의 내용을 파악했다.

수치, 상의도 없이, 쿠피히트, 결혼, 상단, 우롱, 예물, 속이려고, 지참금

얼핏 보인 그 단어들만으로도 편지의 의도는 충분히 짐작할 수 있었다. 풀 죽은 저 얼굴만 봐도 뻔하지 않은가?

"그래도 내게 먼저 알려 줘서 고마워요."

"아닙니다."

시종장은 마음이 아팠지만 그녀의 자존심이 다칠까 봐 티 내지 않았다.

"그리고 쿠피히트 소공작과 반도라스 영애께서 곧 떠나신다고 합니다. 두 분께 마지막 인사를 하시겠습니까?"

"아무렴, 그래야지요. 그것도 알려 줘서 고마워요."

"그럼 자리를 비우신 동안 침실을 옮겨 놓겠습니다."

인사를 마친 시종장은 문을 나서는 마님을 흐뭇한 눈으로 응시했다.

'두 분은 정말 잘 어울려.'

알렉산드로는 여러모로 대하기 어려운 사람이었다. 오래된 하인들뿐만 아니라 한 핏줄인 형제들조차 그를 어려워했다.

그런데 마님은 그와 완전히 달랐다. 매우 온화한 데다 수족들에게도 상냥했다. 듣자 하니 그녀를 모시는 시녀들도 같은 생각인지 칭찬 일색이었다. 불만도 있을 법한데.

'이쯤 되면 두 분의 인연은 운명이나 다름없어.'

시종장은 마님을 잘 모셔야겠다고 다짐했다. 그녀가 두 번 다신 이혼 생각을 하지 않도록.

밀런은 헤일라와 함께 수도에 돌아갔다가 야만족 토벌에 합류하기로 결정했다. 그는 알렉산드로와 가볍게 악수하며 칼스버그 영지에서의 마지막 인사를 나눴다.

"그간 폐만 끼쳐서 정말 미안했다, 알렉스."

"알긴 하는군."

"그래도 나 대신 황궁에 서신 보내는 거 잊지 말고."

알렉산드로는 어이없는 비소를 터뜨렸다. 생글거리는 저 얼굴을 한 대 때려 주고 싶은 걸 간신히 참아야 했다.

"그럼 토벌대에 합류할 때 다시 만나자. 잘 지내고."

"그래."

두 남자가 우정을 확인하는 사이, 헤일라는 손수건으로 눈물을 찍어 내고 있었다.

"간신히 다시 만난 약혼자가 야만족 토벌이라니요."

"……."

"아아, 서글퍼라. 안 그런가요?"

클로이는 착잡하게 고개를 끄덕였다. 오늘 아침, 수도에서 편지가 왔다. 알렉산드로가 칼스버그 대공에게 보냈던 통보나 다름없는 편지의 답신이었다. 이로써 칼스버그 가문은 서녘으로 출전이 확실해졌다. 불화를 야기했던 쿠피히트 가문도 황궁에 사죄하는 의미로 함께 출정한다.

남편과 약혼자를 사지에 내보내게 된 두 여자는 같은 처지였다. 위로하듯 그녀의 손을 붙잡자 헤일라가 기다렸다는 듯 클로이를 와락 끌어안았다.

"흑흑흑."

"헤일라, 괜찮을 거예요."

클로이는 어젯밤 목격한 일이 떠올라 어색하게 그녀를 다독였다.

"참, 가면을 돌려줘야 하는데…… 지금이라도 하인을 보낼까요?"

"아니에요. 그냥 가져요. 난 스무 개나 있으니까."

그러면서 얌전히 손수건으로 눈가를 닦아 내는 모습에 클로이는 픽 웃음을 터뜨렸다.

'밀런과 잘 어울리네.'

이들이야말로 천생연분이 아닐까.

클로이는 수도로 떠나는 두 사람의 무사 귀환을 빌며, 마차에 올라타는 밀런에게 손을 흔들었다.

이윽고, 성문을 떠난 마차가 점점 멀어졌다. 알렉산드로의 손을 잡고 응접실로 돌아가던 클로이가 휙 고개를 돌렸다.

"정말 한 달 후에 출정이에요?"

"그래."

알렉산드로는 담담히 인정했다. 그라고 이 상황이 마음에 드는 건 아니었다.

"정말 가요?"

"……."

"날 두고?"

입이 열 개라도 할 말이 없었다. 그렇다고 홧김에 결정한 일은 아니었다. 그녀가 밀런과 이혼할 4년을 기다려야 하니 잠시 떠나 있는 것도 나쁘지 않겠단 판단이었다.

칼스버그와 쿠피히트, 제국의 대표적인 두 공작 가문의 불화로 황궁에선 불만을 표시했다. 알렉산드로는 그 대안으로 자신의 출정을 제시했고, 황궁에선 이 결정에 만족해했다.

그녀와 떨어져 있게 된 건 안타깝지만 결론적으로는 옳은 결정이었다.

"돌아오면 황궁에서 기사 서임을 받기로 했다."

"그런 건 관심 없다고 했잖아요."

황망한 그녀의 눈동자가 좌우로 움직였다. 그와 헤어져 있기 싫었다.

"갑자기 왜……."

알렉산드로는 작은 두 손을 맞잡았다. 자신을 걱정하며 그녀가 애정을 보여 주어 기분이 좋았다. 귀여운 투정은 고마웠다.

"클로이."

자꾸 깊은 한숨을 내쉴 때마다 미안하지만, 그만큼 자신을 염려하는 그녀의 마음이 절절하게 와닿았다.

"난 금방 돌아올 거야. 무탈하게."

"가지 말아요."

"그럴 수 없어."

클로이는 울상을 지었다. 처음 보는 그녀의 얼굴 때문에 내심 미소가 지어졌다.

"이미 황궁과 합의가 끝난 일이야."

"황궁에서 가라고 하면 가야 하나요?"

부루퉁한 그 물음에 알렉산드로는 헛웃음을 터뜨렸다. 그의 손이 저절로 불룩한 그녀의 볼을 매만졌다.

"그럼 불복하고 전쟁이라도 하라는 말인가?"

"……그렇네요. 실언했어요."

클로이는 저도 모르게 알렉산드로를 황궁보다 더 높은 곳에 있는 사람으로 여겼다.

'아무렴. 황궁에서 가라면 가야지.'

당연한 일이지만 그래도 속상했다. 죽음의 평원이라 불리는 그 사지에 제 남편을 떠나보내야 한다니. 쉽게 그를 보낼 각오가 서지 않았다.

이윽고, 조용한 응접실에 도착하자마자 그녀가 속내를 털어놓았다.

"애초에 제가 밀런과 결혼하려 하지 않았다면 당신은 그곳으로 떠나지 않았겠죠?"

"어차피 돌이킬 수 없는 일이야."

"만약에 그랬다면요."

"'만약'은 없어. 의미 없는 가정이야."

클로이는 시무룩해졌다. 돌려서 말했지만 그렇다는 뜻이었다.

알렉산드로는 제 안의 또 다른 인격을 실감했다. 짧은 이별에 안타까워하는 그녀의 얼굴을 보는 게 즐거웠다.

'내가 변태인가.'

맞는 듯했다. 축 처진 눈꼬리와 꾹 다문 저 입술을 잘근잘근 깨물어 주고 싶었으니까.

죽음의 평원은 영지민들이 수도 황궁의 지원을 받기 위해 과장한 별명이 분명했다. 그간 그곳에 투입된 인력은 매우 오합지졸인 데다, 변방은 군사력이 전혀 다져지지 않은 곳이었다. 때문에 알렉산드로는 이번 야만족 토벌이 좋은 기회라고 생각했다.

"수도의 대부분 귀족들은 신전의 명예 서임을 받았지."

그건 그저 이름뿐이었다.

"돌아오면 난 황제의 기사가 될 거다. 이만하면 나쁘지 않은 거래야."

"왜 갑자기 기사 서임을 받는 데 열중인가요? 무투회에서 우승했다면서요. 그것도 두 번씩이나! 그럼 됐지, 이제 와서 왜……."

클로이는 그가 밀런과 자주 나누던 대화를 기억했다.

"기사 서임은 그저 허울뿐인 감투라고 했잖아요."

"신전의 명예로운 기사가 되는 것과, 황제의 기사가 되는 건 완전히 달라."

"언제는 관심 없다면서요!"

그녀가 따지듯 묻자 알렉산드로는 헛기침을 하곤 결국 속내를 털어놓았다.

"기사님과 결혼하는 게 네 소원이라고 들었다."

"……."

물끄러미 그를 올려다보던 클로이가 스르륵 와서 안겼다. 그녀의 자발적인 포옹은 처음이었다. 낯가리던 다람쥐가 처음으로 손에 올라온 그날처럼 알렉산드로는 온몸이 간질거렸다.

놀랍고, 귀엽고, 안쓰럽고…… 사실은 기쁨이 가장 컸다. 그녀가 진심으로 제게 마음을 열어 준 것 같았다.

"한심해요."

"알아."

알렉산드로는 품에 안은 클로이의 머리부터 등까지를 조용조용 쓸어 주었다. 그때, 그녀가 불쑥 고개를 들고 간절한 눈으로 물었다.

"가지 말라고 계속 떼쓰는 거, 싫겠죠?"

"떠나는 날까지 매일 듣고 싶어."

클로이는 어처구니없다는 듯 웃음을 터뜨렸다. 하지만 그는 진심이었다.

"해 줄 건가?"

"몰라요."

클로이는 얕은 한숨과 함께 그의 품에 다시 고개를 묻었다. 꿈결인 듯 나른하게 그녀를 안고 있던 알렉산드로는 경악한 채 저를 응시하는 시종장과 시선이 부딪쳤다.

'나가.'

중요한 일을 알릴 게 있어 기다리던 시종장은 결국 자신들의 세계에 푹 빠진 부부를 발코니에 두고 응접실을 나섰다.

"시종장님, 보셨어요?"

"봤다."

귀신을 본 사람처럼 사색이 된 얼굴로 문을 나서자, 경비병들이 기다렸다는 듯 쪼르르 말을 붙였다.

"어떻게 저분이 저러실 수 있죠?"

"저러고 싶은 걸 여태 어떻게 참으셨답니까?"

다들 알렉산드로의 색다른 모습에 놀라는 중이었다. 마치 동전의 양면처럼, 달라도 저렇게 다를 수가 없었다. 시종장도 내심 혀를 내둘렀다.

"글쎄, 진정한 사랑은…… 사람을 바꿀 수도…….."

그런데 마님 앞에서만 저렇게 바뀐다는 게 놀라울 따름이었다.

"저 정도면 다시 태어난 수준 아닙니까?"

"마님께만 저러시잖아."

"아무튼 두 분이 빨리 결혼하시길 천만다행입니다."

"그러게요."

"마님께 잘해야겠어요."

경비병들의 호들갑을 뒤로하고, 시종장은 묵묵히 알렉산드로를 기다렸다. 그만큼 중요한 일이었다.

'도미닉 백작이 찾아온다니, 마님께서도 반기지 않으실 거야.'

칼스버그 공작성을 방문하겠다는 도미닉 백작의 갑작스런 통보였다.

'그자는 대체 무슨 생각이지?'

찾아와도 결코 좋은 꼴은 보지 못할 터였다. 적당히 사교를 즐기는 인사였다면 한 번쯤 칼스버그 공작가의 둘째 도련님에 대한 소문을 들어 봤을 터인데. 영 그렇지 않은 듯하여 안타까웠다.

'우리 도련님을 몰라도 너무 모르는군.'

그자가 찾아오면 벌어질 참사를 염려하는 사이. 부부가 사이좋게 손을 잡고 응접실을 나왔다.

"데비, 부인의 침실을 보여 줄 수 있겠나?"

"예?"

순간 그는 다정한 알렉산드로의 물음에 어리둥절했다. 자신을 이름으로 부르기는 처음이었다.

"침실, 말이다."

"……아, 예!"

시종장은 매서운 그의 쉼표에 번뜩 정신을 차리곤 얼른 마님을 돌아보았다.

"침실 정리는 끝났습니다, 마님. 앞으로 그 침실을 계속 이용하실 겁니다."

"그렇군요."

순간적으로 마님의 표정이 어두워졌다. 기민하게 이를 알아챈 알렉산드로가 의아한 눈으로 그녀를 응시했다.

"왜. 뭐가 마음에 안 드나?"

"아니에요."

"나와 한 침실을 쓰고 싶어서?"

시종장은 저도 모르게 어이없는 코웃음을 쳤다. 안달이 난 게 대체 누군데.

'누가 봐도 도련님이지.'

그래도 마음씨 너그러운 마님은 웬 헛소리냐고 제 남편을 면박 주지 않았다.

"그럼 저는 영지에서 계속 머무는 건가요?"

"당분간은."

그녀는 착잡한 심경을 감추지 못했다. 고스란히 얼굴에 드러난 걱정 어린 표정에 두 남자가 동시에 물었다.

"무슨 일이십니까, 마님?"

"같이 내 침실을 쓸까?"

클로이는 고개를 저었다. 의사는 합방을 권하지 않았다. 심장에도 무리였다.

"숙부님께서 찾아오실지도 몰라요. 여긴 수도에 비하면 가깝기도 하고……."

밀런은 수도로 떠날 작정이었으니 '레이첼 도미닉'이라는 이름을 써도 그만이었다. 숙부인 키아스 도미닉 백작은 간이 콩알만 한 변방 귀족이라 감히 수도의 대저택에 연락할 엄두는 내지 못했을 테니까.

하지만 예상한 것보다 훨씬 값비싼 반지를 받고, 이 영지에 머물면서 언제 숙부의 귀까지 소문이 퍼질까 내내 불안했다.

'그래도 그렇지, 이렇게 쪼르르 연락을 해 올 줄은 정말 몰랐어.'

숙부의 편지가 그녀에겐 치명타였다. 풀 죽은 모습을 보곤 걱정 마라 위로하려던 알렉산드로보다 시종장이 더 빨랐다.

"아무 걱정 마십시오, 마님!"

두 사람의 시선이 그에게 닿았다.

"마님은 이미 칼스버그 가문의 사람입니다. 어느 누구도 감히 마님을 데려가실 수 없습니다!"

일단은 말뿐이지만 클로이는 그런 시종장이 든든했다.

"마님은 그저 편히 계십시오!"

"고마워요."

"자, 그럼 마음 놓고 침실을 보러 가시지요. 마님의 안목에는 어떠실지 모르겠으나 로라가 꽤 자신 있어 했습니다."

그녀를 안심시킨 시종장이 침실로 안내하려는데, 알렉산드로가 클로이의 손을 놓아주지 않았다. 시종장은 애가 탔다. 금슬이 좋은 거야 나무랄 게 없지만 이렇게 한시도 떨어져 있길 싫어하면 어쩌란 말인가.

"시종장이 뭔가 할 말이 있나 보군요."

다행히 시종장의 은밀한 눈빛을 알아본 클로이가 상황을 중재했다.

"전 시녀장과 침실을 둘러볼게요. 두 분은 이만 가 보세요. 바쁘시잖아요."

다행히 알렉산드로는 그녀의 말에는 쉽게 수긍했다.

"밤에 갈게."

"네?"

밤에 왜 온다는 건지, 어리둥절해하는 부인의 볼에 가볍게 입을 맞춘 그가 시종장을 돌아보았다. 당황한 마님에게 예를 갖춘 시종장은 알렉산드로를 조용한 곳으로 안내했다.

"서재로 가시지요."

"……."

쓸데없는 일이면 가만두지 않겠다는 무언의 압박이 느껴졌다. 시종장은 의연하게 서재로 향했다. 급한 사안이었다.

문을 닫자마자 낯을 달리하곤 쏘아보는 그에게, 시종장이 급히 선수를 쳤다.

"도련님, 큰일입니다."

"무슨 큰일."

"도미닉 백작이 방문하겠답니다. 사람을 통해 편지가 왔습니다. 오늘 아침입니다."

시종장은 주섬주섬 서신을 꺼내 건넸다.

"도미닉 백작은 마님께서 쿠피히트 소공작과 결혼을 하신 줄로 알고 있더군요."

알렉산드로는 미처 봉해지지도 않은 인장 없는 편지를 확인했다.

키아스 도미닉 백작으로부터

편지의 내용은 짧고 간결했다.

"레이첼을 데리러 공작성을 방문하시겠다……."

하, 어디 그래. 말릴 생각은 없었다. 어떻게 생겼는지 슬슬 그 얼굴이 궁금하던 차였다.

"잘됐군."

시종장에게 키아스 도미닉 백작을 조사해 보라 명했지만, 알렉산드로는 굳이 그 내용을 듣지 않아도 어림짐작으로 알 수 있었다.

레이첼, 아니 클로이가 견디다 못해 뛰쳐나온 집안이었다. 백작이 자신을 찾아올까 봐 저렇게 겁내는 걸 보면 뻔했다.

도망친 그녀를 세 번이나 붙잡아선 가축만도 못하게 다뤘었다. 안테노르 영지의 그 야산에서 제발 살려 달라 울며 옷자락을 붙잡던 그때의 그 모습이 아직도 눈에 훤했다.

'그럼 그때 그놈인가?'

당시 숙부와 남편이 그녀를 잡으러 왔다고 했으니, 어쩌면 그자를 마주쳤을지도 모르는 일이었다.

"'제국의 바다'를 구매하신 일로 소문이 퍼진 듯합니다. 상단을 입단속하긴 했지만 아무래도 그만한 보석이면……."

"그랬겠지."

귀족들은 값비싼 보석에 대한 관심이 지대했다. 상단이 입을 다물었더라도 소유주였던 은행과 광산에서 적극적으로 소문을 냈을 터.

"그리고 이건 도미닉 백작가의 알려진 소문을 취합해서 정리한 내용입니다."

봉투를 받아 든 알렉산드로가 눈썹을 으쓱했다. 꽤 두꺼웠다. 명령한 지 며칠 되지도 않았는데.

"다시 봐야겠군, 시종장."

덩달아 시종장의 눈썹도 꿈틀했다.

'이름은 마님 앞에서만 불러 주시는 거였어.'

"흠흠, 제 능력이라기보다는…… 도미닉 백작가의 유명세 덕분입니다."

시종장이 의미심장하게 덧붙였다.

"여러모로 대단하더군요."

"입조심해라."

그래도 제 부인의 집안이었다. 시종장을 한번 흘겨본 알렉산드로는 봉투에서 꺼낸 서류들을 들춰 보았다. 시작부터 파격이었다.

'도미닉 부인이 남편을 살해했다는 소문이 유력하다.'

도미닉 부인은 클로이의 계모였다. 이어서 서류를 읽어 내려가던 순간, 알렉산드로의 잘생긴 미간에 주름이 졌다.

'남편의 동생과 불륜 관계?'

한데 거기서 끝이 아니었다.

'형님의 작위를 물려받은 도미닉 백작이 정량을 터무니없이 초과하는 납세품을 요구하다…… 초야권?'

이건 또 뭔가. 초야권이라니. 알렉산드로는 눈을 의심했다.

'패악질을 견디다 못한 영지민들이 주거를 포기하고 산적이 되어 강도짓을 시작했다…….'

서류 대부분은 백작가의 파렴치한 만행과 부당함을 호소하는 고발이었다. 여럿의 글씨로 작성된 종이들을 넘기던 알렉산드로가 멈칫했다.

'요절한 첫 번째 부인의 소생인 레이첼 도미닉의 처녀를 경매에 붙여…….'

그는 차마 다 읽지 못하고 쥐고 있던 종이를 구겨 버렸다. 화가 끓어 목뒤가 다 뻐근했다. 그녀가 세 번이나 도망친 데는 집안 분위기도 한몫했을 것이다. 패륜에, 불륜에, 막장 콩가루 집안이었다.

"요란하군."

정말이지 가관이었다. 당장이라도 가서 흔적 없이 없애 버리고만 싶지만…… 어쨌든 그녀의 가족이었다. 알렉산드로의 곧은 손가락이 고민하듯 무릎 위를 두드렸다.

'전생을 반복할 순 없어.'

피 한 방울 안 섞였다 해도 그녀의 일가족을 죽여 버린 그 일을 얼마나 후회했던가? 진짜 핏줄이든 아니든 그녀의 가족에게 손대는 것만큼은 제발 사양하고 싶었다.

"어쨌든 내 아내의 가문이다. 티 내지 않도록 해."

"물론입니다."

시종장은 마님이 본가에 애정이 전혀 없다는 걸 이미 눈치로 알았지만, 그와 별개로 그녀의 가문을 무시할 생각은 결코 없었다.

하지만 조카를 그렇게나 핍박하던 도미닉 백작이 이제 와서 그녀에게 알은체를 하며 협박 편지를 보내는 건 매우 볼썽사나웠다.

"도련님, 그자가 공작저에 사람을 보내면서 마님께도 편지를 전했습니다. 그런데 글쎄 그 내용이…….."

시종장은 자신이 먼저 확인한 그 편지의 일부를 미주알고주알 모두 일러바쳤다. 무표정하던 알렉산드로의 눈빛이 얘기를 들을수록 점차 사나워졌다.

눈치를 살피던 시종장은 그의 반응에 내심 안심했다. 감히 마님을 '데리러' 온다니 그게 말이나 되는 소린가?

도미닉 백작, 그자는 이 땅에 발을 디딘다 해도 살아 나갈 수 없을 것이다. 알렉산드로의 무시무시한 눈빛이 그렇게 말하고 있었다.

한결 시름을 덜은 시종장은 그나마 가벼운 마음으로 서재를 나왔다.

하지만 그보다 더한 골치가 시종장을 기다리고 있었다.

"시종장님, 큰일입니다."

"또 뭔가?"

하인은 어찌할 바를 모르고 발을 동동 구르며 사정을 설명했다.

"그게 글쎄, 웬 용병 한 놈이……."

자초지정을 듣던 시종장의 눈이 휘둥그레졌다.

발칙한 네 행태를 도저히 참을 수가 없구나. 날 무시하는 것도 정도껏 해라, 레이첼.

태생부터 너는 우리 가문의 수치였다.

내가 정해 준 혼사를 망치고 도망친 주제에, 가문에 알리지도 않고 감히 상의도 없이 멋대로 결혼을 해? 남편이 쿠피히트 소공작쯤 된다면 전부 네 마음대로 해도 된다더냐?

쌍둥이 형제 상단의 언급이 없었다면 이대로 영영 네게 우롱당할 뻔했구나.

받은 예물들을 당장 가문으로 보내라. 나를 속이려고 했다간 용서를 빌어야 할 것이다, 레이첼!

추신. 지참금을 내지 않았으니 우리가 네 결혼의 무효를 주장할 수 있다는 걸 명심해라.

클로이는 한숨과 함께 편지를 덮었다. 휘갈겨 쓴 글씨들이 꼭 뱀을 닮았다. 서체의 주인과 똑같았다.

'누가 보면 엄청난 명문가인 줄 알겠어.'

기분 나쁜 편지를 활활 타오르는 장작에 던져 버리려다, 그녀가 멈칫했다.

'도미닉 가문에 대해서 이미 다들 알아봤겠지.'

얼굴이 확 뜨거워졌다. 제게 편지를 전해다 준 시종장도 이미 다 알고 있을 것이다. 시녀장도, 집사장도, 모두들 제 이름을⋯⋯.

'그러고 보니 아무도 내 이름이나 성을 물어본 적이 없네.'

맨 처음, 공작성에 막 당도했을 때를 제외하곤 아무도 묻지 않았다. 감히 이름을 막 부를 순 없어도 시종장이나 시녀장, 집사장 정도쯤 되면 이름을 물어볼 법도 한데 말이다.

'왜 아무도 내 이름을 묻지 않는 걸까?'

대신전을 핑계로 혼인 증서를 완성하지 않는 것도 어쩌면⋯⋯.

'설마 내 이름을 바꾸려고 하나?'

클로이의 눈이 동그래졌다. 허무맹랑한 생각 같지만 가능성이 있었다.

제국은 평화적으로 통일되면서 신분 세탁이 전보다 용이해졌다. 변방 귀족들이 아리따운 평민 처녀와 결혼할 때 족보를 매매하는 건 변방에서 꽤 흔한 일이었다.

평민 부자들이 암암리에 엘파사 왕국의 귀족 족보를 매매하기도 했다. 제국의 유래 깊은 가문만큼은 아니라도, 귀족은 귀족이었다.

그러니 어쩌면, 도미닉 가문의 화려한 평판을 듣고 제 신분 세탁을 감행하려는지도 몰랐다.

'칼스버그쯤 되는 명문가라면 체면을 생각해서 그럴 수도 있어.'

그때였다. 똑똑, 노크 소리가 고민에 빠진 그녀를 일깨웠다. 클로이는 편지를 정리해서 서랍에 넣었다.

"마님, 시종장 데비입니다."

"들어와요."

"저녁 전에 문안 인사를 드릴 겸 들렀습니다."

결혼하고 마님이 된 지 하루 차였다. 시종장이 문안 인사까지 올 줄은 감히 상상도 못 했기에 클로이는 조금 놀랐다. 진짜 가문의 안주인 같은 대우였다. 아직 칼스버그 대공 부인이 멀쩡히 살아 있는데도 말이다.

'꽤 각별하게 챙겨 주네.'

시녀장을 포함하여 다들 얼마나 세심하게 구는지 감동스러울 정도였다.

"중요한 일은 잘 마무리되었나요?"

"예, 걱정해 주신 덕분에 잘 해결될 듯합니다."

그가 정중하게 싱긋 웃으며 다시 입술을 떼었다.

"그런데 마님."

시종장은 사실 문안 인사로 온 게 아니었다. 알렉산드로와 면담을 마친 뒤, 갑자기 들은 소식에 혼비백산 달려온 것이었다.

"그…… 고용하신 호위는 어디에 배치할까요?"

순간 정지한 클로이가 의아한 표정을 하곤 갸웃했다. 시종장은 마님의 심기를 거스르지 않기 위해 최대한 속내를 숨기고 설명했다.

"본가에서 데려오신 위병이라면 당연히 마님의 침실을 지키라 하겠지만, 아무래도 그자는 기사가 아니라 용병이다 보니 의중을 먼저 여쭤보는 겁니다."

그가 난처하게 덧붙였다.

"마님의 호위는 제가 선별한 다섯 명을 따로 붙이겠습니다. 한데 그자는 마님께서 개인적으로 고용한 호위라……."

개인적으로 고용한 호위?

"내가요?"

"마, 마님께서 쌍둥이 형제 용병단의 용병을 호위로 고용하신 게 아닙니까?"

당황한 그녀의 반응에 시종장은 더 놀라서 말까지 더듬었다.

"난 그런 적 없어요."

그녀가 무고한 얼굴로 고개를 저었다. 처음 듣는 얘기였다.

"그럼 그자는 대체 뭘까요?"

시종장과 클로이는 알 수 없는 눈으로 서로를 응시했다.

"그자가 독단적으로 여기 남은 걸까요, 마님?"

"그런가 봐요. 나도 모르겠어요."

두 사람은 급하게 식당으로 향했다. '그자'가 거기 있었다. 제멋대로 공작성에 머무는 주제에 태평하게 식사를 해? 시종장은 혀를 찼다.

"어쩐지 이상하다 싶었습니다."

"이 일은 언제 알았나요?"

"방금 전해 들었습니다. 듣자마자 달려왔지요. 뭔가 석연치 않아서요."

용병 출신인 그자는 귀부인의 호위라기엔 영 점잖지 못했다.

'마님이 고를 만한 사람이 아니야. 절대.'

이제 막 결혼한 귀부인이, 직접 고용한 호위를 집에 데려온다? 흔하진 않아도 있을 수 있는 일이긴 했다. 원수 집안에 시집을 갔다거나, 목숨을 위협받는 상황이라면 말이다.

하지만.

'호위로 용병을?'

서임받은 기사가 온데도 공작저의 위병들과 마찰이 생길 텐데, 하물며 어디서 굴러먹다 온지도 모를 용병을 데려온다?

'마님은 신중하신 분이야.'

절대 그런 짓을 할 만큼 어리석지 않았다.

'그 용병에게 어떤 배후가 있는 거라면…….'

고뇌 가득한 시종장의 인상이 절로 찡그려졌다. 두 사람은 앞서거니 뒤서거니 다급히 복도를 질러 나갔다. 문득 클로이가 창밖을 응시했다. 이상하게 밖이 시끌벅적했다.

"그자는 정말이지 간도 크군요. 그건 인정해야겠습니다."

혼자 중얼거리느라 시종장은 그녀가 자리에 멈춘 줄도 몰랐다.

"……데비?"

그때 마님의 부름이 골몰한 시종장의 발목을 붙들었다. 그녀의 시선은 창밖의 연무장에 꽂혀 있었다.

"저것 봐요."

위병들이 한참 훈련 중일 시간. 평소와 뭐 다를 게 있나, 싶었던 시종장은 의아하게 창밖으로 눈길을 돌렸다. 순간 그의 안색이 확

변했다.

'아니, 뭐야, 저거.'

연무장에는 일대다수로 위병들을 쓸어버리고 있는 한 남자가 있었다. 고슴도치처럼 사방으로 뻗은 붉은 머리와, 벗은 상체만 확인 가능했다.

"내 호위를 자처했단 용병이 혹시 저 남자인가요?"

"……맞는 것 같습니다."

칼스버그의 사병들은 모두 녹색 갑옷을 걸쳤다. 저런 몰골은 그 혼자뿐이었다. 맛있는 식사까지 대접받고는 그새 감히 공작성의 사람을 패고 있었다.

"큰일이네요."

시종장과 눈빛을 교환한 클로이는 재빨리 연무장으로 방향을 돌렸다.

연무장에 들어선 두 사람은 대치하고 있던 모두의 주목을 끌었다.

"마님."

가문의 사병 단장, 도날드 에반스가 가장 먼저 칼을 내렸다. 그러자 약속이라도 한 것처럼 사병들이 일제히 칼을 내리고 예를 갖추었다.

"마님을 뵙습니다!"

"마님을 뵙습니다."

가슴에 주먹을 대고 한쪽 무릎을 꿇는 정중한 인사였다. '이렇게 거창한 예의를 갖출 것 없다'고 말하려던 클로이는 마음을 바꿨다.

저들의 첫 인사였다. 그녀는 최대한 당당한 몸짓으로, 가벼운 묵례로써 예를 받아 줬다.

'이런 상황에 첫 인사를 하게 되다니.'

얼굴이 다 뜨거웠다. 그녀의 상황을 아는지 모르는지, 멀리서 용병 릭이 칼을 어깨 위에 척 하니 얹고는 윙크했다.

'맙소사.'

눈앞이 아찔해진 클로이는 재빨리 고개를 돌렸다.

"마님, 소란에 내려와 보셨군요. 저는 칼스버그 사병단의 단장인 도날드 에반스입니다."

"에반스 경, 반가워요."

다행히 에반스는 친절했다. 용병으로 인해 벌어진 이 난리에도 별 유감이 없는 모양이었다.

'아니면 감정을 살피는 데 매우 능숙하거나.'

어쨌든 뛰어난 기사인 건 분명했다. 상황이 급할수록 침착하라고 했다. 클로이는 길게 심호흡을 하고 에반스에게 물었다.

"에반스 경, 미안하지만 잠깐 저자와 얘기를 나눠도 될까요?"

"마님의 '호위' 말씀이십니까?"

"이보게. 저자는 마님이 고용한 사람이 아닐세."

옆에 있던 시종장이 재빨리 끼어들었다.

"……뭐라고?"

미간을 팍 찌푸린 에반스는 뒤를 돌아보았다. 릭은 '네가 날 어쩌려고?' 하듯 양 눈썹을 찡긋했다. 사람을 약 올리는 그 반응에 사방에서 노성이 터져 나왔다.

"명예라곤 모르는 용병 자식이……!"

"이 빌어먹을 잡놈!"

예상대로 칼스버그 가문의 위병들은 단단히 화가 난 상태였다.

"이 신성한 가문에 저런 이물질 같은 놈을 받아들일 순 없습니다!"

"맞습니다! 아무리 마님의 호위라 해도 저런 놈을……!"

"침묵해라!"

에반스의 노기 어린 외침에 연무장이 쥐 죽은 듯 고요해졌다.

'카리스마가 대단하네. 엄청 어려 보이는데.'

클로이는 내심 감탄했다. 시종장에게도 말을 편하게 하는 걸 보니 실력으로 공작성에서 인정받는 사람인가 보다. 나이가 어린데도 불구하고 시종장보다 위치가 높아 보였다.

"마님, 그럼 마님께서 고용하지도 않았는데 저자가 스스로 이 성에 남았단 말씀이십니까?"

"맞아요."

에반스는 깜짝 놀라고 말았다. 어찌나 제집처럼 편하게 있는지 그 당당함이 도무지 위법자 같지 않았다.

'용병이라 저렇게 뻔뻔한가.'

에반스는 아주 어릴 때 팔려 와 기사의 종자가 되었다. 운 좋게도 명예로운 기사를 섬긴 그때부터 지금까지, 그는 한 번도 기사도를 잊은 적이 없었다. 그래서인지 저 용병의 무례한 행태가 더더욱 이해되지 않았다.

"저자는 용병도 뭣도 아닌 그냥 ……같은 놈이었군요. 마님께서 마음 쓰실 것 없습니다."

에반스는 애써 말을 고르며 이를 꽉 깨물었다.

"에반스 경."

클로이가 얼른 그의 앞을 가로막았다. 안 그랬다간 당장 달려갈 기세였다.

"내가 해결하겠어요."

"하지만."

"저자가 내 이름을 건 이상, 이건 내 문제예요. 내가 해결하고 싶어요."

"……알겠습니다."

그녀가 묘하게 단호해서 에반스도 더는 저지할 수 없었다.

"마님, 가까이 다가가지 마십시오."

대신 그는 조심하라고 속삭였다.

"저놈, 물기도 합니다."

"……."

"정말입니다. 제가 봤습니다."

그만큼 저 용병은 체면도 없고 싸움에 물러섬도 없었다. 에반스는 전쟁에 참여한 경험이 없는 기사로, 그런 부분은 솔직히 저 용병에게 배워야 할 점이라고 생각했다.

"조언 고마워요, 에반스 경."

"아닙니다."

시종장은 기겁해선 저도 모르게 마님을 붙들었다.

"마님, 잠시만 기다리십시오."

"데비, 난 괜찮을 거예요."

"제가 괜찮지 않습니다. 우리 귀한 마님을 어떻게 저런 무뢰배와 독대시킨단 말입니까?!"

시종장은 통탄스러워 가슴을 두드렸다. 만약 사고라도 나면 어쩌려고? 우리 도련님은? 우리 도련님은!

"그냥 용병일 뿐이에요. 그것도 한 명이잖아요."

"하지만……."

"이런 일조차 해결하지 못한다면 나중에 어떻게 이 커다란 공작성의 성주 역할을 대리할 수 있겠어요?"

당장 시종장을 설득하려 한 말이건만 듣기에는 꽤 갸륵하고 기특한 발언이 되었다.

"마님……."

아니나 다를까, 감격한 시종장이 말을 잊곤 눈만 깜빡였다. 이내 쌍엄지를 들어 올린 그가, 그럼 뜻대로 하시라며 공손히 길을 내주었다.

'우리 마님, 퍼펙트.'

그녀의 위풍당당한 작은 뒷모습을 바라보던 시종장은 얼른 몸을 돌렸다. 알렉산드로를 불러와야 했다.

클로이는 에반스의 경고대로 용병과 일정 거리를 둔 채 독대했다.

"이게 무슨 짓인가요. 내가 언제 당신을 고용했죠?"

미친놈 같은 포스에 눌려 말이 제대로 안 나오던 전과 달리, 지금은 화가 나서 그런지 클로이도 마음껏 쏘아붙였다.

"왜 이렇게 곤란한 상황을 만들었나요. 나한테 무슨 억하심정 있어요?"

가까이서 보니 기가 막혔다. 용병은 전에 알렉산드로에게 맞은 상처가 아직 그대로였다. 얼굴에 멍도 다 안 빠진 주제에 겁도 없이 이런 일을 벌였다는 게 믿기지 않았다.

"……아니면, 정말 배후라도 있는 건가요?"

"마님. 이 먼 거리가 좀 야속하군요."

릭은 성큼성큼 몇 발자국 가까이 다가왔다. 클로이는 정확히 그만큼 뒤로 물러섰다.

"어허, 저를 그런 나쁜 사람으로 오해하시면 정말 곤란합니다?"

'뭐야, 이 어색한 존대는.'

클로이의 눈가가 씰룩였다. 정말이지 능청스럽기 짝이 없는 용병이었다.

"한번 생각해 보세요. 여긴 전부 칼스버그 가문의 사람들 아닙니까?"

삐딱하게 선 그가 나직이 속삭였다.

"당신의 사람도 한 명쯤은 필요할 텐데요. 나처럼, 무조건 충성하고 복종할."

"아뇨."

클로이는 단번에 고개를 저었다.

"첫째, 나는 여기 이미 내 사람이 있어요."

그녀는 손가락까지 접어 가며 조목조목 반박했다.

"둘째, 설령 내 사람이 아무도 없다 해도 당신을 고용하진 않아요."

"마님, 제 얘기를 더 들어 보시죠."

"셋째, 무조건 충성하고 복종? 그야말로 당신에게는 어울리지 않는 말 같군요."

가만 얘기를 듣던 릭의 한쪽 입가가 씩 올라갔다.

"거참. 남자의 연심을 너무 무시하시는군요."

"정말 그래서 이런 짓을 벌였다면, 그거야말로 나를 우습게 생각했다는 증거겠죠."

두 사람은 팽팽하게 서로를 마주 봤다.

"말해요. 당신의 진짜 고용인이 누군가요?"

대치하던 두 사람 중, 결국 릭이 먼저 피식 웃음을 터뜨렸다.

"순진하기만 한 줄 알았더니 아니었군. 알겠습니다. 내가 졌습니다."

그 역시 짧은 만남에서 비롯된 연심으로 이런 일을 벌였다는 변명은 우습다고 생각했다.

"황금 마차 상단주의 요청이었습니다. 내가 마님과 인연을 나누던 모습을 보았다더군요."

반지를 판 쌍둥이 형제 상단도 아니고, 그 상단주가 대체 왜 이런 일을 벌였을까. 그들도 보석을 팔려고 그랬나? 하긴, 여기까지 왔다 가는 수고로움이 전부 무용이 되었으니까.

"그들은 '제국의 바다'의 원래 소유주였습니다. 충분히 배알이 꼴릴 만도 했지요."

"제국의 바다……?"

"그 사파이어 목걸이 말입니다. 도련님이 구매하신."

알렉산드로가 그런 목걸이를 구매했다고? 하지만 클로이는 사파이어 목걸이를 받지 않았다. 그녀의 의아한 표정을 읽은 그가 잽싸게 빙긋 웃었다.

"아하, 보아하니 마님께 드리려고 산 게 아닌 모양이군요?"

알렉산드로가 목걸이를 들고 온 그날 저녁 일이라면 클로이는 그의 나신밖에 남은 기억이 없었다.

"도련님께 숨겨 둔 정부가 있나 봅니다. 마님도 언제 남편을 뺏길지 모르니 조심하세요."

기분 나쁜 이죽거림. 클로이는 그의 주제넘은 충고는 싹 무시하고, 본론만 물었다.

"당신은 쌍둥이 형제 용병단의 단장이 아닌가요? 그런데 왜 이런 수고스런 의뢰를 받죠?"

"단장이라."

릭은 천연덕스럽게 턱을 긁적였다.

"그랬으면 좋겠지만 난 단장이 아닙니다."

워낙 기세가 사납고 기운이 남달라서 당연히 그가 단장인 줄 알았다.

'그냥 일개 용병이었다니, 안 믿겨.'

그럼 단장은 대체 어떤 사람일까? 짧은 의문이 스쳤지만 클로이는 이내 고개를 저었다.

"알겠으니 이제 떠나요."

더 이상 이자와 길게 얘기하고 싶지 않았다. 무서워서, 더러워서. 어떤 이유로든 피하고만 싶은 남자였다.

"불쾌하지만 지금 조용히 떠나 준다면 더는 문제 삼지 않겠어요."

하지만 릭은 이대로 순순히 물러날 생각이 전혀 없었다.

"떠나라니요. 모시는 마님을 두고 제가 어딜 갑니까?"

그가 고분고분 모든 사실을 털어놓은 데는 다 이유가 있었다. 건들거리며 그녀의 코앞까지 다가간 릭은 잘 보라는 듯 그녀의 눈높이에 맞게 몸을 숙였다.

"저 마차 말입니다."

클로이는 그가 가리킨 쪽을 힐긋 쳐다봤다. 이제 막 문을 통과한 짙은 적색의 마차 한 대가 보였다.

"참 눈에 익숙한 마차이지 않습니까, 마님?"

"……!"

순간 심장이 덜컥 내려앉았다. 도미닉 백작이었다.

'숙부님이 여기는 왜 왔지?'

내게 협박 편지를 보낸 걸로 끝날 일이 아니었나. 답장도 받지 않고 무작정 방문했단 말인가?

릭은 안쓰러울 만치 하얗게 질린 그녀에게 속삭거렸다.

"마님의 골칫거리가 뭔지 압니다."

레이첼 도미닉. 그녀가 바로 도미닉 백작가의 골칫거리였다.

'깜찍하게 이름까지 속이고 계셨겠다.'

도미닉 가문의 하녀 소생 셋째 딸.

구박데기.

세 번이나 도망친 골칫덩이.

'이런 어마어마한 결혼을 성사시켰는데 이제 와서 도미닉 백작과 잘 지내고 싶을 리 없지.'

제 가문의 추한 면모를 들켜, 칼스버그 공작성의 수족들에게 체면을 구기고 싶지도 않을 것이다.

"제가 도미닉 백작을 처리해 드리지요. 평범한 사고처럼 위장해서요. 제 전문입니다."

릭은 악마처럼 히죽 웃었다. 결코 이 달콤한 제안을 거부하지 못하리라, 확신했다.

"남편분께는 물론 비밀을 지킬 겁니다."

그러자 송아지처럼 순한 눈망울이 그를 응시했다. 릭은 더욱 자신만만해선 물었다.

"어떻습니까?"

"사양할게요."

"……으음?"

릭은 순간 당황했다. 생긴 것과 다르게 굉장히 단호한 대답이었다.

"더 나눌 얘기는 없는 것 같군요. 이만 떠나 줘요. 당장."

"마님으로선 저의 제안을 따르는 게 좋으실 텐데요. 도와 드리려는 겁니다."

"거절합니다. 정말 날 돕고 싶거든 지금 당장 떠나 줘요."

"아니, 잠깐."

릭은 어이가 없었다. 어떻게 이런 제안을 거절하지? 사리분별이 안 되는 건가.

"나 같으면 그냥 제안을 따를 텐데? 당장 가서 도미닉인지 저 인간을 죽여 준다는데 왜 거절하지? 남편한테는 비밀을 지킨다니까?"

"남편에게 그런 비밀을 만들고 싶지 않아요."

"나 참. 내 말이 이해가 안 되는 겁니까? 아니면 현모양처 흉내라도 내고 싶은 건가?"

대체 왜 이런 좋은 제안을 거절하는 걸까. 그녀에겐 위기 상황이나 다름없을 텐데.

"도미닉 백작이 이제 뭐라고 떠들어 댈지, 정말 모르겠나?"

"내가 알아서 할 일이에요."

모른 척 그의 검은 손을 잡을 수도 있었다. 하지만 클로이는 악당을 해결하기 위해 더한 악당과 손을 잡고 싶지 않았다.

'지금 당장은 그럴 듯한 대안 같지만 훗날 내게 약점이 될 거야. 분명히.'

릭 쉐도우, 이 용병은 자신을 협박하고도 남을 사람이었다. 물론 모든 걸 다 떠나서 양심에 내키지 않았다.

"당신과 이런 의미 없는 말싸움으로 더 시간 낭비하고 싶지 않군요."

"이봐."

릭이 건들거리며 가까이 다가왔다. 클로이는 일부러 턱을 치켜들었다.

"이 이상 내게 무례를 저지르면 호위를 부르겠어요."

'마님'이라는 감투 덕분인지 저절로 오기가 솟았다.

"하, 내가 기꺼이 도와주겠다는데도 상황 파악이……."

"상황 파악이 잘 안 되나?"

그때 둘 사이에 검은 그림자가 드리웠다. 역광 때문에 누군지 보이진 않았지만 클로이는 곧장 안도했다.

"그 머리는 영 쓸모가 없어 보이는군."

이젠 이 사람 목소리만 들어도 안심이 된다. 내 편이다. 그가 왔다!

"언제까지 내 아내를 난처하게 할 건가."

"이……!"

릭은 빠득 이를 갈며 휙 몸을 돌렸다. 알록달록 화려한 얼굴을 보고 알렉산드로는 피식 웃었다.

"머리가 나쁜 모양이군. 거울만 봐도 알겠는데, 덜 맞았나."

"이 자식!"

릭이 평정을 잃고 소리쳤다. 샌님처럼 매끈하게 생긴 저 얼굴을 보니 화가 치솟았다. 어릴 때부터 거구였던 자신이 남한테 두들겨 맞은 건 태어나서 처음이었다.

"왜 아직도 내 아내한테 치근덕거리는 거지?"

알렉산드로는 힐긋 클로이에게 눈을 돌렸다가 살며시 미간을 구겼다. 아무리 봐도 저 용병이 그녀를 쫓아다니는 건 딱 한 가지 이유였다.

"너무 예뻐서 그랬다는 핑계는 대지 마."

"……네 아내는 그렇게 예쁘진 않아!"

버럭 소리친 릭은 내려뒀던 칼을 세워 들었다.

"솔직히 말하지. 난 남한테 얻어맞고는 못 살아. 더군다나 너처럼 제비같이 생긴 놈한테는."

겉보기에 이 귀족 도련님은 주먹질이라곤 모르게 생겼다. 나이도 꽤 나 어려 보이고. 저 날카로운 눈빛만 아니면 만만하게 봤을 텐데…….

"분해서 잠이 오질 않더군. 제대로 한 번만 붙어 보자."

이게 바로 릭이 이곳에 남기로 결심한 진짜 이유였다. 황금 마차 상단주의 의뢰도 있었고, 레이첼 도미닉을 향한 개인적인 호기심도 있었지만…… 사실은.

'저 잘난 면상을 흠씬 두들겨 패고 싶어.'

릭이 혼자 으르렁거리는 사이, 집사장이 급히 달려왔다.

"도련님! 도련님!"

노인이 체면도 잊고 헐레벌떡 달려온 모양새가 퍽 웃겼다.

"큰일입니다!"

딴에는 그만큼 급한 일이겠지만 알렉산드로는 앞선 두 사람의 대화로 무슨 일인지 쉽게 예상할 수 있었다.

"마님도 여기 계셨군요. 도비 자네도 있었나?"

집사장은 알렉산드로에게 감히 칼을 겨누고 있는 용병을 보곤 깜짝 놀랐다.

'웬 시정잡배 놈이 이 신성한 공작성까지 기어들어 와선……'

어쨌든 둘 사이에 무슨 일이 있더라도 지금 응접실에서 벌어진 일이 가장 큰 문제였다.

"도련님, 급한 손님이 오셨습니다."

초대하지 않은 불청객이었다. 집사장의 음성이 한층 낮아졌다.

"일단…… 응접실로 가시지요. 아주 급한 일입니다."

위급 상황. 집사장은 눈을 찡긋거리며 알렉산드로를 재촉했다.

"집사장, 혹시 내 본가에서 사람이 왔나요? 그 사람이 행패를 부리고 있는 건가요?"

클로이의 목소리에서 약간의 떨림과 다급함이 느껴졌다. 알렉산드로가 뭐라 말을 꺼내기도 전에 집사장이 먼저 여유로운 미소로 고개를 저었다.

"아닙니다. 그보다는 마님, 제게 부탁하신 대로 남부의 귀족 명단과 연회 주최 내역을 시녀장이 정리해 놓았습니다."

"그걸 벌써요?"

"예, 마님께서 요청하신 일이니까요. 시간이 너무 늦지 않았다면, 한번 확인해 주시겠습니까?"

"……알겠어요. 고마워요."

"시종장! 마님을 모시고 별관 서재로 가게."

"알겠습니다."

집사장은 일사천리로 그녀의 등을 떠밀었다. 클로이는 뭔가 할 말이 남아 보였지만 결국 노인의 말을 따랐다.

"뭔가 골 아픈 일이 있으신가 보군?"

릭이 알 만하다는 듯 중얼거렸다. 힐긋 그를 응시한 집사장은 금세 정색하곤 급한 일부터 고했다.

"도련님, 지금 저런 잡배와 힘겨루기를 하실 때가 아닙니다."

"뭐? 잡배?!"

"도미닉 백작이라는 자가 다짜고짜 찾아왔습니다. 제 여식이 납치를 당했다며, 내놓으라고 난리가 아닙니다!"

도미닉 백작. 말본새나 행동거지로 보았을 땐 여러모로 정신병자 같지만 그자의 말은 논리가 있었다.

'밀런 쿠피히트와 알렉산드로 칼스버그, 이 두 사람이 작정하고 내 여식을 납치했소! 이제 막 결혼한 새 신부를!'

얘기를 듣자마자 집사장은 눈앞이 다 찔했다. 알렉산드로가 어디서 갑자기 사랑스러운 신붓감을 데려왔나 했더니, 납치였다.

'명문가의 소공작들이 이래도 되는 거요? 눈에 넣어도 아프지 않은 내 여식을 어서 돌려주시오!'

우리 도련님이 그랬을 리 없다고 일단 발뺌하긴 했지만 집사장은 내심 그 상황이 눈앞에 그려졌다. 그래도 뺏길 순 없었다.

"도련님, 정말 이제 막 결혼한 새 신부를 납치해 오신 겁니까?"

"사정이 있었다."

"아무렴, 그랬겠지요. 어쨌든 이대로 마님을 뺏길 순 없습니다."

집사장이 다짐하듯 결연하게 말했다.

"원하는 게 돈인 듯하니 일단 마차에 금화를 실어서 보내 버리는 게 어떨까요? 더 있다간 그자가 마님을 찾아다닐 겁니다."

"지금 응접실에 있나?"

"예. 도련님, 마님을 절대 그자와 마주치지 못하게 해야 합니다."

집사장은 눈을 부라리며 얼른 좀 가 보시라 그를 재촉했다.

"마님은 이 노인의 말을 잘 들어주시니, 성심껏 별관에서 모시고 있겠습니다."

"아내가 백작을 만나고 싶다 하면?"

"글쎄요, 그러실 리 없지만…… 한번 여쭤는 보겠습니다."

집사장은 영 내키지 않는 듯 구시렁거렸다.

"두 분은 신관들 앞에서 이미 결혼 맹세를 했는데 어떻게 되돌리겠습니까. 당치도 않습니다."

그녀가 이전에 결혼식을 치렀다는 얘긴 분명 들었지만 집사장은 그건 전혀 모른 척했다.

'갈수록 아버님을 연상시키는군.'

알렉산드로는 노인의 뻔뻔함에 기가 막혔다. 그러거나 말거나, 집사장은 태연히 그를 재촉했다.

"어서 가 보십시오, 도련님. 한시가 급합니다."

"알겠다."

그가 휙 몸을 돌리자, 발끈한 릭이 뒤에서 소리쳤다.

"이봐! 어딜 도망치는 거야!"

아, 그러고 보니. 모두가 멈칫해선 릭을 돌아보았다. 갑작스런 도미닉 백작의 등장에 미처 잊어버렸다.

알렉산드로가 어깨 너머로 말했다.

"나와 겨뤄 보는 게 네 소원이라고?"

"그래!"

"그럼 기다려라. 난 너처럼 한가한 몸이 아니니까."

알렉산드로는 그를 서재로 안내하라고만 일러두고 연무장을 떠났다.

"……서재?"

릭은 머리를 긁적였다. 서재는 책이 있는 곳 아닌가? 저와 일말의 관련도 없는 장소였다.

이에 의문을 가진 건 그뿐만이 아니었다. 에반스는 불안한 마음으로 그들을 지켜보고 있었다.

'도련님께선 괜찮으실까. 저 용병은 보통내기가 아닌데.'

물론 알렉산드로의 무력이나 검술은 어릴 때부터 유명했다. 무투회에서도 두 번이나 우승한 실력자이긴 하지만…….

'도련님은 실전 경험이 없으시지.'

반면 용병은 바닥에서 구르던 자였다. 실전에 강했다. 겨루던 위병들이 맥없이 쓰러진 것도 전부 실전 경험이 부족하기 때문이었다. 온실 속에서 키워진 화초와 야생에서 큰 잡초의 차이랄까.

"단장님, 저 미친놈은 정말 마님의 호위가 맞습니까?"

"저놈은 그럼 계속 성에 남는 건가요?"

사태에 관심을 갖고 어슬렁거리던 병사들이 불쑥 물었다.

"……아직 확실하지 않다."

"젠장, 뭐가 됐든 상관없습니다. 저놈을 반드시 이겨 버리고 말겠습니다. 제 명예를 걸고요!"

"내가 먼저 결투를 신청하겠어!"

위병들이 앞다퉈 성내는 모습을 보곤 에반스는 말을 아꼈다. 용병이 한바탕 분탕질을 치고 가긴 했지만 그 결과, 병사들이 한마음이 되어 훈련에 열중하기 시작했다. 복수심 때문이지만 어쨌든 사기가 타올랐다.

칼스버그는 남부의 대귀족이라 아무도 함부로 덤비지 못했다. 그래서 공작성의 위병들은 확실히 느슨해진 상태였다.

'그렇다고 도련님께서 직접 위병들의 훈련에 관여하시는 것도 아니고.'

수도 무투회의 우승자인 그가 직접 훈련을 지도해 준다면 위병들은 확실히 사기가 진전될 것이다. 하지만 알렉산드로는 남부의 귀족들도 만나야 하고, 상인 연합을 관리하는 데도 바빠 보였다.

게다가 그는 한 달 뒤에 야만족 토벌을 위해 떠난다.

'그래, 어쩌면……'

금방 결심을 굳힌 에반스는 하인을 불렀다.

"마님은 방금 어디로 가셨지?"

"마님께선 시녀장의 보고를 받기 위해 별관 서재로 가셨습니다."

"알았다. 그럼 가서, 내가 뵙길 원한다고 여쭈어라. 그 호위에 관한 일이라고 말씀드리면 된다."

"마님께요? 알겠습니다."

하인이 별관으로 향하는 뒷모습을 지켜보다 에반스는 다시 연무장을 돌아보았다. 확실히 위병들 사이에선 전에 없이 긴장감이 감돌았다.

고인물을 정화하기 위해서는 위험도 감수해야 하는 법.

그만큼 반발도 따르겠지만 이 위대한 가문을 위해서라면, 에반스는 목숨도 바칠 수 있었다.

도미닉 백작은 서면으로 보고받은 것처럼 무례하고 주제를 모르는 인간이었다. 게다가 이런 부류의 인간들이 으레 그렇듯, 얼굴에 철면피를 두른 뻔뻔스러움까지 겸비했다.

"그래서."

도미닉 백작은 일부러 비호감을 사려는 것처럼 거만하게 턱을 치켜들었다.

"내 소중한 여식, 레이첼이 쿠퍼히트 소공작과 결혼한 게 아니란 말이오?"

"아닙니다, 백작."

알렉산드로는 이런 류의 인간을 혐오했다. 전생의 그라면 대놓고 무안을 주었겠지만 지금의 그는 달랐다.

"레이첼은 나와 결혼했습니다."

백작은 알렉산드로의 그림 같은 미소를 보곤 살며시 인상을 찌푸렸다.

'상단주는 분명히 쿠퍼히트 소공작이 신랑이라고 했는데.'

엘몬트 광산에서 나온 어마어마한 보물 사파이어. 그 주인이 될 여자의 이름은 레이첼 도미닉, 그리고 신랑은 밀런 쿠퍼히트.

'상단의 정보가 틀렸다니.'

제국에서 가장 많은 정보를 알고 있는 게 바로 상단들 아닌가. 당황한 백작은 잠시 고민에 빠졌다. 밀런 쿠피히트에 대해서만 조사했지 알렉산드로 칼스버그에 대해선 아는 게 거의 없었다.

'쯧, 수도의 귀족이라 그런지 거만하군.'

사위라고는 하나 나이 차도 얼마 나지 않고, 무엇보다 체구가 거인처럼 커다래서 쉽게 대하기가 어려웠다. 레이첼이 어쩌다 칼스버그의 차남과 결혼하게 된 건지 영문은 몰라도, 어쨌든 백작은 상관없었다.

'칼스버그 가문이라…… 물론 나쁘지 않지.'

학구적이고 점잖은 명문가. 게다가 대공이라는 명예 작위를 수여받은 제국의 유일한 공작가이기도 했다. 실상 몰락해 가는 변방의 소귀족이 칼스버그 같은 수도 명문가의 차남과 혼인을 성사시킬 확률은 극히 적었다.

'이미 결혼식을 치렀다면 절대 무를 수 없어.'

이런 명문가에서, 이혼이나 결혼 무효 같은 불명예를 떠안지는 않을 것이다. 무엇보다 자신을 대하는 알렉산드로의 태도가 무척 사근사근했다.

도미닉 백작은 한번 뻗대 보기로 했다.

"레이첼은 내 눈에 넣어도 아프지 않을 사랑스러운 여식이오. 형님의 핏줄이긴 하나, 친딸처럼 곱게만 키웠소."

알렉산드로는 수긍한다는 의미로 가볍게 고개를 끄덕였다.

"더군다나 우리 도미닉 가문은 안테노르 공작령에 속한 유서 깊은 가문이오. 변방이지만 명예와 긍지만큼은 여느 수도 귀족 못지 않소.”

명예와 긍지. 그 부분에서 알렉산드로는 피식 웃고 말았다.

“그런 우리 가문에 지금, 이루 말할 수 없는 불명예가 덧씌워졌소.”

“듣고 있습니다.”

“다들 레이첼을 두고 '결혼식에서 도망친 신부'라고 하지. 사실은 납치를 당한 건데 말이오. 나로서는 정말 억울하기 짝이 없는 일이오.”

그러면서 백작은 레이첼이 평생 순결을 잃은 적 없는 명백한 처녀라고 강조하고 또 강조했다.

“다들 우리를 얼마나 돼먹지 못한 집안으로 보겠소? 도미닉 가문에 피해가 이만저만이 아니오.”

한껏 거드름을 피우며 하는 말에, 알렉산드로는 이제야 백작이 본론을 말하는구나 싶었다.

“얼마를 드리면 보상이 되겠습니까?”

“글쎄, 얼마를 준다 해도 우리 가문의 실추된 명예를 되살릴 순 없을 거요.”

“유감입니다, 백작.”

알렉산드로가 자리에서 일어서자 백작이 급히 따라 일어서며 본색을 드러냈다.

“하지만, 금화 칠백 개 정도면 체면치레는 할 것 같소.”

전쟁이 많았던 과거에는 신랑 측이 결혼한 신부에게 돈을 지불했다. 남편이 전쟁터에서 죽으면 신부 홀로 살아야 하기 때문이었다.

요즘은 이혼을 대비해서 신부만 지참금을 가져가고, 보통 청혼서를 먼저 보낸 쪽에서 더 많은 돈을 준비했다.

하지만 백작이 부른 금액은 어떤 경우에도 턱없이 과했다.

"금화 칠백 개만 준비해 준다면 내 소중한 여식을 납치한 죄를 더 이상 묻지 않겠소."

알렉산드로는 일어선 채로 서른 초반의 젊은 백작을 내려다보았다. 경멸하는 속내를 숨기고 담담한 눈빛으로 쳐다만 봤을 뿐인데 백작은 먼저 눈을 피해 버렸다.

"알겠습니다. 준비해 드리지요."

"정말이오?"

백작이 만면에 환한 미소를 띠며 물었다. 알렉산드로는 이를 깨끗이 무시하곤 응접실의 문을 열었다. 이만 꺼지라는 뜻이었다.

"공작성을 떠나기 전에 제 아내를 만나실 겁니까?"

"뭐……."

"아니면 전할 말이라도."

물론 백작이 원하든 말든, 클로이가 원치 않으면 만남은 성사되지 않을 것이다.

"그럼 더 할 말이 없는 것으로 알겠습니다."

귀한 여식임을 연신 강조했던 백작은 막상 그녀의 안부조차 묻지 않았다.

"그보다는…… 차남이라고 들었소만."

백작은 그렇게 소중하다던 여식의 안위보다는 알렉산드로가 칼스버그의 후계자가 될 가능성이 있는지를 더 궁금해했다.

"공작성의 수족들이 레이첼을 마님이라 칭하는 것 같더군. 사위께서 칼스버그의 후계자인 거요? 장남이 아니라?"

"그럴 리가 있습니까."

알렉산드로는 싱긋 미소 지었다. 사실은 그도 고민하는 부분이지만, 형제를 죽이고 그 자리를 꿰찬 백작의 앞이었다.

"형님이 계시니 동생으로서 도리를 지켜야지요."

"……."

얼굴이 붉어진 백작은 결국 질문의 본전도 못 찾았다. 허둥지둥 응접실 문을 나서던 그때였다.

"백작."

나직한 부름이 그의 발목을 잡았다.

"내 아내와 일부러 마주치거나, 불쾌한 편지를 전하지 않기를 바랍니다."

멈칫했던 그가 호기심을 참지 못하고 휙 뒤돌았다. 하, 만면에 어이없는 비소가 흘렀다.

"대체 왜 레이첼과 결혼한 거요? 그 애의 어디가 그렇게 마음에 들었소?"

백작은 처음으로 속내를 드러냈다. 이해한다는 듯, 징그러운 미소가 입가에 걸렸다.

"아아…… 알겠군."

언뜻 스친 비열한 눈빛에 알렉산드로의 얼굴에서 웃음기가 싹 가셨다.

"시키는 대로, 고분고분 말을 잘 듣던가?"

전혀 다른 얼굴, 다른 목소리지만 정확히 연상되는 한 사람이 있었다.

"하지만 그 애는 반쪽짜리 귀족이오. 알고는 있는 거요?"

"……."

알렉산드로는 마른 입술을 쓸었다. 치솟는 살의를 참기가 어려웠다.

"레이첼 그 애는 하녀의 소생이오. 나중에 속았다고 돈을 돌려 달라고나 하지 마시오."

백작이 한쪽 입가를 올리며 비웃듯 말했다.

"처녀라는 것 말고는 아무것도 볼 게 없는 계집이오. 솔직히 말하면 그렇지."

비틀린 그 얼굴을 쳐다보고 있자니 토악질이 일었다. 알렉산드로는 백작의 목을 움켜쥐었다.

"무, 무슨 짓이오!"

경악한 그가 애써 발버둥 쳤지만 소용없었다. 압도적인 힘의 차이로 백작은 박제된 동물처럼 의미 없는 몸짓만 반복했다.

"더 이상 그녀를 입에 올리지 마라."

미소를 싹 거둔 알렉산드로가 음산할 정도로 나직하게 경고했다.

"그녀와 같은 피가 흐르는 것을 행운으로 알거라. 그렇지 않았다면 지금 당장 네 사지를 찢어 들개의 먹이로 줬을 것이다."

"크억, 컥……."

백작은 숨이 막혀서 순식간에 귀까지 얼굴이 벌게졌다. 머릿속이 빙글빙글 돌았다. 눈알이 돌아가고 흰자가 보이는 그 죽음의 문턱에서, 알렉산드로는 밀치듯 백작을 놓아주었다.

그를 살려 주기까지는 극한의 인내심이 필요했다.

"헉, 허억, 헉……."

숨을 헐떡이던 백작은 알렉산드로의 살벌한 눈빛과 위압감에 놀라 도망치듯 자리를 떠났다.

알렉산드로 칼스버그는 매우 거칠고 폭력적인 데다 손버릇이 험한 남자였다. 앞으로 레이첼이 어떻게 살게 될지 안 봐도 훤했다.

하지만 그야말로 저와 상관없는 일이었다.

'돈만 받으면 그만이지.'

금화를 잔뜩 실은 마차를 타고 떠날 생각에 백작은 밖을 응시했다. 그런데 익숙한 뒷모습이 보였다. 일순 그의 눈썹이 팍 찌푸려졌다.

'가주가 왔는데, 감히 나와 보지도 않아? 이 괘씸한 년!'

집안에서 가장 힘이 없는 존재. 백작의 사나운 걸음은 언제나 그랬듯 화풀이 상대였던 그녀를 쫓았다.

"예상은 했지만 정말 양심이 없는 사람이군요."

금화 칠백 개라니. 집사장은 어이없는 웃음을 터뜨렸다. 그쯤이야 칼스버그 가문의 재산에서 큰돈은 아니었다. 하지만 그런 인간에게 주기엔 한없이 아까웠다.

"도련님, 저자의 요구는 결코 이번으로 끝이 아닐 겁니다."

금방 돈을 탕진하고 또 같은 소리를 하며 돈을 요구하겠지. 알렉산드로도 같은 생각이었다.

무엇보다 마음에 걸리는 건, 도미닉 백작에게서 연상되는 그 사람이었다. 전생에서 베아트리체와 한없이 악연이었던 자.

'길버트.'

죽음으로 달려가던 마지막 순간까지 그녀를 괴롭힌 악인이었기에 이대로 살려 두는 게 멍청한 짓 같았다. 아무리 생각해도 그랬다.

"집사장."

"예."

"과거에 유명한 상인이었지 않나."

"그랬지요."

"세상 어떤 보물도 손에 넣을 수 있었다고 내게 자랑했었지."

"허풍은 아니었습니다."

"지금은 어떤가?"

집사장의 눈썹이 꿈틀했다. 무슨 의도로 저런 걸 묻는지 궁금하지만 달빛을 등지고 있는 알렉산드로의 표정을 읽을 순 없었다. 하지만 어렴풋이, 저와 비슷한 생각을 하는 게 아닐까 싶었다.

도미닉 백작이 갑자기 찾아온 바람에 집사장은 급히 그를 조사했다. 집사장의 소식통은 번개보다 빨라서 손쉽게 많은 정보를 얻을 수 있었다.

그 결과, 마님께는 미안한 말이지만 도미닉 가문은 알렉산드로의 혼처로 영 아니었다. 신분은 둘째 치고, 백작의 행실이 너무 저질스러웠다. 가문을 둘러싼 추잡한 소문들이 어느 하나 괜찮은 게 없었다.

"……아시다시피 전 인연을 소중히 여기지 않습니까? 지금도 구하지 못할 물건은 없습니다."

알렉산드로는 이에 쉽게 수긍했다. 눈치 빠른 이 노인이 저렇게 말하는 걸 보면 아무래도 제 의도를 짐작한 듯했다.

"안테노르 공작가의 도련님도 평민과 결혼하셨지요."

훗날 칼스버그 대공이 될 알렉산드로를 위하여, 집사장이 먼저 운을 떼었다.

"다들 그분을 가난한 자작가의 아가씨로 알지만 말입니다. 어찌
나 예법을 잘 배우셨는지 티도 안 나더군요."

"……"

"이런 변방에선 신분을 사는 게 그만큼 쉽고 흔한 일입니다, 도
련님."

집사장은 흔쾌히 이 일의 공범이 되겠다고 손을 걷고 나섰다. 게
다가 클로이는 귀족이니 따지고 보면 신분을 사는 것도 아니었다.
족보만 필요했다.

거두절미하고, 알렉산드로는 본론으로 들어갔다.

"족보를 구해 줄 수 있겠나?"

"예."

집사장은 한 치의 망설임도 없이 고개를 끄덕였다.

"가솔의 생사를 정확히 알 수 없는, 명망 높은 가문……."

수도에서 의문을 갖지 않을 만한 조건을 가진 족보여야 했다. 까
다롭지만 전쟁이 많았던 제국의 과거 덕분에 영 불가능한 일은 아
니었다.

"그런 가문이 분명 있을 겁니다. 제가 한번 찾아보겠습니다."

없으면 만들어 오겠다고 덧붙이자 알렉산드로의 눈매가 가늘어
졌다.

"이 늙은이, 아직 살아 있습니다. 대가문의 안주인이 되실 분께
도움이 되어야지요."

쐐기를 박은 집사장은 이때다 싶어 편지를 꺼내 건넸다. 수도에
서 온 칼스버그 대공의 편지였다.

"아버지께 내 결혼을 알렸나?"

"아닙니다. 도련님께서 영지에 머물고 계신다는 소식만 전해 드렸습니다. 그 답장입니다."

알렉산드로는 고민 없이 편지의 봉인을 제거했다.

오랜만에 네 소식을 들어 기쁘구나, 알렉산드로. 영지에 들른 지가 꽤 되었는데, 장성한 네가 대신 성을 지키고 있어 내 마음이 든든하다.

내용이 길었다. 엄청난 악필에도 그는 익숙하게 술술 편지를 읽어 갔다.

나는 제국사 복원 연구를 계속하고 있단다.

아버지 칼스버그 대공의 학술 연구는 언제나 알렉산드로의 관심 밖이었지만, 이번만큼은 달랐다.

최근에는 초대 황후 폐하의 보물 서적을 재현하는 데 성공했는데, 이 때문에 황실에 누가 된 것 같아 마음이 무겁구나.

그의 진한 눈썹이 꿈틀했다.

베아트리체는 역대 가장 많은 보물을 소유한 황후였다. 가진 게 수도 없이 많아서 보물들 각각의 역사를 적은 『초대 황후의 보물서』가 후대에서 따로 만들어졌을 정도였다.

그 서적은 황궁에서 기밀하게 관리되어 알렉산드로는 정확한 내용을 알 순 없었다. 외부에는 책의 일부분이 화재로 소실되었다는 것만 알려졌다. 그것도 30년 전의 일이었다.

역사와 유물에 관심이 많은 칼스버그 대공은 황가의 요청으로 내용을 추적하여 소실된 책을 복원하고 있었다.

'그런데 황실에 누가 되었다고?'

알 수 없는 일이었다. 어쨌든 그 일로 인해 아버지인 칼스버그 대공은 시름이 깊은 모양이었다.

……마음 같아선 이쯤에서 보물서 연구를 정리하고 영지에 내려가 책이나 쓰고 싶구나.

하지만 이 일을 끝낸대도 황궁을 나올 순 없을 것 같아서 걱정이다.

일렉산드로는 쉽게 그 이유를 짐작했다.

황태자께서 장성하시기 전까지는 아마 힘들겠지.

현 황제의 권력은 절대적이었다. 하지만 평민 황비를 어머니로 둔 황태자는 완전히 얘기가 달랐다.

황제는 외척이 전무한 황태자의 입지를 공고히 하기 위하여 칼스버그와 쿠피히트라는 막강한 졸을 곁에 두고자 했다. 칼스버그 대공은 빨리 작위를 넘기고 수도를 떠나서 자유로운 학술 연구를 하고 싶어 했지만, 안팎으로 상황이 좋지 못했다.

특히 후계자 자리를 거부하고, 방랑자처럼 제국을 떠돌다 몰래 결혼해 버린 차남도 그 원인 중 하나였다.

'안타깝군.'

알렉산드로는 남의 일처럼 짧게 혀를 차며 편지를 읽어 내려갔다.

쿠피히트 가문과의 불화는 네가 잘 해결했다고 들었다.

특히 야만족 토벌대에 네 의지로 참여한다는 그 결정이 나는 몹시 자랑스럽단다.

네 어머니가 걱정이 많다만, 너라면 충분히 잘 해낼 수 있으리라고 믿어 의심치 않는다.

평소의 칼스버그 대공은 자식들에게 아무것도 강요하지 않았으나 이번만은 단호했다.

알렉산드로.

야만족 토벌을 완수하면 유랑을 끝내고 그만 수도로 돌아오거라.

아버지의 긴 편지에서 귀족들의 정치 싸움에 황궁을 지긋지긋해하는 심경이 고스란히 느껴졌다.

칼스버그의 휘장을 걸친 너를 황궁에서 보고 싶구나.

가문의 휘장을 걸쳐라.

칼스버그 대공이 이토록 확실하고 간절하게 후계를 말한 건 처음이었다. 하지만 아직 미혼으로 알고 있는 둘째 아들에게 어떻게 작위를 물려줄 계획인지 의문이 앞섰다.

"대공님께 근래 분위기를 잘 설명드렸습니다. 쿠피히트 가문과의 불화에도 영지민들은 동요하지 않았고, 오히려 도련님의 빠른 판단과 결정에 다들 든든해한다고 말이지요. 둘째 도련님이 가문을 책임진다면 다들 겁날 게 없다고들 한답니다."

이때다 싶었는지 집사장이 영지민을 걸고넘어지며 알렉산드로를 밀어붙였다.

"재촉하는 게 아닙니다. 그냥 사실을 말씀드린 것뿐이지요."

알렉산드로가 언짢은 기색을 보이자 집사장은 능구렁이처럼 뻔뻔스레 말을 돌렸다.

"서재로 가실 겁니까? 아마 그 용병이 도련님을 애타게 기다리고 있을 겁니다."

알렉산드로는 냉담히 고개를 돌렸다. 그 용병은 책이나 좀 읽으라고 서재에 내버려 둘 생각이었다.

"아니면 연무장으로 돌아가십니까? 에반스 경이 단단히 벼르고 있을 겁니다. 그간 한 번도 안 만나 주셨지요?"

"······."

주제 모르는 용병, 열정 넘치는 사병 단장. 애석하게도 둘 다 그리 만나고픈 선택지가 아니었다.

"아내는?"

낯간지러운 호칭에 집사장은 순간 움찔했다. 객사를 코앞에 두고 겨우겨우 결혼에 성공한 것치곤 알렉산드로는 놀라울 정도로 그 호칭에 익숙했다.

"마님께선 시녀장의 보고를 받고 계십니다. 연회를 주최하는 데

열의를 보이시더군요."

"우린 언제 수도로 떠날지 모른다."

"하지만 언젠가는 다시 돌아오시겠지요."

그 또한 사실이었다. 출정이 얼마 남지 않은 지금, 알렉산드로는 자신이 곁에 없는 동안 클로이가 안전한 이 성에서 몰두할 만한 일이 있길 바랐다.

'연회.'

나쁘지 않았다. 사교계에서 친한 인맥을 만드는 건 새로운 터전에 뿌리내리고 정착할 좋은 기회였다.

도미닉 백작, 그 인간만 치워 두면 된다. 일단은 이곳에서 내보내는 게 시급했다.

"마차에 금화를 실어 줘라."

"연회장을 직접 확인해 보고 싶어요, 로라."

"어머나! 칼스버그 공작성의 연회장은 남부의 자랑거리랍니다. 안 그래도 미리 정리해 놓았지요. 그럼 제가 앞장서겠습니다, 마님."

두 사람이 사이좋게 연회장으로 향하려는데, 뒤에서 누군가 소리쳤다.

"레이첼!"

커다란 목소리가 클로이의 발목을 잡았다. 복도에 우뚝 멈춰 선 그녀는 얼음처럼 굳어졌다.

"백작님, 이렇게 마음대로 가시면 안 됩니다!"

"어허! 당장 이거 놓지 못해?!"

"저희도 허락을 받아야 합니다! 시종장님이 신신당부를…… 컥!"

"어디 감히 이 더러운 손을 내게 대는 것이냐?"

뒤에서 옥신각신 다투는 소리가 들려왔다.

"내 딸이 이 집안에서 마님으로 불리는데, 내가 못할 게 뭐란 말이야!"

일순 클로이의 얼굴이 붉어졌다. 시녀장은 짐짓 차가운 얼굴로 시종에게 일렀다.

"가서 호위를 불러와라."

"예!"

시녀장은 사뭇 초조한 기색으로 클로이의 낯빛을 살피며 부드럽게 손을 이끌었다.

"마님, 연회장으로 가시지요."

질끈 눈을 감았다 뜬 클로이는 그대로 몸을 돌렸다.

"마, 마님?"

놀란 시녀장이 그녀의 옆을 바짝 붙어 따라왔다. 저벅저벅 복도를 걸어간 클로이는 호위 두 명에게 거의 포박되다시피 한 숙부의 코앞에서 멈춰 섰다.

"레이첼, 오랜만이구나. 안색이 무척 밝아 보여 다행이다."

클로이는 뻔뻔스런 숙부의 인사는 모른 척하고 주위를 둘러보았다. 마침 근처에 작은 문이 하나 보였다. 창고 같았다.

"어서 이 건방진 것들에게 당장 내 몸에서 손 떼라고 해라."

"풀어줘요."

"예, 마님!"

그녀가 명령하자 호위들이 잽싸게 백작을 놓아주었다.

"흥, 진작 그랬어야지! 이 천것들이……."

"저 안에 처넣어요."

그녀가 문을 가리키자 호위들이 일사분란하게 움직였다. 한 명은 문을 열고, 한 명은 백작을 붙잡아 안으로 떠밀었다.

"으악!"

그가 볼품없이 창고 안으로 나자빠졌다. 타인을 보듯 무심하게 그 모습을 내려다보던 클로이가 호위에게 물었다.

"이 사람은 언제 떠나나요?"

"마차가 준비되는 대로 떠나실 겁니다."

"그럼 그때까지 문을 잠가 놔요."

"예!"

난데없는 홀대에 깜짝 놀란 백작의 표정이 이내 사나워졌다.

"이 건방진 년!"

마침내 숙부가 가면을 벗고 빽 소리쳤다.

"천한 종년의 자식을 거둬 준 걸 고마운 줄도 모르고 감히 내게 이딴 짓을 해?!"

벌떡 일어난 그는 닫히는 문을 가운데 두고 클로이와 눈을 마주쳤다.

"오냐, 이제 안 볼 사이라 이거지? 괘씸하고 못된 년!"

귀가 따가웠다. 깊은숨을 내쉰 클로이는 한 손을 들어 올려 당장이라도 뛰어들 기세의 호위들을 멈췄다.

"잠깐 숙부와 할 말이 있어요."

"하지만 마님……."

호위들은 우려 섞인 눈으로 우물쭈물했다. 특히 시녀장은 있는 힘껏 고개를 저으며 결사반대의 뜻을 전했다. 그들의 걱정을 알지만, 클로이도 나름의 각오가 있었다. 숙부를 이대로 보낼 순 없었다.

'이게 정말 마지막이라면 저 인간 뺨이라도 한 대 날려 줘야 해.'

그녀는 창고 안으로 들어서는 동시에 문을 닫았다. 단둘뿐인 공간에 남겨졌는데 신기하게도 더는 예전처럼 숙부가 무섭지 않았다.

"뭐가 어쩌고 어째? 문을 잠가 놔? 날 처넣어?"

코앞까지 다가온 그가 삿대질을 하기 시작했다.

"하! 네가 나를 이렇게 대하고도 무사할 것 같으냐?"

"당신이 뭘 할 수 있는데."

마치 날파리를 보듯 자신을 깔보는 그녀의 무심한 시선에 백작의 낯이 흐려졌다. 게다가 생전 처음 들어보는 하대였다. 백작은 부모 말고는 어느 누구에게도 하대를 들어 본 적이 없는 사람이었다.

"가주라는 이름 말고, 네가 뭘 할 수 있어?"

"뭐, 뭐야?"

"그마저도 스스로 얻은 게 아니잖아. 당신은 알량한 그 핏줄 말고는 가진 게 아무것도 없는 사람이야."

"건방진 년. 내가 이 결혼을 무르지 못할 것 같아?!"

"당신은 더 이상 내 일에 참견할 수 없어."

"웃기는 소리 하지 마! 넌 우리 가문의 소유물이다. 죽더라도 내 집에서 죽어!"

철썩!

백작의 고개가 옆으로 돌아갔다. 클로이는 숙부의 뺨을 때린 제 손을 움켜쥐었다. 가슴이 두근거리고 얕게 손이 떨렸다. 누군가를 때린 건 태어나서 처음이었다.

'이 인간은 맞아도 싸.'

신이든 운명이든 설마 이런 인간을 때렸다고 제게 벌을 내리진 않을 것 같았다.

"네…… 네가."

백작은 따귀의 고통보다, 자신이 맞았다는 사실에 큰 충격을 받았다. 그것도 평소에 사람 취급도 않던 반쪽짜리 천것에게.

얼마나 모욕적이었는지 부들부들 떨리는 그의 동공과 입술에 경악이 서렸다.

"네가 감히…… 나를……?!"

"당신은 사람을 너무 함부로 여겨."

믿기지 않는다는 저 표정 때문에 클로이는 너무나 통쾌했다. 겨우 뺨 한 대지만 그의 자존심을 짓밟고 산산이 조각냈다.

"당신 같은 인간은 세상에 태어나지 말았어야 했어."

"뭐야?! 이게……!"

백작이 습관처럼 번쩍 손을 들어 올리는 그 순간이었다.

문 너머로 '마님! 마님!'을 외치며 달려오는 한 무리의 발소리가 들렸다.

금화 칠백 개.

무시무시한 칼스버그의 차남.

자신을 노려보던 호위들.

그 모든 게 차례로 백작의 눈앞을 지나갔다. 그가 허무하게 중얼거렸다.

"하, 내가 손만 들어도 벌벌 떨던 게…… 많이 컸군. 많이 컸어."

"나는 참고 견뎌 왔을 뿐, 굴복한 적도 비굴해진 적도 없어."

분노에 찬 백작의 눈을 마주하던 그녀가 다시 입을 열었다.

"집까지 돌아가는 길이 험하겠지? 내 남편에게 돈을 잔뜩 뜯었을 테니까."

그의 특기였다. 누구든 약점을 잡았다 하면 피를 말리듯 집요하게 돈을 뜯어냈다.

"나한테 호위가 있어. 특별히 그 사람을 당신에게 붙일 거야."

"……호위?"

마침 백작은 금화 칠백 개를 실은 마차를 타고 먼 길을 돌아갈 생각에 걱정이 컸다. 그래도 역시 친정을 버릴 수 없었구나 싶었던 백작은 그녀를 비웃듯 코웃음을 쳤다.

'그럼 그렇지.'

재정이 조금 어렵지만 그래도 도미닉은 백작가였다. 저렇게 당당한 척을 해도 이 커다란 공작성에 혼자 남을 게 두려워 의지할 데가 필요했을 것이다.

백작은 그간 저와 레이첼 사이에 있었던 불미스런 일들을 생각해서 뺨 한 대 맞은 정도는 참아 주기로 했다.

"마님! 마님!"

"이봐, 로라! 우리 마님을 어떻게 저런 무뢰배와 함께 뒀나? 엉?!"

밖에서 웅성대는 소리가 들렸다. 스르르 열리는 문을 보고, 백작은 아무 일도 없었던 것처럼 다시 표정을 갈무리했다.

"그래, 레이첼. 실력이 좋은 놈으로 부탁한다, 내 딸."

"실력은 걱정할 것 없어."

그녀가 숙부를 스쳐 지나가며 작은 목소리로 말했다.

"변방의 백작 정도는 소리 소문 없이 죽일 수 있다는 용병이거든."

클로이는 손을 닦은 손수건을 백작의 얼굴에 던지며, 이 악연이 여기서 끝나길 빌었다.

"마님, 제가 얼마나 걱정했는지 아십니까?"

그녀의 옆을 바짝 따라붙은 시종장이 눈썹을 축 늘이며 말을 이었다.

"상의도 없이 독대를 하시면 어떡합니까. 예? 백작님이 갑자기 마음을 바꿔서 마님을 데려가겠다고 하면 어쩌시려고요!"

"난 아무 데도 안 가요, 시종장."

"정말입니까? 마님, 아무 데도 안 가시는 거지요? 백작님이 떠나자고 해도……."

"걱정해 주는 건 고마워요."

후련한 기분으로 복도를 걷던 클로이가 문득 시종장을 돌아보았다.

"하지만 앞으로도 이렇게 나를 인형처럼 대한다면, 조금도 기쁘지 않을 거예요."

시종장은 멍한 얼굴로 마님을 바라보다 얼른 입을 열었다.

"……예! 명심하겠습니다!"

그때였다. 복도의 양 끝에서 각각 '마님!'을 외치며 다가왔다.

오른쪽은 집사장, 왼쪽은 에반스였다. 반대편에서 다가오는 집사장을 발견한 에반스가 한발 서둘렀다.

"마님, 미처 드리지 못한 말씀이 있어 찾아뵈었습니다."

"무슨 일인가요?"

"그 용병에 관하여 긴히 부탁드릴 게 있습니다."

에반스가 말을 마치는 동시에 집사장이 헐레벌떡 달려왔다.

"마님, 여기 계셨군요. 혹시……."

"제가 먼저 왔습니다, 집사장님. 순서를 지키시지요."

에반스가 단호히 말을 가로막았다.

"자네는 노인 공경도 모르나?"

"아직 팔팔해 보이십니다만."

집사장은 불만스러운 얼굴로 한 발짝 뒤로 물러섰다. 그리고 보니 마님의 곁에 공작성의 주요 인물이 전부 모여 있었다. 시녀장, 시종장, 집사장, 가문의 사병 단장까지.

'바쁘시군.'

마침 에반스도 같은 생각이었다. 경쟁자를 물리친 그가 단도직입적으로 물었다.

"마님, 그 용병을 내보내실 겁니까?"

"그럴 생각이에요."

클로이는 용병에게 숙부의 암살을 의뢰할 마음은 없었다. 일단 용병을 공작성에서 멀리 떠나보낼 구실을 만들고, 겸사겸사 숙부를 협박하는 데 이용했을 뿐.

"그 용병 때문에 사병들의 분위기가 좋지 않잖아요. 분란을 만들면서까지 호위로 둘 마음은 없어요."

"확실히 그자의 태도에는 문제가 있습니다. 하지만 외부인이라 그런지 병사들의 사기 진전에 도움이 되는 것도 사실입니다."

칼스버그 사병단은 딱히 적수가 없어 기강이 느슨해졌다. 에반스가 아무리 엄격한 훈련을 고수해도 한계가 있었다.

"마님, 차라리 그자를 사병단으로 보내시는 게 어떻습니까?"

"음, 그건……."

섣부르게 판단할 문제가 아니었다. 클로이는 사병단에 관해서는 저보다는 이 가문의 차남이 더 잘 알 것이라고 여겼다.

"일단 알렉산드로의 의견도 들어 보겠어요. 무투회 우승자이기도 하고…… 사병단에 대해서 저보다는 잘 알겠죠?"

"글쎄요, 외람된 말씀이지만 도련님께서는 사병단 일을 잘 모르실 겁니다."

이때다 싶었는지 집사장이 어깨를 드밀고 나와선 콧김을 뿜었다.

"마님, 알렉산드로 도련님은 사병단에 관심도 없으십니다."

"네?"

"우리 도련님이 황궁 무투회에서 두 번이나 우승한 실력자면 뭘 합니까. 사병단 훈련 지도에도 나서시는 걸 본 적이 없는 걸요!"

집사장이 앞서서 홀랑 일러바치는 걸 보고 에반스도 진지하게 고개를 끄덕였다.

"사실입니다. 도련님께서 연무장에만 나와 주셔도 병사들의 사기 진전에 큰 도움이 될 터인데……."

"그뿐입니까? 아무리 등을 떠밀어도 도련님은 연회에 참석도 잘 안하십니다."

"이번에는…… 참석했잖아요."

클로이는 저도 모르게 알렉산드로를 두둔하듯 말했다.

"그거야 마님 때문이지요!"

후계자를 할 것인지 말 것인지도 확실하지 않은 상황에서 영지 운영에 참여하는 건 아무래도 장남에게 큰 위협이 된다. 알렉산드로도 같은 생각이었겠지만, 다들 불만이 많은 듯했다.

"대공님과 함께 영지에 오셨을 때도, 대공님께서 아무리 권하셔도 도통 나서질 않으셨습니다."

가만히 듣고만 있던 시녀장과 시종장도 조심스레 말을 보탰다.

"마님, 도련님께서 아무 말씀도 없으셨나요?"

"이제 결혼도 하셨겠다, 곧 아이들도 태어날 테고…… 도련님도 입장을 확실히 하실 때가 되었습니다."

"두 분은 수도로 가실 테니 마님께서 설득해 보세요. 마님이 하시는 말씀은 들으실 겁니다!"

클로이는 표정을 굳혔다. 배고픈 아기 새들처럼 이렇게 해 달라 저렇게 해 달라 저마다 말들이 많았다. 하지만 칼스버그 대공도, 다른 형제들도 만나 보지 않았는데 제가 후계에 대해 말하는 건 시기상조였다.

"아직 혼인 증서도 작성되지 않은 시점에 이런 요구는 부담스러워요."

그녀는 단칼에 혼란을 정리하곤 에반스를 응시했다.

"그 용병을 사병단에 보내기만 하면 되나요? 나머지는 에반스 경이 알아서 할 수 있는 거고요."

"예, 마님. 사병들의 대련 상대로 꽤 쓸모가 있을 겁니다."

"알겠어요. 한번 생각해 볼게요."

아무리 에반스가 그를 관리한데도 뭔가 문제를 일으키면 그 책임 소재는 바로 제게 있다. 클로이는 그 사실을 상기했다.

"용병은 지금 어디 있나요?"

"도련님의 서재에 있습니다."

"안내해 줘요."

복도를 걷는 알렉산드로의 표정이 사뭇 살벌했다. 도미닉 백작이 타고 온 마차에 짐마차를 더하는 걸 확인하고 돌아오는 길이었다.

'찢어 죽여도 시원찮을 놈.'

클로이의 핏줄이라는 이유로 살려 두려 했지만 그러기엔 영 찜찜했다. 마음 같아선 직접 사지를 절단해 개 먹이로 주고 싶었다. 그 흔적도 남지 않게.

하지만 알렉산드로는 굳이 제 손을 더럽히지 않기로 했다. 나중에 클로이가 알게 되면 저를 원망할까 봐, 더 나은 방법을 강구했다.

"얌전히 있었나?"

서재에 다다른 알렉산드로가 문을 지키는 경비병에게 물었다.

"그 용병을 말씀하시는 거라면…… 예, 얌전했습니다."

반나절 동안 서재에서 자신을 애타게 기다렸을 터. 꽤 열이 받았을 용병을 떠올리곤 들어가려는데, 안에서 먼저 문이 열렸다. 경비병이 뒤늦게 말했다.

"마님께서도 와 계셨습니다."

"……."

저 용병과 단둘이 내 서재에 있었다고? 안에 있던 클로이와 눈이 마주친 알렉산드로의 얼굴이 묘하게 변했다.

―아, 그 집시가 그러더군. 클로이한테 남자가 네 명이나 있다고.

참을 수 없이 불쾌했다. 심장이 어찌나 빨리 뛰는지 속이 뒤집어질 지경이었다. 여긴 웬일이고, 둘이서 대체 무슨 얘기를 나눴느냐고 물어보려는데, 그녀가 알아서 먼저 답했다.

"저자에게 부탁할 게 있어서 왔었어요. 그럼, 이야기 나누세요."

까닥 묵례하고 그대로 사라질 것처럼 가볍게 돌아선 그녀를 알렉산드로가 턱 붙들었다.

"무슨 부탁?"

클로이가 눈을 굴렸다. 자세한 얘기는 곤란하다는 식의 반응에 알렉산드로의 입술이 바짝 말라 왔다.

결국 용병을 돌아보는 시선에 불꽃이 튀었다. 그 순간, 클로이가 열 받은 알렉산드로에게 찬물을 끼얹었다.

"자세한 건 나중에 침실에서 얘기해요. 제가 갈게요."

담담한 발언에 그의 동공이 흔들렸다.

"우리…… 오늘 밤인가?"

당황한 나머지 '우리 정말 오늘 밤에 침실에서 보는 거냐'는 물음이 짧게 나왔다. 응접실도 있고, 만찬 후에 만날 수도 있는데 굳이 야밤에 침실로 찾아오겠다는 말이 뭔가 다르게만 들렸다.

클로이는 비웃음도 아니고 긍정도 아닌 야릇한 미소만 남긴 채 복도로 멀어졌다.

'정말인가?'

활활 타오르던 질투심 대신 다른 감정으로 가슴이 두근거렸다. 아쉬워진 알렉산드로는 뒤늦게 서재로 몸을 돌렸다.

"이봐, 도련님께서 오셨다."

하지만 시종의 알림에도 용병은 멀뚱히 창가만 쳐다보고 있었다. 왜 조용한가 했더니 뭔가 고민하는 얼굴이었다. 알렉산드로의 잘생긴 눈매가 가늘어졌다.

'그녀와 무슨 얘기를 나눴지?'

클로이와 나눈 대화 때문에 그가 고민에 빠진 게 분명했다. 급격히 다시 불쾌해진 그가 불친절한 방법으로 자신의 존재를 알렸다.

"……으악!"

불시에 일격을 당한 릭은 볼썽사납게 나자빠졌다. 그러거나 말거나 알렉산드로는 태연히 소파에 가서 앉았다. 시종이 그의 눈치를 살피며 차와 간단한 다과를 내왔다.

"제길, 이빨이 깨진 것 같군."

릭은 퉤, 하고 핏물이 섞인 침을 뱉으며 알렉산드로를 사납게 노려보았다.

"이런 골방에서 사람을 종일 기다리게 하셨겠다?"

그가 이를 갈며 소리쳤다.

"당장 밖으로 나와! 한번 제대로 붙어 보자!"

벌떡 일어선 릭과 달리 알렉산드로는 차분히 소파에 앉은 그대로 찻잔을 들어 올렸다.

"넌 내 상대가 못 된다."

"헛소리 마라! 설마 내게 겁먹은 건 아니겠지?"

"도발도 식상하군."

"너 이⋯⋯!"

문득 찻잔을 내려놓은 알렉산드로가 편히 기대어 앉으며 비스듬히 고개를 들었다. 때마침 창가에서 들이친 노을 때문에 그에게서 후광이 비치는 듯했다.

릭은 빠득 주먹을 움켜쥐었다. 지나치게 잘난 자태가 퍽 재수 없었다. 저 잘난 얼굴을 흠씬 두들겨 주고 싶었다.

"내 아내를 어디서 처음 만났지?"

예상 밖의 주제였다. 멈칫한 릭은 악당처럼 한쪽 입가를 끌어 올리며 풀썩 소파에 앉았다.

"말할 수 없는 은밀한 장소에서."

"언제."

말이 끝나자마자 되묻는 알렉산드로의 표정이 사뭇 예민해 보였다.

"글쎄, 부인과 나의 인연이 얼마나 되었더라⋯⋯."

과장되게 고심하는 척하던 릭이 싱긋 웃으며 대꾸했다.

"뭐, 꽤 됐다고만 하지."

"인연이라고 할 만한 사이가 아닐 텐데."

"우리 사이가 보기보다 꽤 깊어서 말이지."

"⋯⋯우리?"

"그래, 부인은 다방면으로 재능이 있어. 그걸 내가 알아봤고, 어려운 상황에 처했을 때 도와줬지."

릭은 그의 속을 긁는 게 즐거웠다. 아무렇지 않은 척 목소리는 담담했지만 가만 보면 손등에 핏줄이 설 정도로 주먹을 움켜쥐고 있었다. 피식 웃은 릭은 더욱 능청을 떨었다.

"내가 여기까지 찾아왔는데도 우리 만남에 대해 들은 바가 없나 보군? 부인이 내 네임 카드를 소중히 간직하고 있었을 텐데."

그가 약 올리듯 상체를 가까이하고 속삭였다.

"대개 아가씨들은 결혼하고도 내게 자주 연락하더군. 남편 몰래 말이야."

"……."

"천한 용병 나부랭이는 귀하신 남편이 자리를 비운 적적한 밤에 나 찾는 거지."

무슨 뜻인지 알겠냐며 릭이 눈을 찡긋했다. 지긋이 그를 응시하던 알렉산드로가 천천히 입술을 열었다.

"생각이 바뀌었다."

"뭐?"

"네가 내 상대가 되는지 확인할 기회를 주지."

담담한 그 표정에는 어떤 감정도 보이지 않았다.

"가서 도미닉 백작을 죽여라. 할 수 있는 가장 잔인한 방법으로."

릭은 눈을 깜빡였다.

"네 요청은 그다음이다."

"하!"

그가 어이없는 웃음을 터뜨렸다.

"부부가 영 마음이 안 통하는군. 아내와 말을 좀 맞추지 그래?"

조금 전, 자신을 찾아온 부인 때문에 고민했던 것도 사실이다. 릭은 알렉산드로 덕분에 답을 내릴 수 있었다.

"무슨 뜻이지?"

"직접 물어보시지."

그가 칼을 들고 자리에서 일어섰다.

"내가 아는 가장 잔인한 방법으로 백작을 죽이고 돌아오겠다."

"사흘이면 되겠나."

"이틀이면 충분해! 놈의 손가락을 몽땅 뽑아 가져오지."

백작의 손에 주렁주렁 낀 반지를 염두에 두고 한 말이었다. 가문의 인장 반지 정도면 신분을 증명하기에 충분했다.

"이번엔 반드시 네 놈과 붙어 보겠다!"

릭은 창밖으로 떠날 채비를 마친 백작의 마차를 확인하고 튀어나가듯 서재를 나갔다.

'호언장담하는군.'

결과를 한번 지켜보기로 했다. 그보다 알렉산드로는 클로이가 대체 저 무례한 인간과 무슨 대화를 했는지가 궁금했다.

"워워!"

공작성을 벗어나 평야를 달리던 백작의 마차가 급하게 멈췄다. 금화가 가득 든 상자를 끌어안고 있던 백작은 급정거의 반동으로 머리를 크게 부딪혔다.

"으악! 뭐야, 대체!"

짜증이 솟은 그가 창문을 통해 마부에게 소리쳤다.

"똑바로 가지 못해!"

하지만 마부는 대답이 없었다. 백작의 눈앞에 축 늘어진 팔이 대롱거렸다. 그의 손끝에서 피가 뚝뚝 떨어졌다.

"이, 이게 무슨……!"

식겁한 백작은 잽싸게 문을 잠그고 옆자리에 둔 단검을 움켜쥐었다. 심장이 벌렁거렸다. 금화를 가득 실은 채 먼 길을 가다 보니 도적의 급습을 전혀 예상치 못한 건 아니었다.

'짐마차에도 호위가 있어.'

칼스버그 공작성에서 붙여 준 믿음직한 사병들이었다. 레이첼은 못 믿어도, 신실한 공작성의 집사장은 믿을 수 있다. 그가 말하길 백작저까지 안전하게 도착할 것이라 장담했다.

그때, 마차가 다시 움직였다. 슬쩍 내다보니 즉사한 마부의 옆자리에 웬 빨간 머리의 거한이 앉아서 마차를 몰고 있었다.

시선을 느꼈는지 힐끔 뒤를 돌아본 그가 말했다.

"염려하실 것 없습니다, 백작님. 제가 안전하게 모셔다 드리지요."

장난스러운 말에 백작의 얼굴은 사색이 되었다. 게다가 뒤에서 함께 달려야 할 짐마차의 수레 소리가 들리지 않았다.

이 수상한 자와 단둘뿐이다. 이를 알게 된 백작이 신음하듯 물었다.

"누가 널 보냈지?"

"누구일 것 같습니까?"

"레이첼, 그년이군!"

틀림없다는 말투에 릭은 그를 비웃듯 큰 웃음을 터뜨렸다.

"마님은 그런 부탁을 하지 않았습니다. 오히려 백작을 무사히 집까지 호위해 달라는 걸 내가 거절했지."

하지만 백작은 대답을 듣고 있지 않았다. 마차가 달리던 방향이 바뀌었다는 걸 눈치챈 그가 불안하게 주위를 둘러보며 물었다.

"날 어디로 데려가는 거냐?"

"글쎄, 어디가 좋을까……."

"어디로 가느냐고 물었다!"

백작은 창문을 열고 지형을 파악하려 했다. 여차하면 뛰어내릴 생각이었다. 하지만 어찌나 빨리 달리는지 휘날리는 바람에 눈을 뜨기도 어려웠다.

"도, 돈을 나눠 주마. 원하는 게 돈이라면 이 돈을 나눠 주겠다!"

미동도 않는 붉은 머리를 향해 백작이 급하게 소리쳤다.

"3할! 내 재산의 3할을 주지! 백작저까지 나를 데려다 주기만 하면 3할을…… 으악!"

"시끄러운 타입이었군."

급하게 말이 멈췄다. 얼마나 험하게 몰았는지 굉음과 함께 마차도 함께 넘어졌다. 백작은 무거운 상자 모서리에 머리를 부딪혀 타격이 상당했다. 피가 줄줄 흘러 시야를 가릴 정도였다. 어지러운 정신을 다잡기도 전에 거칠게 몸이 끌어내려졌다.

"으윽!"

더듬더듬 주위를 살피자 갈래 길이 보였다. 접경 인근이었다. 사람이 많이 다니는 곳임에도 시간이 늦어서인지 개미 한 마리 얼씬거리지 않았다.

"내게 왜 이러는 것이냐? 돈을 나눠 준다고 하지 않았어! 모, 못 들었느냐?!"

"내가 병신입니까? 돈을 나눠 갖게."

뒷걸음질 치는 백작의 코앞에 그가 쭈그리고 앉아 이마를 툭툭 건드렸다.

"난 용병입니다. 백작님이 죽으면 다 내 돈인데 무슨."

태연히 말을 이은 그가 허리춤에서 갈고리같이 생긴 칼을 꺼내들었다. 릭은 우선 알렉산드로에게 약속한 증거를 수집했다.

"아아악!"

"아직 죽을 정도는 아니지요?"

"으아악! 살려 줘! 살려 주시오! 살려 줘!"

"하나, 둘, 셋……."

열 개. 정확히 숫자를 맞춘 그가 히죽 웃으며 가죽 주머니에 증거를 담았다. 백작은 죽을 듯이 소리를 질러 댔다.

"비명 소리가 영 별로."

"끄아아악!"

그가 도망칠 엄두도 내지 못한 채 바닥을 뒹굴자 흥미를 잃은 릭은 넘어진 마차로 다가갔다. 목적은 금화가 든 상자였다. 척 봐도 단단히 봉인된 상태였다.

"열쇠 어딨어?"

"소, 손대지 마! 그건 내 것이다! 내 것이야!"

"흠."

릭은 백작이 내내 끌어안고 있던 그 보물 상자를 가만히 내려다보았다. 마차가 넘어졌으니 튕겨져 나올 법도 한데…… 금화가 얼마나 들었다고 이렇게 무거울까.

불길한 예감이 들었다. 릭은 상자를 번쩍 들어 백작의 옆으로 내던졌다.

쾌광! 경첩이 붙은 나무 상자가 산산조각 났다.

"내 보물, 내 보물들이⋯⋯."

백작은 웅크렸던 몸을 간신히 일으켰다. 하지만 나무 조각 사이에는 번쩍거리는 금붙이가 아니라 돌덩이만 가득했다.

"나 참."

공작가가 아니라 사기꾼 집단이군. 릭은 어이가 없어 뒷머리를 긁었다. 수고비도 안 받았는데 돈도 없다. 짜증이 치밀었다. 뭔가 틀어지면 돈을 갖고 나를 생각이었는데.

"으아아아악! 날 속였어! 날 속였다고!"

그 와중에 발광하듯 소리를 질러대는 백작 때문에 귀가 따가웠다. 쯧, 가뜩이나 기분도 더러운데⋯⋯ 분풀이라도 해야겠다. 성큼성큼 다가간 릭은 백작의 머리채를 틀어쥐고 몸을 들어 올렸다.

"아까 어디로 가냐고 물었지?"

그가 겁먹은 백삭의 귓가에 대고 음산하게 속삭였다.

"넌 지옥으로 간다."

클로이는 약속대로 침실을 찾아왔다. 의사의 당부를 기억하면서도 알렉산드로는 괜히 설레어 목욕 시간만 길어졌다. 그럴 필요가 없다는 걸 아는데, 벌써 꽃물까지 몸에 끼얹은 뒤였다.

머리와 몸의 부조화는 알렉산드로에겐 이미 익숙한 일이었다. 사랑하는 여자와 있을 땐 늘 그래 왔으니까.

"뭘 그렇게 오래 씻었어요?"

"기다렸나?"

"그건 아니지만⋯⋯."

"그자와 무슨 이야기를 했지?"

은근슬쩍 그녀의 옆에 앉은 알렉산드로가 물었다. 그에게서 젖은 물 냄새와 진한 꽃향기가 훅 끼쳐 왔다. 저도 모르게 흡, 숨을 멈췄던 클로이가 덜 마른 그의 머리카락을 쳐다보다 뒤늦게 되물었다.

"그자라면⋯⋯ 용병 말인가요?"

"그래."

부드러운 침구를 눈으로 훑으며 알렉산드로는 아무렇지 않은 척 재차 질문을 던졌다.

"그리 친해 보이진 않던데. 굳이 찾아갈 이유가 있었나?"

순간 클로이의 안색이 어두워졌다.

"도미닉 백작 때문에요."

알렉산드로는 숙부를 칭하는 그녀의 호칭이 바뀌었단 걸 눈치챘다.

"그 용병은 내쫓는다고 떠날 사람 같지도 않아서, 우선 내게 신뢰를 보여 달라고 했어요."

"신뢰를 보여 달라?"

"네. 아랫사람으로 삼을 거라면 내 명령을 얼마나 잘 이행하는지 시험이 필요했으니까요."

흠. 가벼운 한숨을 내쉰 그가 침대 헤드에 비스듬히 누워 앉으며 아내를 제 가슴에 기대게 했다. 너무나 자연스러운 손길에 클로이는 자신이 안겨 있다는 사실도 한 박자 늦게 깨달았다.

"그에게 무슨 명령을 내렸는지 궁금하군."

"도미닉 백작이 무사히 돌아갈 수 있게 끝까지 잘 보호해 달라고요. 거절당하긴 했지만."

제 것에 비해 한참 작은 손을 조물조물하던 알렉산드로가 일순 굳어졌다.

"……진심이야?"

"네."

그가 정면을 응시하는 클로이의 턱을 제게로 돌렸다. 담담한 얼굴, 갈색 영롱한 구슬 같은 눈동자를 빤히 들여다보던 알렉산드로의 미간이 살며시 찌푸려졌다.

"그자에게 복수를 바라진 않아?"

"복수요?"

전혀 생각지 못한 듯, 놀란 두 눈이 커졌다. 잠시 고민하느라 말이 없었던 그녀가 옅은 미소와 함께 답했다.

"그 사람을 잊고…… 제가 앞으로 행복하게 잘 살면 그게 진짜 훌륭한 복수 아닐까요?"

하. 그래, 이럴 줄 알았다. 김이 팍 새 버린 알렉산드로는 다소 불만스레 입을 꾹 다물었다.

"저도 숙부가 죽어 버렸으면 좋겠다고 기도하던 시절이 있었어요. 하지만 더는 누군가를 원망하면서 살고 싶지 않아요."

"……"

"그런 짓을 하지 말았어야 했다는, 죄책감을 안고 살고 싶지도 않고요."

묵묵히 얘기를 듣던 알렉산드로는 문득 어이없는 너털웃음을 터뜨렸다. 차라리 물어보지 말 걸 그랬다.

"너는 어떻게…….."

전생과 그렇게 똑같지?

'베아트리체.'

그가 탄식을 내뱉듯 자조했다. 그래, 백 명의 사람이 있다면 백 가지의 다른 의견이 있는 법. 사람마다 복수의 정의는 다르다.

그렇다면 그자를 벌하고 응징하는 것은 제 몫이었다. 알렉산드로는 제 결정이 틀리지 않았음을 확신했다. 제 손에 직접 피를 묻히지 않은 선견지명도 물론이었다.

"어떻게…… 뭐가요?"

"별거 아니었다. 그저 천사 같은 네 심성에 놀라워 나온 감탄이지."

"비꼬지 마세요. 그래도 뺨을 한 대 때리긴 했어요."

"그래?"

그의 눈가에 미미한 웃음기가 어렸다. 알렉산드로는 보란 듯이 그녀의 가녀린 한쪽 손을 들어 올렸다.

"이 손에 맞았으니 퍽이나 아팠겠군."

"……계속 놀릴 거예요?"

눈을 흘기는 모습이 너무 귀여웠다. 가만히 그녀를 내려다보던 그가 홀린 듯 가볍게 볼에 입을 맞췄다.

"그자의 네임 카드를 아직도 갖고 있나?"

"어떻게 아셨어요?"

혹시 그가 영지 문제로 용병단에게 의뢰할 일이 있나 싶어진 그녀가 당장이라도 갖고 올 듯 엉덩이를 들썩였다.

"혹시 필요해서 그래요? 지금 당장?"

"당장 필요한 건 아니야."

예상대로 불미스런 관계를 들킨 반응은 절대 아니었다. 알렉산드로는 내심 안도했다.

"그걸 어디다 뒀더라."

곰곰이 생각에 빠진 그녀가 중얼거렸다.

"역시 안 버리길 잘했네요. 아무리 든든한 사병이 있다 해도, 영지 운영에는 용병에게 의뢰해야만 하는 일도 있더라고요."

"맞는 말이야."

알렉산드로는 도미닉 백작을 떠올리며 고개를 주억였다.

"안 그래도 네게 의견을 구하고 싶었어."

"무슨 일을요?"

가까이에서 저를 지긋이 응시하는 눈빛에 클로이는 새삼 얼굴이 붉어졌다.

"오해하지 말고 들었으면 좋겠어."

"네."

"내가 얼마나 간절하게 널 원했는지 잘 알 거야. 그랬던 만큼 가문이나 배경 같은 건 당연히 중요하지 않아. 하지만."

그답지 않게 서론이 길었다. 다행히 클로이는 뒤이어 나올 말을 예상했다.

"내 가문을 바꿀 생각인 거죠?"

"네가 원하지 않으면 물론……."

"저는 좋아요."

오히려 결혼식에서 레이첼이라는 이름으로 다시 불린 게 꺼림칙했다.

"없는 일도 아니잖아요. 들어 본 적 있어요."

"뭐, 흔한 일이긴 하지."

"솔직히 흔한 일이라고 할 순 없죠."

마주 웃은 클로이는 근심을 털어내듯 긴 한숨을 내쉬었다.

"난 언제나 그 집안에서 자유로워지는 걸 꿈꿨어요. 어머니가 돌아가신 뒤부터요."

"……그렇게 될 거야."

세 번이나 도망쳤으니 오죽할까. 알렉산드로는 새벽녘 야산에서 웅크리고 있던 그녀와의 첫 만남이 떠올라 가슴 한 부근이 아릿했다. 당시 그녀는 어떤 각오로 도망쳤을까. 그런 여자를 그때는 왜 모른 척했을까. 한없이 미안하고 죄스러웠다.

알렉산드로는 도미닉 일가와 그녀의 악연을 끊는 것만큼은 반드시 제 몫이라고 생각했다.

"계모가 순순히 놓아줄지 모르겠어요."

"걱정 마라. 내가 알아서……."

얌전히 안겨 있던 클로이가 문득 몸을 돌렸다.

"그럼 내 일은 그렇다 치고, 당신은 어떡할 건가요?"

알렉산드로의 얼굴에 의문이 어렸다.

"사람들이 틈만 나면 그래요. 알렉산드로 도련님은 누구보다 후계자에 적합한데, 아무리 등을 떠밀어도 나서려고 하지 않는다고요."

알렉산드로의 입술 사이로 가벼운 한숨이 새어 나왔다. 안 그래도 그녀의 뒤를 졸졸 쫓아다니는 시녀장, 시종장, 집사장 무리가 염려스러웠다. 대장 다람쥐를 따르는 한 무리의 여우들. 옆에서 무슨 소리를 했을지 뻔했다.

"듣기 좋으라고 하는 말치고는 수위가 꽤 높은데. 누구 잘못인가요? 입이 가벼운 아랫사람들 잘못인가요, 아니면 당신이 처신을 잘못하고 있는 건가요?"

"내 잘못이겠지."

그러면서 알렉산드로는 클로이를 끌어안은 채 옆으로 몸을 굴렸다.

"꺄악!"

갑자기 침대를 뒹굴게 된 그녀가 불만스레 눈을 흘겼다.

"진지한 얘기를 하는 거예요!"

"나도 진지해."

모로 누운 두 사람이 시선을 맞췄다.

"오늘은 에반스 경까지 찾아왔단 말이에요."

"에반스 경?"

"사병 단장이요! 병사들의 사기 증진이 필요하다면서 그 용병이라도 보내 달래요. 당신은 사병단에 아무 관심도 없다고요. 집사장도 엄청 불평했어요."

"아아."

대수롭지 않게 고개를 끄덕이는 그를 보고 클로이는 눈을 치켜떴다. 대뜸 알렉산드로의 턱을 움켜쥔 그녀가 시선을 고정했다. 그러자 그의 눈동자에 흥미로운 빛이 서렸다.

"나 지금 굉장히 진지해요. 후계자를 할 거예요, 말 거예요?"

재밌다는 얼굴로 그녀를 쳐다보던 알렉산드로가 씩 웃으며 입을 열었다.

"내가 후계자가 되길 원해?"

"내가 먼저 물어봤잖아요."

"어차피 내 대답은 네가 무엇을 원하는지에 따라 바뀔 거다."

알렉산드로는 진심이었다. 목표만 확실해진다면, 그는 가장 먼저 할 일도 알고 있었다.

"대공 부인이 되고 싶어?"

그가 목적지를 물었다.

장난기가 쏙 빠진 날카로운 음성, 원한다고 말만 하면 당장 수도에 가서 형님을 어떻게 할 것만 같은 차가운 눈빛이었다.

클로이는 갑작스러운 역공에 혼란스러워 눈을 굴렸다. 그녀가 쉽게 말을 잇지 못하자 알렉산드로는 가볍게 예시를 들어 주었다.

"다들 그런 꿈을 꾸지 않나. 공작 부인이 되고 싶다든지, 황태자비가 되고 싶다든지, 내 가문이 황실이 되었으면 좋겠⋯⋯."

식겁한 클로이는 누가 들을까 무서워 얼른 그의 입을 틀어막았다.

"한심하게 들릴지 모르지만, 여태껏 저는 딱히 '되고 싶은' 뭔가가 없었어요. 그냥 '어떻게 살고 싶다' 하는 마음만 있어요."

그가 눈짓으로 '어떻게 살고 싶은데?' 하고 물었다.

"아무한테도 피해 주지 않고, 기왕이면 다른 사람에게 도움이 되는⋯⋯."

슬그머니 그녀의 손을 치운 알렉산드로는 이해한다는 듯이 뒷말을 이어 갔다.

"좋은 사람으로 살고 싶다."

"네, 맞아요. 그래서 내가 죽으면 사람들이 오래 기억해 줬으면 좋겠어요."

알렉산드로는 말없이 그녀의 볼을 감쌌다. 그리움을 대신 말하듯 그의 손가락은 오래도록 클로이의 눈가를 매만졌다.

감격스러웠다. 선한 눈망울이 자신을 또렷이 응시하는 이 순간을 얼마나 오래 기다려 왔던가. 지난 삶의 기억이 있든 없든, 저와의 추억을 알든 모르든, 이 여자는 자신이 사랑하는 바로 그 여자였다.

"나는 그냥 당신이 원하는 선택을 하길 바라요. 더 바라자면 당신의 그 선택이, 도의에 맞았으면 좋겠어요."

"알겠어."

한참 그녀를 바라만 보던 그가 입술을 맞추며 속삭였다.

"아버지와 똑같은 소리를 하는군."

클로이는 칼스버그 대공이 그런 말을 했다는 사실에 내심 놀랐다. 네 명의 아들들 가운데서 중립을 지켜야 했겠지. 더군다나 알렉산드로는 장남이 아니니까.

"어렵네요, 후계라는 건."

"하지만 최근에는 심경의 변화가 있으셨는지 전과 다른 말씀을 하시더군."

알렉산드로는 제가 받은 편지의 내용을 간략히 설명했다. 이를 듣고 클로이는 고개를 끄덕였다.

"당신이 후계자가 되길 원하시는 거네요."

"맞아. 잘 알 테지만 후계자가 되려면 결혼을 하고, 자식을 낳아야 해. 그동안 결혼을 미뤄 왔기 때문에 자격이 되지 않았지."

자격이 되지도 않는데 자신이 후계자라고 말하는 건 어불성설이었다. 그러니 알렉산드로도 입을 다물고 있을 수밖에 없었다.

"후계자가 되고 싶지 않아서…… 결혼하지 않았던 거예요?"

"아니, 너를 만나기 위해서지."

가볍게 그녀의 말을 정정해 준 알렉산드로는 이내 진지한 얼굴로 설명을 이어 갔다.

"나는 여자가 후계가 될 수 없다는 급진주의에는 동의하지 않아."

최초의 여성이었던 맥코웰 공작 이후, 진보파와 급진파의 기세는 엎치락뒤치락했다. 현 세대에선 급진파가 앞섰다.

"하지만 아들이든 딸이든, 자식이 있어야만 후계를 주장할 수 있다는 사실에는 동의해."

"아."

그랬구나. 그래서 하인들이 저렇게 난리법석인데도 그가 신중했던 거다.

'그가 옳았어.'

옆에서 하도 안달복달을 하니 저 역시 단계를 건너뛰었다. 알렉산드로가 후계자가 되려면 자식이 있어야 하는데. 잊고 있던 사실에 망치로 쾅 하고 머리를 맞은 기분이었다.

—오직 너만이 내 아이를 낳을 것이다.

귓전에서 울리는 목소리에 클로이는 마른침을 삼켰다. 알렉산드로의 입술은 굳게 닫혀 있었다. 하지만 더는 이 갑작스러운 환청이 낯설지도 않았다.

다만 한 침대에 누워 다정하게 서로를 마주 보는 이 상황이 갑자기 어색하게 느껴졌다. 긴장으로 입술이 말라 갔다. 민망해진 그녀는 스르르 그의 눈을 피했다.

"부담을 주려는 건 아니야."

클로이는 남편의 자상한 말에 오히려 미안해졌다.

"내가 입을 다물고 있는 바람에 난처했다면 사과하지."

단계가 있고 차례가 있는데 그것을 지키려는 알렉산드로를, 옆에서 조르고 보채는 집사장과 자신이 다를 게 뭔가 싶었다.

그를 도와줘야겠다. 결심한 그녀가 주먹을 움켜쥐었다.

"당신이 후계자가 되기 위해서라도 의무를 서둘러야겠어요. 마침 여긴 침대 위고……."

알렉산드로의 표정이 묘하게 변해 갔다. 그에게서 흐르는 냉담한 기운에 클로이는 저절로 말끝을 흐렸다.

"물론 기꺼이 그럴 수 있지만…… 나를 사랑하나?"

그의 음성이 확 낮아졌다. 클로이는 불시의 습격을 받은 사람처럼 굳어졌다.

'사랑?'

벌써? 이 남자에게 가진 이 감정이 사랑인가? 클로이가 머뭇거리자 그가 돌연 상체를 일으켰다. 알렉산드로는 눈을 피한 채 굳은 얼굴로 셔츠의 단추를 잠갔다.

"사랑하지 않는다는 여자에게 나를 줄 수는 없어."

"하지만…… 먼저 받고 나서 사랑하게 될지도 모르잖아요!"

사람이 왜 저렇게 꽉 막혔지? 그녀가 억울한 심정으로 신음하듯 말했다. 그때였다. 자신을 너무나 사랑한다는, 다정하고 부드러운 남자의 애원 어린 말이 들려왔다.

—사랑한다.

—난 보수적인 남자라서 사랑한다는 말 없이는 안 돼.

이어서 굳게 닫혔던 알렉산드로의 입술이 열렸다.

"난 보수적인 남자라서 사랑한다는 말 없이는 안 돼."

불퉁하고 차가운 그의 거절이 들려왔다.

"……!"

클로이는 비명을 지를 뻔한 자신의 입을 틀어막았다. 소름이 쭉 끼쳤다.

'이 남자였어!'

말투가 너무나 달라서, 목소리마저 다르게 느껴졌던 거였다!

"왜 그러지?"

"……."

알렉산드로가 의아한 듯이 물었지만 큰 충격에 휩싸인 클로이는 입도 벙긋할 수 없었다. 그동안 이 남자에게 수없이 많이 들었던 사랑 고백들이 떠올랐다.

외로웠던 어린 시절. 부모님이 모두 돌아가시고, 제게 사랑한다는 말을 해 줄 사람이 아무도 없었던 그때.

클로이는 이 남자에게 의지했었다. 나를 진심으로 사랑하는 누군가가 이 세상에 있다고 믿었었다. 결혼을 앞두고 몇 번이나 잊으려고 다짐했지만 결국 환상 속의 남자를 떨쳐 내지 못한 것도 그래서였다.

'나는 이 남자를…… 기다렸어.'

그가 나를 찾아오기를, 애타게 기다렸다. 나를 그렇게나 사랑한다면 분명히 어떻게든 찾아올 거라고 믿어 의심치 않았다.

그 시간이 길어질수록 그리움은 간절해졌고 외로움은 비참한 배신감으로 변해 갔다. 결국 헛된 환상에 취한 눈먼 감정이라고 애써 모든 걸 잊으려 했다.

그녀가 멍한 얼굴로 알렉산드로를 올려다봤다. 자신이 제 운명이라 의심치 않는다던 확신 가득한 그의 눈빛이 가슴에 새겨졌다.

'우리가 정말 내 운명인가 봐.'

이 남자가 정말, 나의……!

"오직 너를 위해서 정조를 지켜 왔다. 그런데 밤을 보내기에 앞서 사랑한다는 말을 듣고 싶은 게 내 욕심인가?"

"……."

"네게는 얼마든지 나를 줄 수 있지만 오늘은 정말이지 그럴 기분이 안 드는군."

냉정하게 몸을 돌리는 알렉산드로의 뒷모습에 클로이가 뒤늦게 정신을 차리고 소리쳤다.

"사랑해요……!"

그는 잠깐 멈칫했지만 제 몸을 탐하려는 마귀의 사탕발림이라 생각하는지 자조 어린 헛웃음을 치고는 침실을 나가 버렸다.

9. 걸작의 완성

9. 걸작의 완성

· · ◆ · ·

다음 날 아침.

"마님, 좋은 아침입니다."

"좋은 아침이에요, 데비."

여전히 화가 났을 거라는 예상과 달리 알렉산드로는 평소와 다름없는 얼굴로 조찬 자리에 앉아 있었다. 다만 끝내 눈을 마주치지 않는 것이, 아직 마음이 풀어지지 않은 모양이었다.

"좋은 아침이에요."

마주 보는 자리에 앉은 클로이가 알렉산드로의 눈치를 살피며 먼저 인사를 건넸다.

"알렌."

얇게 고기를 썰던 그의 손길이 뚝 멈췄다. 인형처럼 모든 게 멈춰 있던 그가 뒤늦게 시선을 올렸다.

"그렇게 불러도 된다고 했죠?"

"……."

정말 어쩔 수 없다. 도저히 이길 수가 없어. 배시시 웃는 낯을 빤히 쳐다보던 그에게서 낮은 한숨이 흘러나왔다.

"설마 두 분, 다투신 겁니까?"

양쪽에서 느껴지는 각각 다른 분위기에 시종장이 물었다. 고개를 저은 그녀는 모른 척 알렉산드로에게 되물었다.

"우리 싸웠어요?"

앙큼한 눈망울을 보는 순간 알렉산드로는 어이없는 웃음을 터뜨렸다.

"어휴, 하도 표정이 안 좋으시기에 저는 두 분이 다투신 줄……."

시종장은 대놓고 안심했다.

"누가 누구랑 싸워. 아내와 다투는 머저리가 어디 있나."

"역시 그렇죠?"

시종장은 다행이라는 말을 두 번쯤 반복하고는 미소를 되찾았다.

식사를 마칠 무렵이었다. 클로이가 뭔가를 내밀었다.

"저, 이거요."

알렉산드로는 그녀가 내민 작은 가죽 조각을 받아들었다. 인장이 박힌 네임 카드였다.

「쌍둥이 형제 용병단 해결사 릭 쉐도우」

그의 필체인지 썩 반갑지 않은 이름이 휘갈기듯 적혀 있었다. 알렉산드로는 그 필체를 눈여겨봤다.

"아무래도 이자에게 도미닉 백작의 처리를 맡겨야겠다. 네 이름을 바꾼다 해도 끝까지 방해물이 될 테니까."

네임 카드에 시선을 고정한 알렉산드로가 지나가는 투로 말했다.

무심한 그 목소리에 클로이가 뭐라고 입을 열려던 그때였다.

똑똑, 똑똑똑.

시종이 다급하게 문을 두드렸다. 팍 인상을 쓴 시종장이 조용히 가서 물었다.

"식사 중이시다. 무슨 일이냐?"

"큰일입니다, 시종장님!"

사색이 된 급박한 목소리는 클로이와 알렉산드로에게도 전해졌다.

"키아스 도미닉 백작이 공작령 접경 지역에서 끔찍한 사체로 발견되었습니다!"

조용하던 아침 시간이 순식간에 소란스러워졌다.

최초 발견자는 인근 마을 사람들이었다. 도미닉 백작은 얼굴만 빼고 온몸의 거죽이 뒤집힌 채 죽어 있었다고 했다. 게다가 열 손가락을 전부 잃은 끔찍한 모습이었다.

그가 그렇게 잔인한 수법으로 죽은 이유는 돈 때문이라고 다들 추측했다. 칼스버그의 금화가 가득 담긴 짐마차는 사라졌고, 지참금이 담겨 있어야 할 보물 상자는 돌덩이만 가득했으니까.

"……바로 그 상자 위에 백작의 시체가 엎어져 있었다고 합니다."

경악한 클로이는 차마 말을 잇지 못했다. 알렉산드로가 어두운 안색으로 그녀의 어깨를 감싸 안고 달래 주었다.

"수법이 잔인하군. 강도단의 소행인가?"

"그런 것 같습니다. 접경 지역은 워낙 강도단의 사건이 많다고 마을 사람들이 증언했습니다."

"그자가 도미닉 백작인 건 확실하고?"

"확실합니다. 타고 갔던 마차와 머리 색으로 확인했습니다. 얼굴도 같다고…… 마님, 괜찮으십니까?"

클로이의 안색이 파리했다. 하얗게 질린 입술을 보고 알렉산드로는 그녀를 일으켰다.

"침실로 가."

"……백작저에 알려야 해요."

"내가 하지."

든든한 남편의 모습에 클로이는 울컥했다. 지난 밤 자신이 털어놓았던 말들이 후회됐다. 할 수만 있다면 숙부가 죽어 버리길 기도한 적이 있다고 한 말을, 주워 담고 싶었다.

"그 사람이 이렇게 되길 기도하진 않았어요."

클로이가 눈물을 글썽이며 품에 안겨들었다. 알렉산드로는 그녀의 등을 쓸어주며 달래듯 속삭였다.

"안타까운 사고였을 뿐이야."

거친 숨결이 점점 잦아졌다. 그는 안정을 권하며 집사장을 시켜 클로이를 침실로 올려 보냈다. 그녀가 멀어지자 시종이 급하게 다른 소식을 전했다.

"도련님, 다른 일입니다만 지금 그 용병이……."

기척도 없이 공작성을 나갔던 용병은 제멋대로 다시 돌아와선 알렉산드로의 서재에 들이닥쳤다.

"서재에 있나?"

"예? 예!"

시종은 놀란 기색을 숨기지 못했다. 이미 알고도 태연한 그가 놀라웠다. 게다가 방금까지 아내를 보며 매우 염려하던 안색이 언제 그랬냐는 듯 평소처럼 무심해졌다. 극단의 배우가 따로 없었다.

"그가 돌아왔다는 건 절대 알리지 마라."

"마님께요? 아, 알겠습니다. 마님은 그자가 어제 혼자 공작성을 나갔던 것도 아직 모르십니다."

"네가 봤다고 해."

"예?"

시종은 무슨 뜻인지 그 의중을 파악하지 못했다. 하지만 냉랭한 둘째 도련님은 답을 주지 않고 곧장 서재로 들어가 버렸다.

릭은 거만하게 소파에 앉아 있었다. 그가 알렉산드로를 보자마자 탁자 위로 가죽 주머니를 툭 던졌다.

"짐마차를 끌던 마부들은 전혀 못 찾겠더군. 나 참, 그사이에 대체 어딜 갔는지 몰라."

진위 여부를 판명하듯 그를 빤히 쳐다보던 알렉산드로는 가죽 주머니로 손을 뻗었다.

"칼스버그의 둘째 도련님께선 어찌나 철두철미하신지."

능청을 떠는 그를 무시하고, 알렉산드로는 가죽 주머니를 열었다. 퉁퉁한 잘린 손가락들이 보였다. 주머니를 대충 헤치자 그 사이로 도미닉 가문의 인장 반지가 눈에 들어왔다.

알렉산드로는 타오르는 벽난로에 가죽 주머니를 던져 넣었다.

"이만하면 네놈을 상대할 자격은 충분하겠지."

"수고했다."

묘하게 기분이 상하는 말이었다. 릭의 인상이 사정없이 구겨졌다.

"이제 연무장으로 가면 되나? 아니면 여기서?"

알렉산드로는 묵묵히 책상으로 향하더니 깃펜을 꺼내고는 짧은 편지를 쓰기 시작했다.

"이봐."

자신을 완전히 무시하는 처사에 릭은 성마른 얼굴로 벌떡 일어섰다. 도련님이 또 자리를 피하거나 바쁘다는 변명을 댈까 봐 여차하면 여기서 판을 벌일 작정이었다.

하지만 알렉산드로는 이번엔 진심으로 대련을 받아 줄 생각이었다.

"알았다."

두세 줄가량의 짧은 편지를 마무리한 그는 릭의 네임 카드를 꺼내서 필체를 비교하곤 편지를 접었다.

"좋아. 그럼 밖으로 나와라. 소란스럽겠지만 연무장에서……."

"구경거리가 되는 건 사양하지."

단칼에 말을 자른 알렉산드로는 릭을 지나치며 앞장섰다.

"산으로 가자. 오랜만에 진짜 사냥도 할 겸."

서재를 나서며 알렉산드로는 쥐고 있던 가죽 조각을 가벼운 손길로 벽난로에 던져 넣었다.

"서재에 이어서 이번엔 산이냐? 장소 한번 잘 고르는군!"

말에서 내린 릭은 짜증이 잔뜩 섞인 목소리로 투덜댔다. 지대가 높고 험한 산맥을 말을 타고 오르려니 여간 귀찮은 게 아니었다. 계곡이 가까운지 온 사방이 물소리로 가득했다. 절벽 근처였다.

"뭐, 경관은 꽤 볼만해."

릭은 말에서 뛰어내린 알렉산드로가 제게 다가오는 걸 확인하곤 눈살을 찌푸렸다.

"왜 여기까지 오자고 한 거냐. 그리고 보니 네놈 손에는 칼 한 자루 없는 게 의심스럽군. 사냥을 가자면서."

릭의 손이 슬금슬금 허리춤으로 움직였다. 그가 가진 칼은 총 세 자루였다. 어느새 양손에 칼을 쥐고 무장하는 사이, 알렉산드로는 코앞에 와 있었다.

마주 본 상대를 가늠하느라 주춤주춤 대치하던 중에 릭은 저도 모르게 잔뜩 긴장했다.

'뭐야, 저놈.'

눈빛이, 공작성에서 보던 도련님의 점잖은 눈빛이 아니었다. 매끈한 얼굴의 싸늘한 거죽을 뒤집어쓴 사내에겐 맹목적이고 잔인한 성정이 엿보였다.

눈빛만 달라졌을 뿐인데 그는 조금도 샌님처럼 보이지 않았다.

"내 아내를 사랑하나?"

냉랭한 목소리, 고저 없는 물음에는 어떤 감정도 담겨 있지 않은 것 같았다.

"하, 기껏 여기까지 와선……."

완전히 다른 사람을 상대하는 듯한 오싹한 기분에 릭은 머리털이 다 쭈뼛했다. 칼을 움켜쥔 손에 힘이 바짝 들어갔다.

"……관심 없다. 네 부인은 어떨지 모르겠지만."

릭은 자존심을 지키려 애써 도발하듯 말했다.

"뭐, 귀부인들이 남편 몰래 매력적인 정부를 두는 건 흔한 일이지. 아마 네 부인도 나를……."

"나는 아내를 사랑한다."

"허!"

릭은 조소를 머금었다. 불쑥 제 말을 끊고는 고작 하는 소리가, 아내를 사랑한다고?

"그딴 징그러운 사랑 고백은 가서 네 부인에게나 하지 그래!"

릭은 더 이상 정신병자 같은 헛소리를 들어 줄 마음이 없었다. 상대의 빈틈을 노린 그가 어깨로 칼을 꽂아 넣었다.

하지만 칼날은 알렉산드로의 볼을 겨우 스쳤다. 한 줄기 실금에 핏방울이 맺혔다.

"큭, 무슨 힘이 이렇게……!"

릭은 그에게 붙잡힌 팔을 빼내려 악을 썼지만 거인과의 줄다리기처럼 알렉산드로는 미동도 없었다.

"으아아!"

칼을 쥔 다른 손을 휘둘렀으나 그조차 먼저 읽힌 수였다. 손목을 가격당해 쉽게 칼을 놓치고 말았다.

"이거 놔!"

릭은 벗어나려 몸부림쳤다. 하지만 눈앞에서 제 팔이 반대쪽으로 꺾이는 고통에 속수무책이었다.

"아악!"

사파이어를 닮은 알렉산드로의 서늘한 눈동자가 사냥감을 마주한 채 예리하게 빛났다.

"내겐 그녀가 유일하고, 그녀에게도 내가 유일하길 원해."

서로에게 유일한 존재였다. 단 하나뿐인 제 사랑을 지키기 위해서라면……

"난 못 할 게 없다."

그의 진심이었다. 전생에서도 그랬고 지금도 마찬가지였다. 변한 건 아무것도 없었다.

이른 새벽이었다. 알프레도 해밀턴은 검은 후드를 뒤집어쓴 채 공작성을 나왔다. 사람을 시켜도 되지만 거래의 상대방이 반드시 얼굴을 보고 싶어 한다는 요청 때문이었다.

'쯧, 얼마나 훌륭한 족보길래.'

뛰어난 가문이라 했다. 세상에 둘도 없는 공적을 가진 개국 공신 명문가이며 역사서에도 그 이름이 수십 번은 실린 훌륭한 가문. 하지만 더는 존재하지 않는 가문.

그 이름을 가진 '적법한 후손'의 족보라고 했다.

……곱씹을수록 가짜 같았다.

'떼잉, 진짜 그런 가문의 후손이면 수도에서 떵떵거리며 살았겠지.'

집사장은 의심 반, 기대 반으로 약속 장소에 도착했다. 세차게 물이 흐르는 강의 하류였다. 붉은 일출이 물살에 비쳐 강이 불타는 듯했다. 아름다운 장관에 잠시 시선을 빼앗긴 그때였다.

"이보시오."

자신을 부르는 목소리에 흠칫한 집사장이 얼른 뒤를 돌았다.

웬 거적때기를 걸친 노파였다. 강한 태양빛 때문인지 노파의 눈마저 붉게 보였다.

집사장은 그 분위기에 압도되어 감히 입도 열지 못했다. 나이 먹은 저조차도 절로 고요해지는 묵직한 엄숙함이 노파에게서 느껴졌다. 노파는 가죽으로 감싼 책 한 권을 내밀었다.

"가문의 생사가 여기 달려 있소."

가로세로 단단히 동여맨 모양이 꼭 봉인된 금서 같았다. 집사장은 홀린 듯이 책을 응시했다.

"그 아가씨에게 꼭 전해 주시오."

한데 아무리 살펴도 앞에도 뒤에도 아무런 표식이 없었다. 어느 가문의 족보인지 알 턱이 없었다. 책을 풀어 보려면, 족보를 확인하려면 우선 값을 치러야 했다. 집사장이 뒤늦게 번쩍 고개를 들었다.

"돈은 얼마를……."

하지만 노파는 제 할 말만 하고 감쪽같이 사라진 뒤였다.

"음?"

집사장은 노파를 찾느라 자리에서 빙글빙글 돌았다. 도무지 말도 안 되는 일이라 바위 뒤까지 뒤졌다.

"대체 어딜 간 거지?"

말로는 설명할 수 없는 어떤 괴물 같은 능력을 가진 게 분명했다. 텅 빈 공간에서 한참이나 노파를 찾던 집사장은 일단 책을 챙겼다.

'귀신이 곡할 노릇이군. 대체 그 사이에 어딜 간 거야?'

골똘히 생각에 잠긴 채 공작성으로 향하던 집사장은 문득 사람들이 강의 최하류에 모여 있는 것을 발견했다. 낮은 웅성거림으로 보아선 큰일이 벌어진 게 틀림없었다.

"비키거라. 알프레도 해밀턴이다."

후드를 벗고 제 정체를 밝힌 집사장은 당당하게 영주민 사이를 헤치고 들어갔다.

"오오, 해밀턴 남작님이시다!"

"공작성의 집사님이셔."

사람들이 금방 그를 알아보곤 수군거렸다. 집사장은 곧 소란의 원인을 발견했다. 시체였다. 강가에 엎어진 붉은 머리의 거구가 눈에 퍽 익숙했다.

"세상에, 어디서 이런 잔인한 시체가……."

깊은 상처로 얼굴은 좀처럼 알아볼 수 없었다. 용병의 문신이 있던 왼쪽 팔도 잘려 나갔다. 긴가민가하지만 이자의 체격으로 보아 분명했다.

'마님의 용병이다.'

마님의 호위를 자처하며 공작성을 드나들었던 건방진 용병. 집사장의 온몸이 싸늘하게 얼어붙었다.

"대체 누가 이런 끔찍한 짓을 저질렀을까요, 남작님. 으흑, 너무 무서워요."

"……."

울먹이는 영지민에게 집사장은 감히 어떤 위로조차 건넬 수 없었다. 그가 깊은 한숨을 내쉬며 한 손으로 얼굴을 덮었다.

'참 우리 도련님다우시군.'

어떤 증거도 없는 상황이지만 집사장은 확신했다. 알렉산드로가 이 용병을 경계하던 눈빛 때문이었다. 태연한 척, 얼음처럼 차가운 시선 아래서 활활 타오르는 질투심이 얼핏 보였었다.

"……이 가엾은 자의 마지막을 치러 줘라. 조용하게."

집사장은 족보의 값을 치르러 가져왔던 금화 중에 하나를 얼굴이 익숙한 영지민에게 건넸다.

"산소를 만들어 묻어 줄까요?"

"그럴 것 없다. 이자의 어떤 흔적도 남지 않게 태워라. 아마 강도단 중 한 명일 테니까."

"알겠습니다."

족보를 품에 안고 공작성으로 향하는 집사장의 발걸음이 새삼 무거웠다. 그저 이 가문이 조건에 맞기를 바랄 뿐이었다.

겨우 기운을 차린 클로이는 알렉산드로의 출정이 얼마 남지 않았다는 걸 되새기곤 오찬을 함께했다. 평소와 다름없어 보였지만 잠을 설쳐 피곤한 기색이 얼굴에 가득했다. 디저트가 나올 때쯤 그녀가 운을 뗐다.

"저 아무래도 도미닉 백작저에 한번 가 봐야겠어요."

의문이 섞인 알렉산드로의 시선이 곧장 따라붙었다.

"그 사람은 공작령의 접경 지역에서 목숨을 잃었고, 사체가 많이 처참하잖아요. 계모에게 직접 설명해야 할 것 같아요."

최소한 장례식은 참석해야 한다는 책임감이 그녀의 안에 자리했다. 밤새 고민한 결과였다.

"마님, 안 됩니다!"

여태 말이 없던 집사장이 정색하며 결사반대했다.

"요즘 흉흉한 일들이 연달아 일어나고 있습니다. 마님의 안전을 위해서라도 절대! 절대로 공작성을 떠나실 수 없습니다!"

"무슨 일이 또 있었나요?"

"예, 오늘 마을에 갔는데 글쎄, 강에서 시체가 떠내려 왔다고 난리도 아니었습니다."

"시체요?"

"예, 신원을 확인할 수 없는 끔찍한 시체였습니다. 붉은 머리카락 말고는……."

탁. 알렉산드로가 불쾌한 심경을 드러내듯 소리 나게 식기를 내려놓았다.

"그런 일을 식사 중에 보고해야겠나?"

"죄송합니다."

집사장은 찔끔해선 얼른 입을 닫았다. 마님을 말리려다 너무 많은 말이 나왔다. 문득 클로이는 '빨간 머리'란 말에 용병 릭 쉐도우를 떠올리곤 안색이 어두워졌다.

"집사, 혹시…… 그 용병이 돌아오거든 내게 알려 줘요."

"예?"

괜히 제 발 저린 집사장의 눈썹이 불쑥 위로 솟았다. 가벼운 차를 음미하던 알렉산드로가 의아한 듯 물었다.

"어딜 갔나?"

"모르겠어요. 편지 한 장 남기고 그냥 사라졌지 뭐예요."

제 호위를 시켜 달라고 고집피우더니, 등장부터 퇴장까지 제멋대로였다. 골치 아픈 존재가 사라져 다행이긴 하지만 영 책임감이 없는 모습이 실망스러웠다.

"용병들이 그렇지."

언제 다시 찾아올지 몰라도, 다신 받아 주지 말라고 알렉산드로가 당부했다.

"당연하죠. 정말 내쫓을 거예요."

"……."

두 사람의 대화를 듣던 집사장은 묵묵히 빈 찻잔에 차를 따랐다. 상대를 잘못 고른 불쌍한 그 용병을 애도하며.

목적지가 정해지자 모든 게 일사천리였다. 알렉산드로는 칼스버그 대공과 더 자주 편지를 나누게 되었다. 서재에서 답신을 쓰던 그가 편지에 시선을 고정한 채 말했다.

"집사, 튼튼한 마차를 준비해 줘."

"알겠습니다. 어디로 가시는지 여쭤봐도 되겠습니까?"

"도미닉 백작가."

태연한 대답에 집사장이 도리어 흠칫했다.

"정말 마님을 친정에 보내시려는 겁니까?"

편지에 인장을 찍던 알렉산드로가 '그래.' 하고 대답했다.

여기서 도미닉 백작저까지 가려면 밤낮없이 달려도 족히 일주일은 걸린다. 외부의 시선이 차단된 비좁은 마차 안에서 단둘이 마주 보며, 혹은 옆에 꼭 붙어 앉아서 보내는 일주일이었다.

게다가 공작성이 아닌 곳에서 잠을 청할 때는 클로이와 한 침실을 써야 했다. 부부니까, 당연히. 만족스럽게 고개를 끄덕인 알렉산드로는 공작저를 보름간 떠나 있을 계획을 위해 만반의 준비를 시작했다.

보름의 일정에서 돌아오면 곧장 토벌대로 출정해야 한다.

"안 됩니다. 안 됩니다, 도련님!"

집사장이 질색을 하곤 고개를 저었다.

"어떻게 이뤄진 결혼인지 잊으셨습니까? 백작저에서 우리 마님을 붙잡아 두면 어쩌실 겁니까? 백작 부인이 앞을 막아선다면 도련님도 억지로 데려올 명분이 없습니다."

"그럴 일은 없을 거다. 나도 같이 가니까."

"예?"

멍한 되물음에 알렉산드로는 그를 힐난하듯 짧게 눈을 올렸다.

"도련님, 한 말씀만 드리겠습니다. 노파심이라 생각하고 들어 주십시오."

"뭔가."

"백작이 비명횡사한 데다, 도미닉 백작가가 아직 마님의 친정이긴 하지만…… 백작 부인이 보통이 아니랍니다. 마님이 험한 꼴이라도 당하실까 우려됩니다, 도련님."

"그래서 지금 나더러 아내를 친정에 가지 못하게 하라는 건가?"

그런 남편이 될 생각은 눈곱만큼도 없었다.

"그녀가 이미 고민해서 결정을 내린 일이다. 더 이상 얘기하지 마."

알렉산드로는 앞으로 어떤 일에도 그녀에게 반대할 의사가 없다는 걸 집사장에게 확실히 했다. 그러면서 여전히 걱정을 거두지 못하는 그에게 넌지시 말했다.

"이 기회에 그 집안과의 인연을 확실히 정리할 거다."

"……"

집사장은 저도 모르게 아침에 본 시신을 떠올렸다. 그 집안과의 악연을 '확실히' 어떻게 정리할 계획인지 조금은 두려워졌다.

'알렉산드로 도련님은 평범한 사람이 아니다. 절대……'

드미트리 쿠피히트의 처단부터 시작해서, 자신의 성미를 건드린 자들을 벌하는 방식이 잔혹하고 철두철미했다. 어릴 때부터 압도적으로 두각을 드러냈지만 성인이 된 그는 감히 범접할 수 없는 영역에 있었다.

집사장은 책상에 쌓인 편지와 서류들 사이로 바쁘게 움직이는 손을 응시했다.

"구해 오겠다던 족보는."

"······아."

번뜩 정신을 차린 집사장은 아침에 사 온 족보를 떠올렸다. 살펴
본 결과, 가문은 확인됐다.

"괜찮은 가문의 족보를 발견했습니다. 한데 너무, 너무 어마어마
한 가문이라 가능할지 모르겠습니다."

적당히 명망 높은 가문이어야 하는데, 이 가문은 지나치게 눈에
띄었다.

한때 제국에는 5개의 공작 가문이 존재했다. 그 시절부터 작성되
어 지금까지 이어진 족보였다. 마님이 이름을 빌릴 만한 후손도 족
보에 적혀 있긴 하지만······ 문제는 가계의 시조가 정말 그 가문의
방계인지 불확실하다는 점에 있었다.

"의문되는 부분이 있어 확인 중입니다만, 직접 보시겠습니까?"

알렉산드로는 짧게 고개를 저었다.

"나중에 확인하지. 에반스 경을 불러와."

"예."

에반스 경을 찾는 건 처음 있는 일이었다. 집사장은 직감적으로
알렉산드로의 뭔가가 바뀌었다는 걸 눈치챘다.

잠시 후.

"둘째 도련님이 정말 저를 찾으셨단 말입니까?"

"그렇네. 어서 들어가 보게."

영문을 몰라 고개를 갸웃하는 에반스를 향해 집사장은 씨익 회심
의 미소를 지었다.

학구적인 연구자들의 가문, 칼스버그가에 드디어 파란이 시작되
었다.

에반스는 알렉산드로와 한 공간에 있는 것만으로 바짝 긴장했다. 그도 그럴 게, 단둘이 마주하기는 처음이었다.

어릴 때부터 승마와 검술에 천재적인 두각을 드러냈던 가문의 둘째 도련님. 실력자가 많다는 수도 무투회에서 두 번이나 우승하고, 황궁의 부름을 거절한 칼스버그의 이단아.

종기사로 들어와 어릴 때부터 알렉산드로를 봐 왔던 에반스는 그를 향한 선망이 깊었다. 그가 아버지를 따라 영지를 방문할 때마다 얘기를 나눠 보고 싶었지만 좀처럼 기회가 없었다. 의도적으로 자신을 피하는 건 아닐까 싶을 정도였다.

"도련님, 찾으셨습니까."

"에반스 경."

서류에 고개를 묻고 있던 알렉산드로가 눈을 들었다.

"경의 의견을 묻고 싶은 일이 있어서 불렀다. 우선 앉지."

"예."

알렉산드로는 은발의 젊은 기사에게서 눈을 떼지 않았다. 저벅저벅 걸어와 소파에 앉는 일련의 행동에는 절도가 넘쳤다. 등을 꼿꼿이 하고, 양손을 각각 무릎에 얹은 단정한 자세까지.

전부터 느꼈지만…… 닮았다.

"하명하십시오."

왜 불렀느냐는 당연한 물음조차 없다. 주어진 어떤 명령이라도 이행하겠다는 에반스의 마음가짐이 고스란히 보여, 알렉산드로는 피식 웃고 말았다.

"우리가 이렇게 대면하는 건 처음인가?"

"그렇습니다."

"형님께선 몇 번 연무장 구경도 가셨는데, 그간 나는 너무 소홀했군."

말 그대로 '구경'이었다. 장남 에이드리안은 어릴 적에 어머니에게 등 떠밀려 사병 훈련을 두어 번 관람하곤 발길을 뚝 끊었다.

"아닙니다. 지금이라도 불러 주셨으니까요."

집안 분위기가 워낙 학구적이고, 칼스버그 대공도 도통 관심이 없어서 사병 양성은 그저 형식뿐이었다. 그나마 지금 이렇게 유지되는 건 전부 에반스 혼자만의 노력이었다.

"사병단의 상황은 어떤가?"

"예?"

"칼스버그의 사병들은 수도에 가도 창피하지 않을 수준인가? 경의 판단이 궁금하군."

순간 에반스의 눈에 반짝 빛이 돌았다. 현재 수도에 주둔하는 건 제국 기사단과 쿠피히트 사병단뿐이었다. 그레이엄 황가와 동맹을 뛰어넘은 군부 공동체를 이룬 건 공작가 중에서도 쿠피히트 가문이 유일하기 때문이었다.

'도련님께서 설마 거기까지 생각하시는 걸까?'

황실과의 군부 공동체. 그런 관계는 득도 있고 실도 있다. 황가에 절대적인 신뢰를 받는다면 득이겠고, 신뢰를 받지 못한다면 사병만 헌납하는 꼴이었다. 명예는 얻겠지만 그뿐이었다.

황가의 신뢰를 얻으려면 대가를 치러야 한다. 최초의 여성 황제였던 아스트리드 그레이엄, 즉 그레이엄 2세와 로미오 쿠피히트가 국혼을 치르며 두 가문은 군부 공동체가 되었다.

당시 로미오 쿠피히트는 유일한 아들인데다 적법한 상속 후계자였음에도 모든 걸 포기하고 부마가 되는 큰 대가를 치렀다.

'한데 도련님은 어떻게 황가의 신뢰를 얻으시려는 거지……?'

게다가 알렉산드로는 이미 황실의 부름을 거절한 전적이 있지 않은가. 에반스는 갑작스런 도련님의 제안에 너무나 얼떨떨하여 대답할 타이밍을 놓쳤다.

"아, 현재 우리 사병단은…….."

서임까지 받은 기사로서 개인적인 욕심이 없는 것도 아니었다.

'수도로 간다.'

꿈같은 일이다. 더군다나 황실과 군부 공동체가 되어, 제국 기사단과 어깨를 나란히 하는 칼스버그 사병단의 단장!

'내가 그렇게 된다고……?'

주체할 수 없이 가슴이 뛰었다. 거기까지 가려면 여러 걸림돌이 있다는 걸 알면서도 에반스는 벌써 수도에 가 있는 자신의 모습을 상상했다.

'알렉산드로 도련님이라면 가능하다.'

드미트리 사건을 비롯하여 그의 추진력과 대담함을 눈앞에서 목격한 에반스는 알렉산드로를 무한히 신뢰했다.

그는 현재의 병력과 사병의 수준을 가감 없이 털어놓았다. 칼스버그 사병단은 '남부의 수호대'라는 별명이 있을 정도이니 창피할 수준은 절대 아니었다.

"하지만 도련님, 무력이라면 반도라스 가문도 있고 안테노르 가문도 있는데 어떻게 우리 가문이 황실의 눈에 띄겠습니까?"

딴지를 거는 건 절대 아니었다. 순수하게 알렉산드로의 작전이 궁금했다.

게다가 이 많은 사병들을 이끌고 군홧발로 어떻게 수도에 입성할 것인가? 일단 그것부터가 문제였다. 황제의 허락 없인 절대 불가능했다.

"에반스 경."

"예!"

단단히 군기가 잡힌 대답에 알렉산드로의 얼굴에 씩 미소가 드리웠다.

"나와 야만족 토벌대에 함께 가지 않겠나?"

사안이 급한 만큼 백작저로 떠나는 짐은 빨리 꾸려졌다.

"마차는 이대로 안 되겠네. 창이 너무 훤하게 뚫려 있어. 어서 검은색 커튼이라도 달게!"

"예, 집사장님!"

집사장의 일사불란한 지도에 따라서 크고 튼튼한 마차도 준비되었다. 클로이는 백작저에 다녀오고 싶다는 자신의 한마디에 바쁘게 움직이는 공작성의 하인들을 보고 격세지감을 느꼈다.

"마님, 무사히 잘 다녀오셔야 합니다."

"걱정 말아요."

백작의 부고를 전하러 가는 만큼 최대한 간단하게 꾸몄는데도 공작성의 마차는 화려하기 그지없었다.

'도미닉 백작 부인이 지금의 날 보면 얼마나 놀랄까.'

세 번이나 도망친 그곳에 제 발로 찾아가게 된 클로이는 출발부터 사색에 잠겼다.

"피곤해서 그래?"

마주 보고 앉은 알렉산드로가 걱정하자 그녀가 옅은 웃음으로 그를 안심시켰다.

"피곤하긴요. 제가 뭘 했다고."

하지만 굳은 표정은 풀리지 않았다. 달리는 마차 안에서 일어난 알렉산드로는 곧장 그녀의 옆으로 자리를 옮겼다.

"이리 와. 나한테 기대."

자연스럽게 어깨를 안은 손이 그녀의 머리를 당겼다. 향기로운 냄새가 확 끼쳤다. 졸지에 남편의 단단한 가슴에 얼굴을 묻은 클로이의 귀가 벌게졌다.

고개를 들면 그의 목덜미에 제 입술이 닿을 자세였다. 클로이는 셔츠 사이로 보이는 장대 같은 쇄골과 툭 불거진 목젖, 깎은 듯 완벽한 턱선을 차례로 응시했다.

'가슴이 터질 것 같아.'

이렇게 멋있는 남자가 정말 내 남편인가? 너무 떨려서 간신히 몸을 떼어 내자, 알렉산드로가 그녀를 더 가까이 밀착시켰다.

"더 구경해."

"······."

눈치가 어찌나 빠른지, 살면서 이 남자를 한 번쯤 속일 수나 있을까. 영 불가능한 일 같았다.

"실컷 봤어요."

안 그래도 오래 가야 하는데, 몸이 닿아 있으면 심장에 무리였다. 스르르 그의 품에서 빠져나온 클로이는 빈 앞자리로 얼른 엉덩이를 옮겼다.

"저, 얼마 전에 기묘한 경험을 했어요."

분위기를 쇄신할 겸, 클로이가 말을 꺼냈다.

"어릴 때부터 어떤 남자의 목소리가 들렸다고 했잖아요? 항상 사랑 고백만 들었는데 어느 날부터 다른 말도 들리더라고요."

"다른 말?"

"네, 꼭 그 사람이 실재하는 것처럼 생생했어요."

순간 알렉산드로는 숨을 멈췄다. 그녀의 전생 기억이 떠오르는 게 아닌가 싶어서였다.

기대하지 말자. 그녀를 애써 힘들게 하지 말자. 그렇게 여러 번 다짐했건만 혹시나 하는 희망에 두근거림은 멈출 수 없었다.

"그 남자는 전쟁에 여러 번 참여한 기사인 것 같아요."

클로이는 그에게 들은 말들을 떠올리며 남자의 정체를 추측해 갔다.

"신분이 아주 높은 귀족이고, 또 저와 결혼했던 사이인 것 같고요."

"······."

"저를 세상에서 가장 사랑하는 남자라고 했어요."

알렉산드로의 목울대가 깊게 울렁였다. 기억을 되짚는 그녀의 얼굴이 밝았다.

사랑 고백뿐만 아닌 다른 말들이 들렸다…….

"그게 언제부터지?"

"저도 잘 생각해 봤는데, 정확히 당신을 만난 다음부터예요."

클로이가 배시시 웃으며 덧붙였다.

"아무래도 그 남자는 당신인 것 같아요, 알렌."

'몸에 점은 더 확인해 봐야겠지만…….' 하고 중얼거리는 그녀를 알렉산드로가 와락 끌어안았다. 놀란 클로이는 짧은 비명을 내질렀다.

"이, 이렇게 있으면 위험해요. 어서 앉으세요."

하지만 감격에 겨운 알렉산드로는 한참이나 그녀를 안고 있었다. 이윽고 억지로 몸을 떼어 낸 그의 눈가가 붉었다.

내심 충격받은 클로이는 또 우는 거냐고 묻는 대신 안쓰러운 시선을 보냈다.

그는 운명의 여인을 찾아서 제국을 떠돌았다. 그녀와 얼마나 사랑이 깊었기에, 형용할 수 없는 수많은 추억들을 지새웠기에 그렇게까지 했을까.

이 남자는 그 모든 걸 기억한다.

"전에 당신이 그랬잖아요. 전생에서 우리는 여러 번 입을 맞췄다고."

갈색 머리카락, 사파이어 같은 푸른 눈동자. 제 앞의 남자를 응시하며, 클로이는 또 다른 알렉산드로를 궁금해했다.

"전생에서…… 당신은 대체 누구였나요?"

"……."

하지만 굳게 닫힌 그의 입술은 열리지 않았다. 과거와 현재를 오가는 시선은 깊고도 처연했다.

알렉산드로 그레이엄.

제국을 건설한 역사 속의 위인.

'너에게 나는 그레이엄 1세가 아니었다, 베아트리체.'

제 이름을 말하는 건 아무 의미도 없었다. 세상 모두가 그레이엄 1세를 알지만, 외로움에 사무쳐 죽음만을 기다리던 남자 알렉산드로를 아는 건 오직 베아트리체뿐이었다.

그녀에게 그는 첫사랑이었고, 목숨을 바친 남자였으며, 그녀가 낳은 두 아이의 아버지이자 유일한 사랑이었다.

씁쓸했다. 그녀가 이름만 아는 건 정말이지 무의미했다. 알려 준다고 전생의 기억이 돌아올 리도 없고, 다른 사람도 아니고 자신이 '그레이엄 1세'였다고 주장하는 건 미쳤냐는 의심만 받을 뿐이었다.

"……전에 나를 대공님이라고 부른 적이 있어. 기억하나?"

클로이는 작게 고개를 흔들었다.

"아니요, 제가 그랬나요? 왜 그랬지……."

그의 기대를 깨긴 싫지만 솔직히 기억나지 않았다. 아마 무의식 중에 나온 말인 듯싶었다.

'내가 왜 대공님이라고 불렀을까?'

조심해야겠다. 누가 들었을까 무서웠다. 이 얼마나 건방진 소리인가. 아직 칼스버그의 후계자라고 공표받은 것도 아닌데.

"기억나지 않으면 됐다. 괜찮아."

그렇게 말하는 표정은 조금도 괜찮지 않아 보였다. 클로이는 이유도 모른 채 그가 안쓰러워 제 뺨을 만지는 손을 턱 붙들었다.

"내가 모르는 것들, 꼭 기억해 낼게요. 당신이 누구였는지도요."

알렉산드로는 무리하지 않아도 된다고 그녀를 위로했다.

"나만 몰라서 미안해요."

"상관없다. 어쨌든 내가 사랑하는 여자라는 건 변함없으니까."

다정한 말에 클로이의 눈썹이 축 늘어졌다.

"정말 미안……."

씩 웃은 그가 미안함에 어쩔 줄 모르는 그녀의 입술을 삼켰다.

쉬지 않고 달리던 마차가 멈췄다. 여덟 마리나 되는 말에게 물을 먹이기 위해서였다. 덕분에 두 사람도 나무 그늘에 앉아 짧은 휴식을 취했다.

"백작 부인은 어떤 사람이지?"

다가올 폭풍을 예감하며 알렉산드로가 물었다.

"계모예요."

짧은 대답이지만 그것만으로 충분했다.

"누구나 예상할 수 있는 악독한 계모."

의붓어미라고 모두가 백작 부인 같은 건 아니었다. 하지만 클로이의 의붓어미는 그랬다.

"친어머니에 관해서 물어도 될까."

"그럼요."

공작성과 다르게 단둘뿐이라 자연스레 대화를 나눌 기회가 늘었다. 알렉산드로의 계획대로였다.

"친어머니는 제가 아주 어릴 적에 돌아가셨어요. 말을 안 듣고 속만 태워서……."

쉽게 말을 잇지 못하던 그녀가 천천히 지난 일을 털어놓았다. 고생만 하다 돌아가신 어머니를 떠올리면 안타까운 마음뿐이었다.

글도 읽을 줄 모르는 평민 출신 하녀라고 알려져 있지만 외할아버지는 사실 몰락 귀족이었다.

"찢어지게 가난했대요. 외할아버지께선 땅도 팔았고, 집도 팔았고, 가문의 족보도 팔았고…… 그리고 딸도 팔았어요."

노예 제도는 없지만 돈은 여전히 사람을 사고팔았다. 주인의 집에서 돈을 다 갚을 때까지 일을 해야 하는 하인들은 노예나 다름없었다.

"세상이 너무 불공평하다는 생각을 자주 했어요."

그녀의 표정이 점점 어두워질 때쯤, 마부들이 다가왔다.

"도련님, 다시 출발할 준비가 끝났습니다."

"수고했다. 이만 가지."

알렉산드로는 내심 다행이라 생각하며 그녀를 일으켜 주었다.

"들을 얘기가 많겠군."

"시간은 많으니까요."

애써 미소 지었지만 알렉산드로는 속이 따끔했다. 어이가 없었다. 기억은 없어도 그녀는 베아트리체와 똑같았다. 혁명적인 그 생각마저 일치했다.

'불공평?'

다른 이가 들었다면 큰일 날 소리였다. 사람 사이에 평등이 어디 있단 말인가! 이 신분제 사회에서!

'……아버지와 의견은 잘 맞겠군.'

전생의 칼스버그 대공은 병들어 죽기 전까지 평등한 세상을 꿈꾸다 갔다. 던칸은 그를 벌하지도 못하고, 먼 곳에 보내는 게 전부였다. 하지만 거기서도 이상한 책을 써서 몇 번이나 황궁을 뒤집어지게 만들었다.

알렉산드로는 제 후대에서 괘씸죄로 그의 무덤이 파헤쳐질까 봐 사면권도 주고, 대공이라는 작위까지 하사했다. 그런데 그 칼스버그 대공의 후손들이 또 같은 생각들을 하고 있으니, 환장할 노릇이었다.

변화는 불만을 가진 사람에게서부터 시작된다.

'세상이 불공평하다…….'

전생의 책사에게서, 아내에게서 귀에 못이 박히게 들었던 말이라 알렉산드로는 별스럽지도 않았다.

"하아."

"웬 한숨이세요?"

"아무것도."

자신이 황실의 기사가 되어 황제와 가까워지면 다시 어떤 삶을 살게 될지, 알렉산드로는 어렴풋이 직감했다.

일주일간의 여정은 길지 않았다. 두 사람은 옆에 앉아서 상대를 구경하고, 서로가 얼마나 아름다운지 매시간 감탄했다. 종종 마주

보며 대화를 나누다가 마음이 맞으면 두 사람은 입도 맞췄다.

커튼을 열고 지나가는 풍경을 바라보다가 날아오는 서로의 향기에 취하기도 했다.

그렇게 두 사람은 백작저에 도착했다.

불길한 야밤이었다. 저택은 쥐죽은 듯 고요하고, 일하는 사람은 아무도 보이지 않았다. 심지어 마구간에 마부도 한 명 없었다.

"다들 잠들었나 봐요."

"그런가 보군."

너무 늦은 시각에 도착한 탓이었다. 그래도 그렇지, 맞아 주는 하인이 어떻게 아무도 없단 말인가? 개미 한 마리 얼씬거리지 않는 스산한 저택에 도착한 알렉산드로는 그녀가 창피해할까 봐 티내진 않았지만 난감했다.

대문이 열려 있는 것도 이상한 일이었으나 차라리 다행이라 여길 뿐이었다. 아무도 없는 마구간에 여덟 마리나 되는 말을 묶어 두어야 했다. 알렉산드로는 흔쾌히 함께 온 마부를 돕기로 했다.

그사이 클로이는 저택 안으로 향했다. 인기척이 없는 복도는 을씨년스러울 만큼 조용하고, 술 냄새인지 이상한 냄새가 코를 찔렀다. 아무래도 계모가 술을 마시고 난장판을 만든 게 아닌가 싶었다.

'호위는 어디 갔지?'

의아한 얼굴로 층계를 오르던 클로이는 반가운 얼굴을 마주쳤다.

"어머, 레이첼 아가씨!"

함께 자랐던 시녀, 아델이었다. 클로이를 반겨 주는 건 그녀뿐이었다.

"세, 세상에. 못 알아볼 뻔했어요. 여긴 어쩐 일이세요?"

컴컴한 계단에서 양초도 없이 마주친 아델의 목소리는 어딘가 불안하게 들렸다.

이 야밤에 웬 커다란 물통을 들고 있는 것도 이상했다. 클로이는 손에 든 랜턴으로 아델의 표정을 살폈다. 울긋불긋, 누구에게 맞았는지 뻔한 얼굴이 사색이 되어 있었다.

"백작 부인은 주무시니? 유모는?"

"……."

아델이 당황하여 말을 잇지 못하는 사이.

쪼르륵, 하고 물 흐르는 소리가 들렸다. 랜턴을 비춰 보니 아델이 든 커다란 물통에서 물이 줄줄 새고 있었다.

순간 뒷골이 싸늘해졌다. 불길한 예감이 전신을 강타했다.

당장 눈물을 떨굴 것처럼 절망한 아델과 눈이 마주치자, 클로이의 심장이 쿵 내려앉았다.

"그거 물이 아니구나."

그녀의 직감에 아델은 놀란 기색조차 없었다. 그저 오랫동안 벼랑 끝에 서 있던 사람처럼, 곧 닥쳐올 죽음을 수없이 각오한 사람처럼 담담히 되물을 뿐이었다.

"아가씨…… 왜 하필이면 오늘 오신 거예요?"

"도련님, 뭔가 이상한 느낌이 듭니다."

말에게 먹일 여물과 깨끗한 물을 찾던 마부가 마구간을 돌고 오더니 머리를 긁적였다.

"여물은 죄다 헤쳐져 있고 물은 길어 온 그대로 밖에 놔두고. 아니, 마부들이 일도 마치지 않고 다 어딜 갔을까요? 술이라도 퍼먹으러 갔나?"

"……."

"마님의 친가이니 이런 말을 하긴 좀 그렇지만 뭔가 찝찝합니다."

그때 알렉산드로가 잠궜던 말의 우리를 다시 열며 말했다.

"말들을 데리고 저택을 나가."

"예?"

뭔가 일이 벌어지고 있다. 저택을 감싼 자욱한 안개에 미미한 향이 맡아졌다.

"누군가 수면향을 풀었다. 밤안개인 줄 알았는데 전부 연기였군."

"네에?"

마부는 펄쩍 뛰었다. 그때 밖에서 비틀거리는 인영이 마구간에 들어섰다.

"거기…… 거기 누구냐?"

잔뜩 술에 취한 목소리였다. 갈피를 못 잡은 다리가 이리저리 비틀거렸다.

"도둑, 말 도둑이냐? 푸흣, 잘못 찾아왔다!"

자문자답한 그가 헛웃음을 터뜨렸다.

"이 망해 가는 집구석엔 남은 말이 한 마리밖에 없거든. 뭔가를 훔치려거든 마님의 패물밖에 없지. 크흐흐."

말을 묶은 고삐를 다시 풀던 알렉산드로가 자신의 마부에게 싸늘히 명령했다.

"네가 여기서 보고 들은 건 무덤까지 안고 가야 할 것이다."

"예, 예! 물론입니다."

마부는 다급히 고개를 끄덕이곤 알렉산드로가 쥐여 준 고삐를 움켜쥐었다. 그사이 알렉산드로가 취객에게 다가가며 먼저 자신의 정체를 밝혔다.

"나는 칼스버그 공작의 아들 알렉산드로다."

"에……?"

취객은 눈을 비볐다. 뒤에 있는 거대한 말 여덟 마리와, 그보다 더 큰 위압감을 뿜내는 남자. 단번에 그 정체를 믿을 수밖에 없는 엄청난 존재감에 취객은 재빨리 고개를 수그렸다.

"아이고, 귀하신 분께서 여긴 무슨 일이십니까."

"부고를 전하기 위해서 내 아내가 된 레이첼과 함께 백작가를 방문했다."

"뭐, 뭐요?"

하지만 취객은 그가 칼스버그의 아들이라는 건 믿어도, 그런 자가 레이첼과 결혼했다는 사실은 믿지 않았다.

"푸하하하하하! 그 레이첼이 공작가 아들과 결혼했다니 내 평생 이렇게 웃기는 소리는 정말 처음 듣는군! 무슨 뚱딴지 같은 소리를 하는 거요?"

알렉산드로의 미간이 살며시 좁혀졌다. 취객은 눈치 없이 입을 나불거렸다.

"그 아가씨의 남편은 육십 줄에 가까운 노인네요. 내놓은 자식이라 마님께서 절대 그런 좋은 혼처에는 시집보낼 리가 없소."

그때 취객의 옆으로 다른 이가 나타났다.

"하암, 별관으로 간다는 게 글쎄 깜빡 나무 밑에서 잠들었군."

"이봐, 웃기는 소리니까 들어봐. 글쎄 저분께서 높으신 가문의 자제인데 레이첼과 결혼을 했다지 뭐야?"

"무, 뭐? 푸하하하하!"

순간 알렉산드로의 속에서 뭔가가 툭 끊어졌다. 아무리 그녀가 천대받는 자식이라 해도 귀족 영애인데, 일하는 마부들마저 이름을 막 불러 대는 게 영 마음에 들지 않았다.

어차피 이 백작저를 떠나면서 계모는 죽일 생각이었다. 저 버러지들까지 살려 둘 이유는 없었다.

"하인들이 다 글러먹었군."

배를 잡고 웃어 대는 둘을 향해, 자비 없는 그의 칼이 날아갔다.

"다 기름이니? 기름을 뿌린 거야?"

"……."

아델은 침묵을 고수했다. 인형처럼 굳어 버린 얼굴을 빤히 응시하던 클로이는 그 침묵에서 답을 찾았다.

"저택에 불을 지르려고 했어?"

왜 이런 선택을 했느냐는 물음은 굳이 던지지 않았다. 그녀의 발밑에도 끈적한 기름이 흥건했다.

"유모는."

애써 침착을 가장한 클로이가 주위를 둘러보았다.

"유모는 어디 있니?"

"유모님은……."

그때였다. 끼이익, 무거운 문이 열리는 소리가 울렸다. 두 사람은 동시에 복도로 고개를 돌렸다.

"……델, 아델!"

신경질적인 목소리에 클로이의 어깨가 움찔했다. 항상 화가 난 사람처럼 별것 아닌 일에도 소리소리 질러 대는 이 성난 목소리를 잊을 리 없었다.

"빠릿빠릿하지도 못해선 매번 시끄럽게 불러야 온다니까! 아델!"

계모였다. 이름이 불린 아델의 손이 덜덜 떨렸다.

"이 천한 종년 같으니! 밤중에 대체 어딜 간 거야?"

순간 아델의 눈빛에 광기가 스쳤다. 집안은 쫄딱 망했어도 아델 역시 귀족이었다. 저런 천대를 당할 이유가 없건만 계모는 자신의 아랫사람을 무조건 천대했다.

하물며 궁지에 물리면 쥐도 사람을 무는 법이거늘. 계모는 그간 자신의 언행이 누군가의 원한을 사리라곤 상상도 못했다.

"밤새 내 문 앞을 지키라고 했잖아, 이 빌어먹을 계집!"

분을 못 이기고 혼자 빽 소리치는 계모의 패악질이 심해지자, 흥분한 아델의 어깨가 오르락내리락했다.

"내가 갈게. 마침 백작 부인에게 전할 말도 있고."

여기서, 이렇게 죽을 순 없었다. 클로이는 제 손에 든 랜턴을 의식하곤 간신히 평정을 되찾았다.

"저 마녀에게 무슨 말을 하시려고요?"

"꼭 면전에서 해야 할 말이 있어."

클로이는 당장이라도 뛰쳐나갈 듯한 아델의 앞을 막아서며 그녀의 옷차림을 훑었다.

"기름이 다 묻었으니 일단 드레스를 벗도록 해."

차분한 목소리에 아델의 눈망울에 눈물이 차올랐다.

"상관없어요!"

그녀가 상처 입은 야생동물처럼 날카롭게 소리쳤다. 어릴 적 마냥 순하고 착하기만 했던 그때의 눈빛이 떠올라 클로이의 가슴 한구석이 찌릿했다. 궁지에 몰려 이런 선택까지 하게 된 아델이 안쓰러웠다.

사람을 얼마나 괴롭혀 댔으면…….

"왜 상관없어? 복수만 하면 끝이야? 네 인생은 없니? 어서 벗어!"

클로이가 작게 그녀를 다그쳤다.

"분노는 이해해. 이 집에서 유일하게 널 이해하는 사람이 있다면 그건 나야. 널 데리고 갈게. 내가 너를 책임질 테니, 제발."

그럴수록 아델의 감정은 극에 달했다. 그녀가 눈물을 쏟으며 소리쳤다.

"아가씨가 어떻게 날 책임지겠어요. 다…… 다 싫어요! 지긋지긋하다고요! 죽여 버릴 거야! 전부 다 죽여 버릴 거예요!"

"제발 진정 좀 해!"

클로이는 계단에 기름을 뿌려대는 그녀에게서 물통을 빼앗아 멀리 두었다. 아델은 종잇장처럼 쓰러져 서러운 울음을 터뜨렸다. 다가가 눈높이를 맞춘 클로이가 차근차근 아델을 설득했다.

"마구간에 내 남편이 와 있어. 그 사람에게 가서 자초지종을 설명하렴. 널 도와줄 거야."

"나, 남편이요? 그럼…… 그럼 설마 공작가의 장남과 결혼하셨다는 그 소문이 사실이에요, 아가씨?"

백작과 계모를 곁에서 직접 수발했던 만큼 아델은 밖의 하인들보다 많은 걸 먼저 알고 있었다.

"그래. 저택을 나갈 때까지 절대 경거망동하지 말고 그 사람을 찾아가. 알았니?"

아델은 작게 고개를 끄덕였다. 함께 구박데기 신세였던 자신은 아무 힘도 없지만 제 남편이라면 믿을 만하다고 여긴 모양이었다.

"사람들이 저택을 나갈 때까지 절대 불을 지르면 안 된다. 난 살고 싶어."

클로이는 겉옷을 벗었다. 다행히 안에 받쳐 입은 가벼운 드레스 자락에만 살짝 기름이 젖어 있었다.

"거기 웬 쥐새끼들이냐?"

순간 계단 위에서 들린 목소리에 두 사람의 행동이 뚝 멈췄다.

"지금 무슨 작당을 하고 있는 거지? 이 야밤에, 교양 없이!"

어두워서인지 계모는 계단 아래서 두 사람이 옥신각신하는 이유를 전혀 알지 못했다.

"너! 거기서 노닥거리지 말고 어서 내 침실 변기를 치우고 술을 더 가져와!"

가만 들어보니 살짝 혀가 꼬부라진 목소리였다. 그녀를 다른 시녀로 착각까지 했다. 클로이는 치맛자락을 살짝 들고 계단을 올라갔다.

"저예요, 백작 부인."

랜턴을 든 손을 들어 올려 제 얼굴을 보이자 계모의 눈이 번뜩 커졌다.

"아니, 너……."

예상치 못한 등장에 술기운이 싹 가신 모양이었다.

"그이랑 같이 온 거니?"

공작성으로 떠났던 제 남편이 돌아온 줄 알고 계모의 얼굴이 확 밝아졌다.

"아니요."

"그럼 우리 그이는……."

별안간 못 볼 걸 본 듯 표독스런 눈매가 가늘어졌다.

"세상에 이게 다 뭐야?"

급히 한걸음 가까이 다가온 계모의 시선이 클로이의 머리부터 발끝까지를 살살이 훑었다. 척 봐도 비싸 보이는 원단에, 레이스가 가득한 세련된 드레스, 반지, 목걸이, 귀걸이…….

"네년이 우리 가문의 명예에 똥칠을 하고 도망가선 쿠피히트 공작가에 시집갔단 얘기는 들었다만, 그새 아주 화려해졌구나?"

"참 여전하시네요. 건강하셨어요?"

"하!"

계모가 요란하게 코웃음을 치며 불쑥 클로이의 손을 끌어당겼다.

"어디 좀 보자."

커다란 결혼반지를 내려다보는 시선이 결코 곱지 않았다.

"너 아주 좋은 걸 받았구나?"

그러면서 반지를 빼 가려는 거친 손길에 클로이는 잽싸게 잡힌 손을 빼냈다.

"체통을 지키세요, 백작 부인. 명예가 있는 가문이잖아요."

네가 감히? 하는 눈으로 세차게 노려보던 계모는 마음을 달리 먹었는지 턱을 치켜들었다.

"······그래, 네가 여긴 웬일이니? 이제 와서 친정이 필요해진 거냐?"

"아뇨, 그럴 리가요. 전 부고를 전하러 왔어요."

"부고?"

클로이는 계모를 직접 대면하기 전까지만 해도 백작의 처참한 죽음이 안쓰러웠다. 하지만 더는 아니었다. 계모는 마지막 남은 그녀의 죄책감까지 싹 가져갔다.

"백작님이요."

순간 표독스런 눈매가 가늘어졌다.

"백작님이 돌아가셨어요."

"뭐······ 뭐라고?"

"집으로 돌아가시던 길에 강도를 만나 끔찍한 죽음을 맞이하셨대요."

"아니야, 아닐 거야. 그이가······ 우리 그이가 그랬을 리 없어!"

"온몸의 거죽이 뒤집혀 죽었다더라고요."

큰 충격에 계모가 비틀거렸다.

"제 남편에게 지참금을 어마어마하게 요구했는데, 그 많은 돈을 가져가다가 강도들의 표적이 됐나 봐요."

전혀 예상도 못한 듯 계모의 입술이 파들파들 떨렸다. 저렇게 사색이 된 얼굴은 처음이었다.

"아아."

현기증이 일었는지 계모가 쓰러질 듯 벽을 붙들었다.

"어서 부축하지 않고 뭐 해?!"

물론 클로이는 들은 척도 안 했다.

"사실 자업자득이라고 생각해요. 아마 강도단이 아니었더라도, 영지민에게 돌을 맞아 죽었을 거예요. 그렇죠?"

그러자 계모가 스르르 고개를 들었다. 분노에 휩싸인 눈이 희번덕거렸다.

"이…… 이 천한 이 종년의 자식! 키워 준 은혜도 모르는 발칙한 년!"

계모는 목에 핏줄이 설 만큼 악에 받쳐 소리쳤다.

"다 너 때문이야! 네년을 거둬 주고 먹여 주고 재워 주는 게 아니었어! 네 어미 아비가 죽을 때 너도 죽여 버렸어야 했어!"

"그렇게 후회되면 내가 이미 죽었다고 생각해요. 이 집안에 더는 없는 사람이라고 생각하라고요! 나도 당신이 기껍지 않았으니까!"

"이, 이 패륜아 자식! 네가 결혼을 했다고 감히 나를 이렇게 대해?! 레이첼, 그래 봤자 너는 천한 종년의 자식이야!"

"난 레이첼이 아니에요. 당신이 지어 준 그 이름으로 더는 살지 않기로 했으니까!"

"하, 잘난 척하는 건 네 어미를 똑 닮았구나?"

"당신 때문에 난 평생 저주받은 것처럼 살아야 했어!"

순간 계모의 눈이 번뜩였다. 괴물처럼 벌떡 일어선 그녀가 클로이의 머리채를 휘어잡았다.

"아!"

"네년 때문에 난 평생 고통받았어! 알아?! 네 년을 죽여 버릴 거야!"

뺨을 때리려고 손을 들어 올리는 그 순간이었다. 계모의 뒤에 검은 그림자가 졌다. 머리 위로 보이는 건 돌이었다. 계모가 아껴 마지않는 보석처럼 빛나는 작은 암석.

펙!

"아악!"

커다란 돌에 머리를 맞은 계모는 단번에 옆으로 쓰러졌다.

"감히 죽은 우리 아가씨를 욕하고, 아기씨까지 괴롭혀?"

"유모."

클로이가 넋 나간 얼굴로 중얼거렸다. 씩씩거리던 유모는 분이 풀리지 않았는지 꿈틀거리는 계모를 돌로 한 번 더 내리쳤다.

"악!"

"그래, 네년이 비싸 보인다고 좋아하던 바로 그 돌이다. 이 돌에 맞아 죽었으니 아주 여한이 없겠지, 응?"

사방에 피가 튀고 더는 움직임이 없었다. 계모는 본인이 가장 사랑하던 수석에 목숨을 잃었다.

"어휴, 이 돌을 찾아오느라 한참 걸렸지 뭐예요."

확인사살까지 마친 유모가 피 묻은 돌을 던져 버리고 푸근한 얼굴을 들었다.

"아기씨, 잘 지내셨어요? 이런 상황이라도 우리 아기씨 얼굴을 보니 반갑고 좋네요."

"……."

클로이는 놀란 숨을 들이켰다. 가슴이 쉽게 진정되지 않았다.

"유모. 나, 나도 반가워."

"아기씨가 하필 이런 날에 오셔선 못 볼 꼴을 보였네요."

"아델하고 둘이서 계획한 거야?"

"그럼요."

"사람들은? 하인들은 다 어디 갔어?"

"술을 잔뜩 먹이고 별채에 재웠어요. 문을 잠궈 놔서 아무도 못 나와요."

뒤에서 비척거리던 아델이 일어서며 대신 대답했다.

"다들 제정신이 아닐 거예요, 아마."

"넌 왜 아직도 거기 있니? 마구간에 가라니까!"

"죄송해요, 아가씨. 백작이 죽었다길래 너무 신나서 잠깐 얘기만 듣고 가자는 게 그만…… 정말 거죽이 다 뒤집어져서 죽었나요?"

"맞아."

유모와 아델은 시선을 교환하곤 깔깔거리며 웃었다.

"그 꼴을 봤어야 하는데!"

"그러게 말이다!"

둘 다 제정신이 아니었다. 혼자 사색이 된 클로이는 치맛자락을 붙든 손을 단단히 했다.

"어서 나가자. 온 저택에 기름이 범벅이던데 불이라도 붙으면 큰일이야."

유모와 아델의 손을 잡아끌었지만 두 사람은 꿈쩍도 안 했다.

"아기씨만 얼른 나가세요."

"뭐? 유모는?"

"전 이 집이 불타서 검은 재만 남는 걸 이 두 눈으로 지켜 볼 겁니다."

클로이가 멍한 얼굴로 유모를 응시했다. 그녀는 모든 회한이 담긴 얼굴로 죽은 계모를 내려다봤다.

"벌 받을 사람은 벌을 받아야지요. 신께선 바쁘시니 내가 대신

하렵니다."

그러면서 유모는 계모의 시신에 기름을 뿌리기 시작했다. 이미 유모의 옷에도 기름이 흥건했다.

"이러지 마, 유모. 나랑 같이 가. 내가 데려갈게, 응?"

클로이가 애원했지만 유모는 단호히 고개를 저었다.

"이곳에서의 추악한 기억은 다 잊고 새 인생을 사세요, 아기씨."

어차피 레이첼이 공작가 아들과 결혼했다는 소문은 아무도 안 믿었다. 이 저택이 불타면 가족들은 전부 죽었다고 알려질 것이고, 도미닉 백작가는 영영 사라질 것이다.

"그럼 레이첼 도미닉을 기억하는 사람은 아무도 없을 거예요."

"전부 다 죽일 셈이야? 하인들까지?"

"다들 방관자들이잖아요."

아델은 당연하다는 듯 담담했다.

"우리가 학대받는 걸 방관했고, 조롱했어요. 아무도 살려 두지 않을 거예요."

경악한 클로이의 얼굴을 보고 아델이 쓸쓸하게 웃었다.

"착하고 마음씨 여린 우리 아가씨. 이럴까 봐 아가씨가 영원히 돌아오지 않기를 바랐는데……."

남에게 싫은 소리 못하고, 남을 해치는 건 더욱 못하는 여리디여린 성정.

그녀가 살아 있다면 멀리서 풍문으로만 전해 듣길 바랐다.

'지독하게 영지민을 착취하고 괴롭히던 도미닉 백작가가 먼지 한 톨 남기지 않고 불타올라 전부 사라졌더라' 하는 소문으로. 안 그랬다면 마음 아파했을 게 뻔하니까.

"아가씨는 제게 정말 잘해 주셨어요. 절대로 잊지 못할 거예요."

"그래요. 어서 저택을 나가세요, 아기씨. 이 눈앞에 있는 걸 보니 내 마음이 너무 쓰립니다. 다신 이곳에 돌아오지 말고, 도미닉이라는 이름도 다 잊어버리고, 새 출발을……."

유모가 눈물을 찍어 내는 순간 찌이익, 옷 찢는 소리가 들렸다. 놀란 아델의 눈이 휘둥그레졌다.

"아가씨, 지금 뭐 하시는 거예요?"

"내 사람들이 죽는 건 절대 두고 볼 수 없어."

클로이는 기름이 묻은 제 치맛자락을 반절이나 찢어내고, 치렁치렁한 부분을 전부 찢어 입과 코를 가렸다.

"나처럼 해. 연기를 마시면 안 되니까."

"네?"

"두 사람은 반드시 살아남아야 해. 그래야 이 거대한 화재가 어떻게 일어났는지, 누가 죽었는지 증인이 될 테니까."

저택이 전부 불탈 만큼 큰 화재가 난다면 의심할 거다. 특히 도미닉 백작이 속해 있는 안테노르 공작령에서 사람이 내려와 가솔들의 안위를 추적할 게 분명했다.

그렇게 되면 클로이는 영영 백작가에서 벗어날 수 없었다.

"상단들에게 이미 내 이름이 들어갔어."

클로이는 합리적인 이유를 설명하며 아델과 유모를 설득했다.

"나한테도 복수할 기회를 줘."

클로이는 아직 미약하게 불빛이 반짝이는 자신의 랜턴을 들어올렸다.

"안 됩니다! 우리 아기씨 손을 더럽힐 순 없어요!"

"맞아요, 아가씨! 저와 유모가 계획한 일이잖아요!"

두 사람이 절대 반대라고 고개를 내저었다. 하지만 클로이도 물러서지 않았다.

"두 사람은 살아서 나갈 생각이 없는 거잖아!"

"그건, 그건 그러니까……."

그때 유모가 눈물을 글썽였다.

"아기씨를 이런 흉측한 일에 끌어들이고 싶지 않았는데."

울음 섞인 그 목소리에 아델은 별안간 정신을 차린 듯 클로이의 손에 있던 랜턴을 낚아챘다.

"아델!"

"아가씨는 가세요!"

"싫어! 나는 너도, 유모도 포기하기 싫어!"

"안 돼요! 아가씨라도 어서……!"

등을 떠밀고 몸싸움을 하는 사이, 아델은 그만 랜턴을 손에서 놓치고 말았다.

저 멀리 계단 아래로 날아가 철퍽 깨지는 랜턴이 세 여자의 눈에 느리게 보였다. 희미한 불꽃은 바닥에 닿는 순간 폭발이라도 하듯 거대한 불길이 되었다.

"꺄악!"

"옷을 벗어! 어서 옷을 벗으라고!"

유모와 아델은 코앞에 들이닥친 화마에 놀라선 얼른 기름 묻은 옷을 벗었다. 하필 계단 밑 1층부터 불이 나선 아래로 도망갈 수도 없게 되었다.

"어, 어떡하죠? 어쩜 좋아요?"

클로이는 대답 대신 두 사람의 손을 붙들고 불의 반대 방향으로 뛰었다. 한데 불길이 어찌나 빠른지 벌써 뜨거운 기운이 느껴지고 매캐한 연기가 코끝을 감돌았다.

"쿨럭!"

달리던 아델이 심한 기침을 시작했다. 클로이는 두 여자를 이끌고 3층 가장 구석에 있던 자신의 침실로 향했다. 하지만 방문은 굳게 잠겨 있었다.

"비키세요, 저한테 키가 있으니까."

문을 덜컹거리던 클로이를 제치고 유모가 주머니를 뒤적거렸다.

"빌어먹을 것들이 아기씨 방을 뒤질까 봐 내가 갖고 있었답니다."

급히 문을 열고 들어가자 적막한 그녀의 침실이 기억 속 모습 그대로 세 여자를 반겨 주었다.

"어서 문을 닫아. 우리는 창문 밖으로 담을 타고 내려가면 돼!"

클로이는 이 저택에서 세 번이나 도망친 경험이 있었다. 제 침실에서 창문 밖으로 나가는 길을 잘 파악해 둔 덕분이었다.

그녀가 불쑥 침대 밑으로 손을 뻗었다.

"여기 있다."

밧줄처럼 이용할 수 있는 천 묶음이었다. 계모가 바느질 일을 시킬 때마다 자투리 천을 모아서 만든 것이라 여유분이 넉넉했다.

클로이는 익숙하게 천을 한쪽 침대 모서리에 묶고, 다른 쪽은 아델의 허리에 묶었다.

드르륵, 창문을 열자 그녀의 말대로 밟고 내려갈 만한 난간이 보였다.

"너무 무서워요, 아가씨."

"타 죽는 것보단 나으니까 어서 내려가. 유모도 가야 하고, 나도 내려가야 해! 불길이 번지기 전에 어서!"

클로이는 아델의 등을 떠밀었다. 하는 수 없이 아델은 울먹이며 창문 밖으로 몸을 내밀었다.

"세상에 우리 아기씨 이제 다 컸군요……."

유모가 다른 의미로 감탄하는 동안 클로이는 다른 천을 꺼내 유모에게 묶었다.

"쿨럭."

복도에서 스며든 연기가 문 틈새로 들이닥쳤다. 닫힌 나무문 아래가 타들어 가는 게 보였다. 불길이 코앞이었다.

긴장으로 떨리던 가슴이 묵직하게 내려앉았다. 삶과 죽음의 경계에서 클로이는 어떤 후회도 없었다. 그저 문득, 알렉산드로가 보고 싶었다.

'내가 살아야 만날 수 있어.'

질끈 입술을 깨문 클로이는 유모를 묶은 천 끝을 반대쪽 침대 모서리에 묶었다.

"어서 내려가."

"아기씨가 먼저……."

"말싸움할 시간 없어. 얼른!"

클로이는 유모를 다그치며 창문 밖으로 떠밀었다. 얼핏 보니 눈을 꼭 감은 아델이 난간을 타고 반쯤 내려가 있었다.

"아델, 서둘러!"

불길은 1층 전체에 번져 있었고 유모의 발밑까지 다가와 있었다. 마지막 천을 찾아서 제 몸에 묶는 사이, 반쯤 잿더미가 된 나무문이 부서져 내렸다.

　창틀에 다리를 걸치려는데 뜨거운 열기가 확 끼쳐 왔다. 그 순간 불쑥 두려움이 차올랐다.

　'여길…… 내려갈 수 있을까?'

　화마가 난간을 집어삼킬 듯 넘실거렸다. 저 난간을 타고 내려간다 해도 불길 속이었다. 이도 저도 못하는 상황. 도저히 쉽게 발을 뻗을 수 없었다.

　"아가씨! 아가씨! 어서 내려오세요!"

　다 내려간 아델이 콜록거리며 소리쳤다. 그때 저택의 반대쪽 상층부가 무너져 내렸다. 거대한 소음과 먼지가 주위를 뒤덮었다.

　한참 쿨럭거리던 클로이는 애써 어지러운 시야를 두리번거렸다.

　'유모는 어디 있지?'

　마른침을 삼킨 클로이는 저절로 유모를 찾았다. 잘 내려갔을까. 혹시 죽은 건 아닐까. 사방이 화마에 가로막힌 불구덩이 속에서 가슴이 깊이 울렁였다.

　설마 이게 나의 마지막인가.

　'나는 여기서, 이렇게…….'

　울컥하는 뭔가가 목구멍을 넘어왔다. 알렉산드로가 사무치게 보고 싶었다.

　'그를 사랑해.'

　진심을 말했어야 했다. 이 간절한 마음을 고백했어야 했다. 북받치는 이 열렬한 감정을 그에게 솔직히 다 털어놓았어야 했다. 죽음이 눈앞에 닥친 이 순간 오직 그것만이 유일한 후회였다.

　뜨거운 창틀을 붙들고 있던 그녀의 손에 힘이 탁 풀렸다. 눈물인지 검은 연기인지 눈앞이 흐릿해졌다.

'그 남자를 보고 싶어. 마지막으로 딱 한 번만……'

환상일까? 넘실대는 불꽃 사이로 익숙한 모습이 보였다. 인영을 가늠하는 그녀의 눈가가 가늘어졌다.

알렉산드로였다. 그를 발견한 순간 클로이는 믿을 수 없이 마음이 놓였다. 마지막으로 그를 보았으니 됐다. 나는 이제 산 것이나 다름없다. 위험천만한 상황도 잊은 채 상반된 두 감정이 동시에 그녀를 안심시켰다.

"뛰어 내려!"

그때, 양팔을 넓게 펼친 그가 소리쳤다.

"나한테 뛰어 내려, 클로이!"

클로이는 조금의 두려움도, 의심도 없이 제 허리에 묶은 천을 풀었다. 뜨거운 벽을 꼭 붙들고 있던 그녀는 용기를 내서 창틀로 올라섰다. 다리는 후들거렸지만 더는 무섭지 않았다.

'그가 있으니까.'

언제나 내 옆에 있어 줄 사람.

나를 세상에서 가장 사랑한다는 남자.

클로이는 불길 속 알렉산드로를 향해 뛰어들었다.

눈알에 모래가 들어간 것처럼 뻑뻑했다. 클로이는 본능적으로 빛이 들어오는 곳을 향해서 눈을 움직였다.

섬뜩하고 두려운 목소리가 귀에서 메아리쳤다.

—죽여라.

서늘한 음성은 벌레를 잡아 죽이라는 것처럼 차분하고 담담했다.

—성문에 걸어 놓을 머리만 남겨.

그날은 그 남자와의 첫 만남이었다. 생면부지의 타인에게서 느껴
진 죽음의 공포가 클로이의 몸을 잠식했다.

'나를 사랑한다던 그 남자 아니었나……?'

꿈속인데도 실제처럼 생생했다.

—말이 죽으면 너도 죽는다.

지금의 이 목소리는 어쩐지 익숙했다. 안테노르령의 야산에서 밀
런과 알렉산드로를 처음 만났을 때의 그 목소리였다.

'이 남자가 정말 그 남자 맞구나.'

애절하게 사랑을 고백하던 그 남자는 처음엔 제 목숨을 파리처럼
하찮게 여겼나 보다. 서로를 알아가기 전까지는.

—내 이름을 불러라.

—나는 이제 대공도 아니고, 기사단장도 아닌데 굳이 존대할 이
유가 없지.

대공. 그리고 기사단장. 남자의 어마어마한 신분에 클로이의 전
신에 소름이 쭉 끼쳤다.

'그런 남자를 내가 사랑했다고?'

제국의 역사에 해박한 그녀는 단번에 이 남자의 정체를 알아챘
다. 대공이면서 동시에 기사단장이었던 남자는 제국사에서 그가
유일했다.

"알렉산드로······."

클로이는 신음하며 그의 이름을 불렀다.

'알렉산드로 그레이엄.'

현실과 꿈속을 오가던 그녀는 전생과 현생의 통로에서 자신이 사랑하던 남자의 이름을 기억해 냈다. 그와 자신의 고된 운명이 다시 시작된 이유도 알 수 있었다.

—다시 태어난다고 해도 또 너를 사랑할 것이다.

우리는 또 우연인 것처럼 만나, 다시 사랑하기 위하여 환생했다.

"······아기씨! 아기씨!"

근처 물가로 옮겨진 클로이는 영 정신을 차리지 못했다. 내내 담대하던 유모는 덜컥 울음을 터뜨렸다.

"으흑, 아기씨. 손녀까지 이렇게 가 버리면 제가 맥코웰 부인께 드릴 말씀이 없어요."

깨끗한 물을 적신 가제수건으로 클로이의 입과 코를 닦아 주던 알렉산드로가 순간 멈칫했다.

"대공님······."

꿈을 꾸는 것인지, 그 꿈속에서 저를 찾는지 그녀가 신음하며 알렉산드로를 불러 댔다.

"클로이? 클로이!"

평정을 유지하던 알렉산드로는 참지 못하고 그녀를 덜컥 끌어안 았다. 그러자 그의 귓가로 클로이가 앓듯이 중얼거렸다.

"알렌⋯⋯."

"여기 있어. 나 여기 있다, 네 옆에! 클로이!"

검댕이 묻은 그녀의 이마와 눈가를 조심스레 쓸어 주던 알렉산드 로의 속에서 뜨거운 감정이 울컥 솟았다. 그녀가 눈뜨지 못하고 사 경을 헤매는 모습에 알렉산드로는 눈물을 글썽였다.

가슴이 찢어질 것처럼 아팠다.

"제발 아프지 마라."

나를 기억하지 못해도 좋고, 아무것도 몰라도 상관없으니, 제발. 아프지만 마라.

할 수만 있다면 괴롭고 힘들고 아픈 건 제가 대신 짊어지고 싶었다.

"콜록콜록! 쿨럭!"

한참 기침하던 그녀의 손가락이 움찔거렸다. 정신이 돌아왔다는 걸 기민하게 알아챈 유모가 소리쳤다.

"아델, 어서 마실 물을 가져와라! 난 해독에 좋은 약초를 찾아올 테니까!"

"알았어요!"

유모와 아델이 급하게 사라졌다. 이윽고 클로이의 눈꺼풀이 바르 르 떨렸다. 알렉산드로는 숨죽인 채 그녀가 깨어나길 기다렸다.

긴 속눈썹이 드리운 눈꺼풀이 천천히 들어 올려졌다. 서로의 눈 이 마주치고, 클로이는 엷은 미소를 지었다. 너무나 보고 싶었던 그 남자가 제 눈앞에 있다.

"알렉산드로⋯⋯ 그레이엄."

유모와 아델, 그리고 알렉산드로와 클로이는 마부가 이끄는 마차를 타고 안테노르 공작가로 향했다. 현재로썬 적당한 휴식을 취하고 약을 얻기에 가장 가까운 장소였다.

"세상에, 우리 아가씨 지지리 복도 없다 했는데 남편은 정말 잘 만났네요. 저 팔뚝하며⋯⋯."

"어허, 우리 아기씨가 얼마나 복덩인데 그런 소리를 해?"

알렉산드로의 품에 안겨 있는 그녀를 보고 두 사람이 소곤거렸다.

"아까 보셨어요? 3층에서 떨어지는 우리 아가씨를 한 번에 끌어 안으시더라니까요!"

"봤다마다."

"정말 연애소설의 한 장면 같았어요."

두 사람이 신나서 떠드는 걸 뒤로하고, 기진맥진한 클로이는 마차의 창문을 가린 커튼을 열었다. 하늘은 검은 연기로 가득했다. 아직도 불길이 멎지 않았는지 저 멀리서 불그스름한 빛이 번쩍였다.

도미닉 백작가가 불타고 있었다. 지긋지긋한 악연도 이제 끝났다. 클로이는 단단한 가슴에 얼굴을 묻은 채로 눈을 감았다.

네 사람은 이틀간 안테노르 공작가에서 극진한 대접을 받았다. 공작은 수도에 가 있어 저택에 없었지만 대신 그의 장남이 이들을 대접했다.

　"그랬군. 백작 부인에게 악의를 품은 시종이 분신자살을⋯⋯."

　안테노르가의 장남은 솔직한 사람이었다.

　"이미 떠난 자에게 할 말은 아니지만, 도미닉 백작은 여러모로 유명한 사람이었지."

　유명세를 잘 알고 있던 듯, 그는 도미닉 가문의 식솔들이 모두 타죽었다는 걸 담담히 받아들였다.

　"한데 그 집안의 여식인 레이첼 도미닉과 쿠피히트가의 결혼은 사실인가? 상단주에게 들은 소식이다만, 영 믿기지가 않아서 말이지."

　"사실이 아니랍니다, 소공작님. 제가 바로 레이첼 아가씨의 유모였습니다."

　미리 말을 맞춘 대로 유모가 눈물을 찍어 내며 대사를 읊었다.

　"아가씨는 그분을 깊이 사모하셨답니다. 그리고 그분은 아가씨께 결혼을 약속하셨지만⋯⋯ 수도의 깍쟁이 같은 여느 영식들이 그렇듯 아가씨를 버리고 훌쩍 떠나 버리셨지요."

　"저런."

　"그분께 버림받은 아가씨는 얼마 전 혼자 백작저에 돌아오셨고, 제가 슬픔을 달래 드렸습니다."

"영애께서 얼마나 마음이 아팠겠소? 밀런 그자가 아주 몹쓸 남자로군."

안테노르가의 장남은 흥미진진한 이야기에 맞장구까지 치며 집중했다. 옆에서 듣던 알렉산드로는 밀런의 이름을 판 게 썩 미안했지만 그가 저질렀던 일들을 생각하면…… 이 정도는 아무것도 아니었다.

"그리고 며칠 전 야밤에 바로 그 일이 벌어졌습니다. 저와 이 하녀는 함께 창고 정리를 하고 있었는데, 그 덕분에 간신히 불길을 피할 수 있었습니다."

"식솔들은 모두 죽은 게 확실한가?"

"예, 저희 아가씨와 마님을 구하려고 했지만 아무리 소리쳐도 인기척이 없으셨습니다. 아마 주무시는 중에 불길에 휩싸여…… 으흑."

유모의 연기는 수준급이었다. 자신들을 의심할까 싶어 아델이 옆에서 말을 보탰다.

"그나마 여기 계신 칼스버그 도련님께서 마침 저희를 발견하시어 살려 주셨답니다."

안테노르가 장남의 시선이 자연스레 알렉산드로를 향했다.

저절로 주눅이 들 정도로 체격이 크고 키가 커서, 도저히 칼스버그 가문의 고운 도련님으로는 보이지 않았다.

"아, 혹시 차남이십니까?"

"그렇소."

차남은 수도에서 유명하다 했다. 그를 처음 만난 안테노르가 장남의 눈이 확 커졌다.

"난 백작의 부고를 알리러 온 길이었소."

"오, 이런……."

"칼스버그령의 접경 지역에서 사고를 당했으니 백작 부인에게 직접 부군의 부고를 알릴 의무가 있었소."

"의무라 할 수는 없지요. 무척 사려 깊으시군요. 한데 하필이면 이런 사고가 있어서……."

"이 두 사람의 심신이 지쳐 있소. 불길 속에서 백작 부인과 그 식솔을 살리려 애써 노력한 것을 내가 잘 아니 두 사람을 잘 살펴 주시오."

"알겠습니다. 도미닉 백작가는 저희의 권속인 만큼, 주인에게 충성한 이 두 사람에게 상이라도 내리지요."

"나 역시 먼 길을 오느라 피곤하오. 이만 쉬고 싶소만."

"마땅히 침실을 준비해 드리겠습니다."

안테노르가의 장남은 유능했다. 생전 처음 겪는 당황스런 상황에도 척척 일을 지시했다.

"백작가의 화재가 소멸되었는지 확인하고, 시녀장을 불러 칼스버그의 도련님과 이 두 사람이 쉴 만한 침실을 준비해라."

"나는 동행이 있소."

알렉산드로가 마차에서 쉬고 있는 클로이를 말했다.

"동행이라면……."

하인이라면 하인이라고 했을 텐데, 굳이 동행이라 말한 게 찝찝했다. 여자인지 남자인지, 그와 어떤 관계인지 몰라 안테노르가의 장남은 저절로 말끝을 흐렸다.

왠지 그에겐 캐묻기도 어려운 분위기가 있었다. 알렉산드로는 더 이상 묻지 말라 경고하듯, 다리를 꼰 채로 턱을 치켜들었다.

아내라고도 할 수 없고, 클로이의 이름을 마땅히 밝힐 수 없는 상황이라 짧게 고민하던 그가 대답했다.

"애인이오."

　도미닉 백작가의 불길은 쉽게 수그러들지 않았다. 하루를 꼬박 채웠다. 이튿날 오후에 내린 소나기로 그나마 불길이 잦아졌고, 안테노르 가문에선 그때서야 사람을 보냈다.

　정확한 정황을 파악하기 위함이었지만, 도미닉 백작가가 있던 자리에는 검은 재만 날렸다. 잿더미 속에선 아무것도 찾을 수 없었다. 근방을 수소문했으나 그 화마에서 살아남았다는 사람은 아무도 없었다. 유일한 생존자는 유모와 아델뿐이었다.

　두 사람은 도미닉 백작가에서 벌어진 일을 증언했고, 안테노르가의 장남은 그 증언을 토대로 기록을 남겼다.

　도미닉 백작저의 거대한 화재로 가문의 식솔은 전원 운명하였고, 재산은 일체 유실되었다.

　알림이 붙자 도미닉 백작 휘하의 영지민들은 이루 말할 수 없이 기뻐했다. 갈 곳 없어진 이들은 안테노르 가문의 보호를 받게 되었고, 농장과 땅은 안테노르 가문에 임시적으로 맡겨졌다.

그렇게 모든 걸 해결하고 칼스버그 공작성으로 돌아가는 길이었다.

흔들리는 마차 안. 클로이는 제 어깨를 감싼 남편의 잘생긴 얼굴을 물끄러미 응시했다.

'애인?'

풋. 저절로 웃음이 터졌다. 이 남자가 그런 말을 했다는 게 믿기지 않았다. 알렉산드로는 그녀를 애인이라고, 그렇게 소개했다. 덕분에 안테노르가에서 클로이는 극진한 대접을 받았다.

'그레이엄 1세였단 말이지?'

전생에 자신을 사랑한 그 남자가 그레이엄 1세였고, 또 그 남자의 환생이 눈앞의 이 사람이라는 게 도통 신기했다.

'역사 속 그분이 정말 이 남자처럼 잘생겼을까?'

이런 휘황찬란한 인물이 제국에 2번이나 태어나다니. 축복이었다. 물론 전생의 자신이 제국의 초대 황후였다는 것도 놀라운 일이었다.

'베아트리체 황후……'

그녀 역시 제국민의 사랑을 받는 위인이었다. 클로이 역시 초대 황후를 좋아했다. 그녀의 뛰어난 업적은 이루 말할 수 없을 정도였다.

혼자 역사를 공부하면서, 클로이는 그레이엄 1세와 초대 황후 휘하의 제국이야말로 황금기였다고 생각했다. 제국의 평화와 진보적인 정책들은 모두 그 당시에 이뤄졌으니까.

'귀족들의 정파 싸움에 대부분 휘발된 게 안타까울 따름이야.'

자신의 과거였던 그 시기. 안타깝게도 클로이가 떠올린 기억들은 알렉산드로 그레이엄에 관한 것뿐이었다. 그런데도 베아트리체 초대 황후를 자신의 전생으로 짐작하는 건 그레이엄 1세의 짝이 그녀뿐이었기 때문이다.

'왜 나에 대한 기억은 없을까.'

초대 황후 베아트리체는 특별한 사람이었다. 클로이는 그녀가 『약용식물도감』을 직접 집필했고, 호르헤 나나파가 그 책을 편찬했다는 걸 알고 있었다.

'평범한 귀부인의 행보는 절대 아니야.'

더군다나 베아트리체는 왕족으로 태어났다. 평생 엘파사 왕궁에서 손에 물 한 번 안 묻혔을 왕녀가 왜 그런 것에 관심을 가졌고 공부했는지 궁금했다.

어떤 생각을 가졌고, 어떤 미래를 꿈꿨으며, 그것을 이뤄 나갈 어떤 계획이 있었는지.

알렉산드로의 정체를 알게 되어 기쁘고, 이 사랑이 제 운명이라는 걸 확인받아 행복하지만…… 그게 전부는 아니었다.

'나, 과거의 베아트리체는 어떤 사람이었을까?'

내 기억도 되찾았으면 좋으련만. 전생에서 그레이엄 1세를 만나기 전에 자신은 어떤 삶을 살았을지 궁금했다. 알렉산드로를 볼 때마다 클로이는 그 생각에 골똘히 사로잡혔다.

"제가 공작성에 간다니! 아직도 안 믿겨요, 아가씨."

"우리 아기씨한테 누가 되지 않으려면 행실을 조심해야 할 거다."

"그럼요!"

유모와 아텔은 클로이가 거두기로 했다.

"우리 아기씨 옆에 이렇게 든든한 남편이 계셔서 이 유모는 무척 마음이 놓입니다."

유모는 알렉산드로를 무척 마음에 들어 하면서 동시에 안타까워했다.

"마님께서 살아 계셨으면 좋아하셨을 텐데……."

"유모는! 왜 자꾸 슬픈 분위기를 만들어?"

"죄송합니다, 아기씨. 나이가 드니 주책만 느는군요."

크흠, 헛기침을 하는 유모의 코끝이 붉었다. 알렉산드로는 숙연해진 분위기를 쇄신할 겸 주제를 돌렸다.

"그러고 보니 클로이를 맥코웰 부인의 손녀라고 칭하던데. 맥코웰 부인이 외조모인가?"

"그렇습니다. 도미닉 백작 부인은 우리 마님을 하녀라고 괄시했지만 사실 그분은 귀족이었답니다."

유모는 원래 클로이 모친의 시녀였다. 클로이의 모친은 도박 빚에 팔려 와 도미닉 백작저에서 일을 하게 되었고, 유모는 그녀를 따라 백작저에 왔다.

"맥코웰이라면…… 혹시 '그' 맥코웰의 방계인가?"

"아니에요."

"그건 아닙니다."

유모와 클로이가 동시에 손을 내저었다. 알렉산드로가 말하는 유명한 맥코웰은 공작 가문이었다. 지금은 대가 끊겨 사라졌다 해도 공작가를 사칭하는 건 중죄였다.

"공작가는 아니지만 마님의 가문은 여느 명문가 못지않게 점잖고 훌륭한 집안이었습니다."

조부가 그렇게 되지만 않았어도……. 유모는 뒷말을 흐렸다.

"저희 외할아버지는 원래 예지 능력이 있으셨대요."

알렉산드로의 눈에 놀란 빛이 돌았다.

"예지 능력?

"네. 어릴 때부터 예언을 하셨는데, 어느 날 그 능력이 조금씩 사라지기 시작했대요. 그래서 본인의 능력을 확인해 보려다가 도박에 빠져서……."

알렉산드로에게 뒷얘기는 들리지 않았다.

그가 아는 예언가는 두 명이었다. 줄리아 맥코웰, 그리고 자신의 누이였던 레나 맥코웰.

"조부님이 도박에 빠지기 전까지만 해도 그렇게 총명하실 수가 없었답니다. 우리 아기씨가 태어나기도 전에 이름을 지어 주셨을 만큼요."

"레이첼, 말인가?"

"아닙니다. 그건 돌아가신 백작님이 지어 주신 이름이고요."

"어릴 때는 조부께서 지어 주신 예명으로 불리다가, 어머니가 돌아가신 뒤부터 레이첼이라고 불렸어요."

알렉산드로의 얼굴이 짐짓 심각해졌다. 그녀의 어릴 적 예명이라면…… 분명히 기억난다. 그가 신음하듯 말했다.

"베아트리체."

"맞아요. 제가 전에 말씀드린 적 있었죠?"

그녀가 클로이라는 이름을 택할 때였다. 어릴 적 예명은 베아트리체라고 하여 어찌나 속이 철렁했는지 모른다.

"그걸…… 그 이름을 네 조부께서 지어 주셨다고. 태어나기도 전에?"

"그렇습니다. 심지어 마님께서 백작저에 오시기도 전이었지요."

유모는 그때의 일을 마치 어제 일처럼 생생히 기억했다.

"화창한 어느 날이었습니다. 조부께서 갑자기 마님을 부르시더니 '얘야, 너는 단명할 거고 자식은 딸 하나밖에 낳지 못 한단다' 하시지 뭡니까?"

클로이는 유모에게 이 얘기를 귀에 딱지가 앉도록 들었다.

"그래서 마님께서 잔뜩 화를 내셨어요. 그랬더니 조부께서 껄껄 웃으시면서 '네 아이의 이름은 베아트리체라고 지으럼' 하셨답니다."

"……."

알렉산드로는 그만 할 말을 잃고 말았다.

맥코웰의 이름을 가진 예언가. 그가 태어나지도 않은 손녀에게 베아트리체라는 이름을 지어 주었고 '진짜' 베아트리체가 태어났다. 이 모든 게 우연일까? 아니, 우연일 확률이 더 희박했다.

아무리 봐도 클로이의 외가는 공작가 맥코웰이 맞는 것 같았다. 어떻게 그렇게 됐는지는 모르겠지만…….

"정말 공작가의 핏줄일 수도 있겠군. 맥코웰이라는 성이 흔한 것도 아니고."

알렉산드로가 가능성을 제시했지만 클로이는 회의적으로 고개를 저었다.

"그럴 리는 없어요."

개국 공신 명문가의 역사라면 그녀도 꿰고 있었다. 자신의 외가는 절대로 맥코웰 공작가의 방계가 아니었다.

클로이는 제 외가의 시조 이름도 알았다. 시조는 아마 전쟁 중에 누군가에게 족보를 샀거나, 맥코웰 가문에서 일하던 하인이었다가 큰 공로를 인정받아 운 좋게 성을 얻었을 것이다.

"그때 족보를 남에게 팔아넘기지만 않았어도 확인은 해 볼 수 있었을 텐데……."

유모가 못내 안타까운 듯 아쉬운 소리를 했지만 클로이는 냉정하게 말을 잘랐다.

"확인해 봤자 달라질 건 없어."

대단한 집안의 자제인 남편 앞에서 어떻게든 제 위신을 세워 주려는 유모 마음은 고맙지만, 아닌 걸 맞는다고 할 수는 없었다.

제 외가는 맥코웰 공작 가문의 핏줄이 아니다. 그럴 수가 없다.

"그래도 족보가 있는 집안과 없는 집안이 같습니까, 아기씨."

"외가인걸."

"누가 외가는 핏줄 아니라고 합니까? 이십 년 전만 해도 귀부인들이 재산을 물려받고, 성을 물려받고 다 했습니다."

"지금은 안 그런 걸 어떡해."

신전의 입김이 강해지면서 급진파 귀족들의 목소리가 커진 까닭이었다. 유모가 혀를 끌끌 차며 한탄했다.

"세상이 미쳐 돌아가는 겁니다."

"……."

알렉산드로의 시선이 낮게 가라앉았다.

어떤 그림의 엉켜진 조각들이 제 앞에 무작위로 나타나고 있었다. 이는 분명 운명이라는 훌륭한 걸작의 일부분이었다. 이 조각을 맞춰 그림을 완성하는 게 바로 제 몫이었다.

'이 모든 게 우연이라고.'

그게 더 믿기지 않는 일이었다. 우연은 없다. 우연이라는 이름의 운명만이 존재할 뿐. 전생과 마찬가지였다.

운명이 반드시 제게 시킬 일이 있어 그녀를 옆에 보냈다.

칼스버그 공작성에 도착할 때까지 알렉산드로는 맥코웰 가문의 이야기를 꺼내 볼까 했지만 클로이의 태도가 완강하여 더는 말하지 않았다.

줄리아 맥코웰이 예언가였다는 공식적인 기록은 없었다. 그때나 지금이나 비상한 능력은 지탄의 대상이 될 수 있기 때문이었다.

게다가 클로이는 자신이 그레이엄 1세였다는 걸 알지만 그녀 본인에 대한 기억이 없어 답답한 눈치였다. 이런 상황에서 외가의 핏줄을 캐물었다간 그녀가 부담을 가질지 모른다.

다행히 자칭 타칭 '거상 알프레도'가 그에게 호언장담을 했었다. 마님의 신분 세탁은 제게 맡기라고.

알렉산드로는 집사장을 믿었다. 그래서 공작성에 도착하자마자 그를 찾았다.

"집사, 도미닉 백작가에 무슨 일이 있었는지 소식은 들었겠지."

"예, 물론입니다."

집사장은 내심 혀를 내둘렀다.

'우리 도련님이 하다하다 이젠 저택에 불까지 지르시는구나.'

알렉산드로는 목적을 위해서라면 수단과 방법을 가리지 않는 사람이었다. 그렇게 한 가문을 통째로 멸문시키다니. 수법이 아주 무시무시했다.

"확인한다던 그 족보는. 확인됐나?"

"예, 저…… 그게."

집사장의 얼굴이 확 어두워졌다. 더불어 알렉산드로의 미간도 확 찌푸려졌다.

"괜찮은 가문의 족보를 찾았다고 장담하질 않았어."

"예, 제가 분명 그랬습니다만……."

집사장은 조용히 바닥을 응시했다. 집시에게 산 그 족보는 분명 어마어마한 가문이지만 도저히 써먹을 수가 없었다.

"이 족보는 안 됩니다, 도련님."

마침 이 족보는 국정력 1년에 작성되었다. 하지만 아무리 제국 역사서를 뒤지고 각 가문의 역사서를 찾아봐도 이 가문 시조의 이름을 찾을 수가 없었다.

"그럼 대안이 있을 것 아닌가?"

"그게……."

대안은 없었다. 다른 가문의 족보를 사려고 했지만 아무리 찾아도 쓸 만한 매물이 보이지 않았다.

"우리가 공작성을 비운 지 보름이 넘었다. 그간 집사장은 대체 뭘 하고 있었지?"

"……."

"난 며칠 뒤면 서녘으로 떠난다. 그런데 아직도 우리의 결혼 증명서가 작성되지 못했다."

알렉산드로는 클로이의 반지 낀 손을 볼 때마다 어느새 자신의 허전한 네 번째 손가락이 어색했다.

"덕분에 난 결혼반지도 없이 떠나게 생겼군!"

"……."

집사장은 속으로 '도련님이 그렇게 결혼이 하고 싶으셨는지 미처 몰랐다'고 이죽거렸다.

"집사장이 내게 장담했기에 레이첼 도미닉의 사망을 증언했다. 이제 어쩔 건가. 적당한 족보를 찾았다는 말은 왜 했나!"

"……드릴 말씀이 없습니다."

"내 아내는 이제 이름도 가문도 없는 사람이 되었군!"

집사장은 모기만 한 목소리로 중얼거렸다.

"그게 어중간한 가문의 족보였으면 손을 써 보겠는데, 하필 맥코웰 가문의 족보라서……."

만약 이 족보를 사용한다면 수도에는 발을 디딜 수가 없었다. 맥코웰 가문은 그레이엄 황실과 깊은 연관이 있으니까.

"……집사."

이마를 싸매고 있던 알렉산드로가 번쩍 고개를 들었다.

"그걸 가져와 볼 수 있겠나?"

알렉산드로는 집사장과 클로이, 그리고 유모를 한 군데 불러 모았다.

"유모."

"예, 도련님."

"아내의 외가에서 오랫동안 시녀로 지냈다고 했었지."

"예, 그렇습니다."

"가문의 이름을 말해 줄 수 있겠나?"

"맥코웰 가문이었습니다."

유명한 공작 가문의 핏줄은 아니지만…… 하고 덧붙인 유모가 조심스레 눈치를 살폈다. 눈이 휘둥그레진 집사장이 물었다.

"실례지만 가솔들의 이름을 알 수 있겠소?"

"……마님의 존함은 줄스 맥코웰이었고, 조부님은 테일러 맥코웰이십니다."

"세상에, 어떻게 이런 우연이!"

집사장이 기막힌 웃음을 터뜨렸다. 클로이는 영문을 모르고 세 사람을 번갈아 응시했다.

"무슨 일인데요, 집사?"

"그게, 제가 마님의 이름을 구하려고 어떤 집시에게 유명한 가문의 족보를 샀습니다. 한데 제가 산 이 족보가 바로 마님의 외가인 듯합니다."

집사장은 자초지종을 설명하며 가죽으로 감싼 두꺼운 책을 꺼냈다. 척 보기에도 범상치 않았다.

"저게 돌아가신 우리 마님의……?"

유모는 가문의 족보가 적힌 책까지 본 적은 없었다. 가주의 관리하에 가보로 전해지는 책이니 당연했다.

"한데 마님, 혹시 모친께 다른 여식이 있으셨습니까?"

"아니요, 제가 유일해요."

"그렇습니까? 제가 저 족보에서 줄스 맥코웰의 여식이 있는 것으로 본 듯하여, 우리 마님이 이 이름을 빌리면 되겠구나 했습니다만……."

그때 유모가 끼어들었다.

"설마 베아트리체라는 이름이 있던가요?"

"오, 맞네."

"세상에, 조부님!"

유모는 무릎을 탁 쳤다. 조부가 기어코 그 이름을 족보에 넣었구나. 아직 태어나지도 않은 아이를!

"그게 바로 우리 아기씨랍니다. 조부께서 지어 주신 예명이었지요. 도련님께도 설명을 드린 바 있습니다."

"그랬군요. 정말 신기한 우연입니다. 제가 산 게 마님의 외가 족보였다니."

집사장은 턱을 긁적였다.

"마님의 외가를 되찾은 것은 마땅히 경사스런 일이지만…… 이거 큰일이군요."

우연히 마님의 외가를 되찾아 주었지만 그에겐 여전히 고민이 가득했다.

"저는 이 족보를 공작 가문인 맥코웰의 방계라고 할 작정이었습니다."

"그렇지는 않아요. 그럴 수도 없고요."

클로이가 안타까운 얼굴로, 그러나 단호히 말했다.

"맥코웰 공작가의 후손은 단둘뿐이었어요. 레나 맥코웰과 줄리아 맥코웰."

하지만 레나 맥코웰은 크리스 스캘로웨그와 결혼하여 스캘로웨그 백작 부인이 되었고, 맥코웰이라는 성을 잃었다.

"그래서 줄리아 맥코웰 공작을 마지막으로, 맥코웰 가문은 영원히 사라졌어요. 줄리아 맥코웰은 평생 미혼이었으니까요."

집사장은 입을 떡 벌렸다.

"이럴 수가."

"맞아요. 그녀에겐 자식이 없었어요. 그러니 우리 외가가 감히 그 핏줄이라고 할 수는 없는 거예요, 집사."

하지만 집사장이 감탄한 건 전혀 다른 쪽이었다.

"역사에 이렇게 해박하실 수가. 역시 우리 마님! 퍼-펙트! 수도 사교계에 가셔도 아무 걱정할 필요가 없겠습니다!"

집사장이 옆에서 노망을 떠는 사이 알렉산드로는 그가 가져온 족보 책을 열었다.

'정말 줄리아에게 자식이 없었던가?'

그 당시 맥코웰은 멸문을 지시한 던칸에게 모두 죽임당했다. 그리고 줄리아가 유일하게 살아남은 맥코웰의 핏줄이었다.

'그래서 여성 최초로 공작으로 임명된 인물이었지.'

알렉산드로는 기억을 더듬었다. 자신이 놓친 무언가가 있었다.

베아트리체 맥코웰, 쥴스 맥코웰, 테일러 맥코웰…… 족보를 뒤에서부터 확인하며 낡은 페이지를 넘기는 손길이 다급했다.

"마침 시조께서 이 족보를 작성하신 게 국정력 1년이더군요. 시조께서 줄리아 맥코웰의 혈족이라는 걸 증명할 수만 있다면 참 좋을 텐데……."

알렉산드로는 급히 가문의 시조를 찾았다. 종이가 하도 낡아서 조심해야 했다. 벌써 127년 전의 일이었다.

"마님, 시조의 이름을 아십니까?"

"그럼요."

클로이도 저 책을 보기는 처음이었다. 하지만 익히 어머니께 들어 알고 있었다.

"피터 맥코웰이에요."

외가의 족보는 찾았지만, 클로이는 여전히 신원 미상 상태였다. 그녀의 말이 맞았다. 아무리 기록을 뒤져도 줄리아 맥코웰은 미혼으로 역사에 남은 인물이었다.

클로이는 오직 알렉산드로와의 만남과 도피를 떠나서 서로 사랑한 기억만을 알뿐, 피터 맥코웰과 줄리아의 관계를 알지 못했다.

"마님, 저 소리 들리세요?"

문득 클로이의 머리를 빗겨 주던 시녀가 창밖을 눈짓했다.

"그럼, 들리다마다."

알렉산드로가 돌아오고부터 공작성에는 사병들의 거대한 기합 소리가 끊이질 않았다.

그의 출정이 당장 이틀 뒤였다. 서녘의 야만족 토벌대. 칼스버그 사병단도 합류하기로 결정되었다.

"이른 아침부터 늦은 밤까지 훈련에 열심인가 봐요."

"그러게 말이다."

"아침에 마주쳤는데 에반스 경 얼굴이 확 피었더라고요."

클로이의 머리카락을 단정하게 땋아 준 시녀가 씩 웃으며 몸을 낮췄다.

"마님, 도련님께 간식이라도 갖다 드리는 게 어떠세요?"

"글쎄…… 훈련을 방해하고 싶진 않다만."

"마님께서 찾아가시는 게 방해겠어요? 응원이지요!"

시녀의 부추김에 클로이는 그런가, 하고 고민했다.

'못 본 지 벌써 엿새가 넘었어.'

족보를 확인한 뒤부터 클로이의 달거리가 시작되었다. 좋은 소식이지만, 불편해서 침실을 따로 사용하게 되자 통 그의 얼굴 볼 일이 없었다.

알렉산드로는 사병들의 사기 진전을 위해 점심, 저녁 식사를 병사들과 함께했다. 아침 해가 뜨기도 전에 기상해서 조찬 시간에는 당연히 만나지 못했다.

'나를 좀 깨워 달라니까.'

집사와 시종에게 부탁했지만 아무도 그녀를 깨우지 않았다. 알렉산드로의 입김이었다.

'그가 보고 싶어.'

결심한 클로이는 시녀의 조언대로 시종들과 간식 바구니를 들고 연무장을 찾았다. 가까워질수록 사병들의 커다란 기합 소리에 귀청이 떨어질 듯했다.

칼스버그 가문에 사병 양성이 허락된 지는 벌써 백년이 넘었다. 백년의 역사를 자랑하는 명문이지만, 출전은 처음 있는 일이었다.

"정신을 집중해라!"

에반스와 알렉산드로의 목소리가 번갈아 들려왔다. 사병들은 각 잡힌 대열을 유지한 채 훈련에 한창이었다. 그 많은 사병들 중에서 클로이는 한 병사의 훈련을 지도하는 알렉산드로를 발견했다.

그의 집중한 눈빛에 다리가 저절로 멈칫했다.

그를 방해하고 싶지 않았다. 아무래도…… 시종들에게 간식만 갖다 주고 자리를 피하는 게 낫겠다. 그녀는 자신의 뒤를 따르던 시종들에게 몸을 돌렸다.

"저 나무 그늘 아래에 간식을 두고 가야겠다."

"도련님을 뵙지 않으시고요?"

"다들 훈련에 열심인데 방해만 될 것 같구나."

"마님을 보면 도련님이 무척 반가워하실 텐데…… 알겠습니다."

그때였다. 그녀의 뒤에서 커다란 목소리가 들려왔다.

"마님!"

에반스였다. 순식간에 코앞까지 달려온 그가 땀을 뻘뻘 흘리는 얼굴로 함박웃음을 지었다.

"사병들의 훈련을 보러 오신 겁니까?"

"네, 그럼요."

사실은 남편을 보러 온 거지만.

"으음, 이 달콤한 냄새는 설마 레몬파이인가요? 사병들을 응원하시려고 이렇게 간식까지 준비해 주셨군요!"

에반스의 친밀한 반응에 클로이는 적잖이 당황했다.

'굉장히 딱딱한 사람이었는데.'

젊은 사람인데도 과묵하고 점잖다는 첫인상과는 퍽 달랐다. 그에게서 땀 흘린 남자 특유의 고조된 분위기가 느껴졌다.

"감사합니다, 마님!"

"아, 아니에요."

"도련님께서 사병단에 신경을 써 주신 덕분에 병사들의 사기가 하늘 높은 줄 모르고 치솟고 있습니다."

싱글벙글 웃던 에반스가 슬쩍 몸을 숙여 귓속말까지 했다.

"정말 신기하게도 도련님은 군사 지휘에 무척 능하시더군요. 누가 보면 전쟁 경험이 다분한 노련한 기사인 줄 알았을 겁니다."

"아."

너무 가까운 거리에 그녀가 흠칫했다. 이렇게 친한 사이가 아니었는데…….

"게다가 도련님께서 서녘의 토벌대에 출전을 명하신 덕분에 다들 수도 구경을 한다고 신이 나 있습니다."

가장 신난 사람은 에반스 본인이었다.

"이게 다 마님 덕분입니다."

클로이는 어색한 웃음을 흘렸다. 알렉산드로는 도미닉 백작저로 떠나 있는 동안 에반스와 집사장에게 명령을 해 놓았다. 에반스는 훈련을 지도했고, 집사장과 논의 끝에 공작성의 예산을 집행하여 무기까지 정비했다.

"준비도 철저히 했고, 사병들의 기세가 이렇게 대단하니 위험하지 않을 거예요. 너무 걱정 마세요."

죽음의 평원이라는 서녘의 소문을 걱정하는 건 클로이뿐이었다. 에반스는 야만족 토벌을 끝내고 황궁에서 공을 치하받을 기대에 들떠 있었다.

"제국 제일의 실력자인 도련님께서 여기 계시는데 무슨 걱정이겠습니까?"

허허허, 할아버지 같은 웃음을 터뜨리는 그의 뒤에서 알렉산드로의 목소리가 들려왔다.

"휴게한다!"

수건으로 이마에 맺힌 땀을 닦아내며 그가 클로이에게 다가왔다.

"도련님, 마님께서 오셨습니다."

눈을 반짝이는 에반스를 향해 가볍게 고개를 끄덕인 알렉산드로가 불쑥 그녀의 손을 붙들었다.

"잠시 자리를 비켜 주겠나?"

"물론입니다!"

에반스는 그녀가 데려온 시종들과 함께 번개 같이 사라졌다.

"미로 정원으로 가자."

"덥지 않겠어요?"

"괜찮아."

알렉산드로는 채근하듯 그녀의 손을 꼭 붙들고 성큼성큼 앞서갔다. 뭐가 그리 급한지, 클로이는 드레스 자락을 붙들고 거의 뛰어가듯 쫓아가야 했다.

"천천히 좀 가요!"

그렇게 소리치자 단번에 멈춰 선 알렉산드로가 그녀를 한 팔에 안아 올렸다.

"꺅!"

급한 몸짓에 놀란 클로이가 그의 목을 끌어안았다. 다행히 미로 정원은 연무장에서 그리 멀지 않았다. 알렉산드로는 모퉁이를 돌자마자 그녀를 내려놓는 동시에 수벽으로 밀쳤다.

"잠깐⋯⋯."

눈이 휘둥그레진 클로이가 말을 꺼내려는 순간이었다. 한껏 몸을 숙인 알렉산드로의 입술이 그녀를 삼키듯 덮쳤다.

"……!"

단번에 입 안으로 들이닥친 뜨거운 기운에 클로이의 머리 꼭대기까지 열이 올랐다. 고개를 한계까지 쳐든 클로이의 턱을 움켜쥐고, 비스듬히 움직이며 그가 입맞춤을 주도했다.

가녀린 허리에 손을 감고, 몸을 가까이 붙이자 평소보다 훨씬 가쁘게 뛰는 그의 심장 박동이 그녀에게 고스란히 느껴졌다.

그는 거침이 없었고, 몹시 다급하게 그녀를 원했다. 달아오른 몸의 열기가 전염되듯 그녀에게 옮겨 갔다. 참을 수 없는 두근거림에 클로이는 눈을 질끈 감았다.

그 순간 드레스 자락 너머로 그의 한쪽 무릎이 은근하게 그녀의 다리 사이를 열고 들어왔다. 믿을 수 없는 감각에 클로이는 벼락 맞은 사람처럼 놀라고 말았다.

대낮에 밖에서 이게 무슨 짓인가!

다급히 그의 팔을 때렸지만 아래에서 느껴지는 뭉근한 자극은 멈추지 않았다. 어렵게 입술을 피한 그녀가 그를 밀어내며 고개를 저었다.

"안 돼요…… 으응."

하지만 알렉산드로는 집요하게 다시 입을 맞추며 그녀를 쫓아왔다. 이번에는 입술이 아니었다. 클로이의 이마와 콧등에 짧은 키스를 남긴 그는 귓가를 지분거리며 목덜미를 깨물었다.

"……!"

키스보다 훨씬 야릇한 감각에 그녀의 얼굴이 벌게졌다. 처녀에겐 지나친 자극이었다. 클로이는 그의 두터운 가슴을 밀어내며 간신히 몸을 떼어냈다. 내내 조급하게 굴던 알렉산드로는 몸이 멀어지자 겨우 진정했다.

'세상에.'

민망하고 낯 뜨거운 기분에 그녀가 볼을 감쌌다. 이런 짙은 스킨십은 처음이라 차마 눈을 쳐다볼 수 없을 정도로 부끄러웠다.

순간 제 어깨에 뻗어진 손길에 클로이는 놀란 숨을 삼켰다. 알렉산드로는 이번엔 가벼운 포옹으로 그녀를 안았다. 아까와는 달리 등을 다독이는 손길이 부드러웠다.

"너무 보고 싶었다."

그의 진심이 느껴져 괜히 가슴이 찡했다. 클로이는 천천히 허리를 끌어안으며 속삭였다.

"저도요……."

같은 곳에 머물며 겨우 이레를 못 봤을 뿐인데. 그가 출정하면 혼자 불안을 감내하며 기다릴 제 모습이 눈앞에 그려졌다.

이 남자가 언제 이렇게 제게 깊이 박혔는지, 새삼 커다란 그의 존재감에 심장이 다 욱신거렸다.

"이틀 뒤면 당신이 떠난다는 게 안 믿겨져요."

"금방 돌아올 거야."

"다녀오면 공을 세워 황실의 기사가 될 텐데, 가야 한다는 걸 알면서도 쉽게 보낼 수가 없어요."

알렉산드로는 그녀를 위로하듯 이마에 입술을 묻었다. 그는 서임을 받는 대신, 황제에게 다른 요청을 할 생각이었다.

"황궁에 가면 피터 맥코웰에 대한 황실 기록이 없는지 여쭤볼게."

알렉산드로는 전생의 기억으로 '피터 맥코웰'의 존재를 알았다.

그 당시 피터는 줄리아가 홀로 키우던 아이였다. 얼핏 종손이라고 들었으나 알렉산드로는 사실 관심이 없어서 그와 얼굴을 본 적도, 편지를 나눠 본 일도 없었다. 정말 종손인지는커녕 줄리아의 친자식인지도 알 수 없었다.

하지만 전생에서 베아트리체와 던칸이 피터를 꽤나 신경 썼다는 사실은 알고 있었다. 당시 미혼이었던 줄리아는 피터를 수도로 데려오지 않았고, 성은 주었지만 공식적으로 핏줄이라 인정하지 않았다. 어쨌든 줄리아가 키웠고, 성까지 주었으니 핏줄인 건 확실했다.

하지만 그가 줄리아의 핏줄이라는 사실은 현재 입증할 수가 없었다. 그 증거는 전생에 그레이엄 1세였던 자신의 증언뿐이었다. 이 증언을 했다간 황실 모욕죄로 참수될 가능성이 더 높았다.

더군다나 맥코웰은 황실의 외가로, 절대 그 명예를 실추시킬 수 없는 가문이었다.

던칸의 여식이자 알렉산드로의 친누이였던 레나 맥코웰 역시 공식적으로는 줄리아의 친척으로 남았듯이, 이는 어찌할 수가 없는 일이었다.

하지만 황실의 비공식적인 기록은 있을지 모르는 일. 알렉산드로는 클로이의 신분을 입증하기 위해서라면 기사 서임을 나중으로 미룰 수 있었다. 공적은 또 쌓으면 될 테니까.

"무리하지 마세요."

"무리하지 않은 일이다."

클로이는 수도에 머물고 싶어 했다. 직접 그렇게 말한 적은 없으나 은근한 기대를 느낄 수 있었다. 수도 사교계에서 원만히 적응하려면 반드시 명확한 신분이 필요했다.

"난 괜찮아."

알렉산드로는 그녀의 목덜미에 대고 작게 숨을 들이켰다. 좋은 향기가 순식간에 그의 전신을 뜨겁게 했다. 가슴이 들끓었다.

"너를 위해서라면 난 무엇이든……."

무엇이든 할 것이다. 또 해낼 것이다. 그렇게 다짐하는 그의 눈에 불꽃이 튀었다.

클로이는 또다시 다가오는 입술에 눈을 감았다. 멀리서 들리는 사병단의 훈련 재개 알림 나팔 소리가 아쉬울 뿐이었다.

다음 날 이른 아침.

클로이는 시종과 호위 몇 명을 데리고 공작성을 나섰다. 야만족 토벌을 떠나는 알렉산드로를 위해서 부적을 떼러 가는 길이었다. 클로이는 가장 먼저 집시를 찾아갔다.

─가문의 생사가 여기 달려 있소.

집사장에게 맥코웰의 족보를 산 과정을 듣자 도저히 집시를 간과할 수가 없었다.

하지만 집시의 집은 텅 비어 있었다.

"아무도 없습니다, 마님."

호위들이 샅샅이 살폈지만 어떤 흔적도 찾을 수가 없었다.

'벌써 떠났구나.'

어느 정도 예상한 일이었다. 클로이는 집시의 집을 등지고 마을로 향했다. 아쉬운 대로 다른 걸 살 생각이었다.

옛날, 전쟁이 잦았던 제국에는 많은 가정에서 남편이나 아들을 출정시켰다.

'제일 예쁘고 튼튼한 실을 사야지.'

전쟁터에 나가는 남편에게 머리카락을 함께 엮은 실 팔찌를 채워 주면 무탈하게 돌아온다는 미신. 지금은 전쟁이 없어서 아무도 행하지 않아 잊힌 전통이지만 책으로 읽어 알고 있었다.

'오늘 밤에 그에게 직접 채워 줘야겠어.'

시장을 둘러보는 클로이의 눈빛이 사뭇 진지했다.

클로이는 오후 내내 실 팔찌를 만드는 데 열중했다. 완성하여 예쁜 상자에 담을 때쯤, 집사장이 그녀를 찾아왔다.

"마님, 도련님이 찾으십니다."

"지금요?"

"예, 함께 사냥을 가자고 하시는데……."

집사장은 불안하게 말끝을 흐렸다. 아니나 다를까 마님의 눈에 의아한 기색이 서렸다.

"사냥…… 이요?"

"예."

그간 알렉산드로는 사냥에 갈 때 누군가를 동반한 적이 없었다.

'그런데 왜 하필 마님을 데려가려고 하시는 거지.'

이해할 수가 없었다. 마님은 척 봐도 유약한 성정이었다. 사냥 같은 데 데려갈 사람이 아니었다. 집사장도, 클로이도 고개를 갸웃 했다.

"일단 알았어요. 가벼운 옷으로 갈아입고 나갈게요."

"그럼 준비해 놓겠습니다."

집사장은 마님이 너무 놀라지 않도록 만반의 준비를 마쳤다. 마차에, 시종에, 시녀까지 여럿 붙여 주었지만 알렉산드로는 단둘이 말을 타고 가길 원했다. 집사장은 끝까지 반대했지만 클로이는 그냥 남편의 의견을 따라 주었다.

'내일이면 떠날 텐데.'

갑자기 웬 사냥인가 싶지만, 알렉산드로가 아무 생각 없이 제게 피 튀기는 모습을 보여 줄 사람이 아니라는 믿음이 있었다.

든든한 그의 품에 안겨, 거친 산등성이를 타고 오르길 반 시간. 두 사람은 깊은 숲속에 다다랐다. 야트막한 물가에 말을 멈춘 알렉산드로는 먼저 내려선 클로이를 내려주었다.

"정말 사냥을 할 생각은 아니죠?"

"그런 취미 없어."

역시 그렇구나. 클로이는 혼자 고개를 끄덕이며 주위를 둘러보았다. 지저귀는 새소리와 작은 동물들이 겁도 없이 오가는 숲속은 동화 속의 한 장면처럼 아름다웠다.

"여기 참 예뻐요. 시원하고, 조용하고……."

"좋아할 줄 알았다."

알렉산드로는 연신 두리번거리는 그녀를 바위에 앉혔다.

"여기가 당신의 비밀 장소인가요?"

"맞아."

기분이 좋아진 클로이는 신발을 벗고 물가에 손과 발을 담갔다. 그가 왜 자신을 이곳에 데려왔는지 알 것 같았다.

출정을 앞두고 바쁘게 움직이는 공작성을 떠나서, 두 사람은 드디어 서로에게만 온전히 집중할 수 있었다.

"오늘 아침에 집시를 찾아갔었어요. 전에 저와 밀런이 만난 집시와 같은 사람일 것 같아서요."

"같은 사람이었나?"

"아니요, 집시는 만날 수가 없었어요. 집에는 사람도 짐도 아무것도 없었거든요."

옆에 가까이 앉은 알렉산드로는 그녀가 하는 말에 집중했다.

"전에…… 집시가 그랬어요."

클로이는 수면 위에 비치는 자신과 알렉산드로의 모습에 눈을 고정했다. 신기하게도 흐르는 물결 위로 환상처럼 찬란한 옷을 입고 관을 쓰고 있는 저와 그의 모습이 저절로 덧입혀졌다.

"사랑을 천 번 고백하면 그 인연이 죽어서도 이어진다고요."

"천 번?"

알렉산드로는 우스운 듯 코웃음 쳤다.

"만 번은 했을 거다."

긴 한숨을 내쉰 그가 클로이의 손을 제 무릎 위로 가져왔다. 그녀의 시선이 자연스레 그를 따라갔다.

어느새 알렉산드로의 한 손에는 작은 상자가 들려 있었다.

"예전부터 네게 주려고 했던 게 있어."

"뭔데요?"

"기억할지 모르겠지만……."

그가 클로이의 눈치를 살피며 조심스레 상자를 열었다. 그 내용물을 확인하는 동시에 그녀의 눈가에 눈물이 차올랐다. 이미 알고 있는, 지나간 둘만의 추억들이 물밀 듯이 차오른 까닭이었다.

커다란 붉은 꽃송이가 달린 낡은 머리끈. 지나가며 자신이 예쁘다고 말했었던 바로 그 물건.

"나는 아마…… 이때부터 너를 깊이 사랑했던 것 같다."

과거의 증거. 지난 추억에서 형체를 가진 물건은 이것밖에 없었다. 얼마나 오래도록 소중히 간직해 왔는지 자주 매만지고 닦은 흔적이 가득했다. 꼭 그의 순정 같았다. 애정 어린 그 마음이 고스란히 느껴졌다.

커다랗고 붉은 카나리아 꽃을 가만히 내려다보던 클로이는 알렉산드로를 와락 끌어안았다. 그러자 기다렸다는 듯이 그가 입을 맞췄다. 단단한 어깨 근처를 배회하던 클로이의 손이 알렉산드로의 목을 감았다.

제게 더없이 소중해진 이 남자가, 내일이면 사지로 떠난다. 그 생각에 서로의 몸이 닿아 있는 순간마저도 몹시 애틋했다.

클로이는 거친 열망을 안고 자신을 탐하는 알렉산드로에게 열렬히 반응했다. 긴 입맞춤이 끝나고, 두 사람은 한 뼘 거리에서 서로를 응시했다.

아쉬움 가득한 손길이 클로이의 볼과 눈가를 쓸었다. 그녀에게 고정된 시선에서 진한 애정이 묻어났다.

"사랑한다. 정말 많이……."

순간 놀라움에 클로이의 입술이 작게 벌어졌다. 어릴 적부터 들었던 다정한 사랑 고백, 자상한 그 남자의 목소리와 드디어 정확하게 일치했다!

이 남자가 이런 얼굴로, 이런 목소리를 낼 수 있는 사람이었구나……. 그의 사나운 첫 인상을 생각하면 자신이 알아보지 못한 것도 무리가 아니었다.

문득 첫 만남에서 자신을 다그치던 그가 떠올랐다.

─네가 품은 그 비겁한 감정을 감히 사랑이라 말하지 마라.

이 남자에게 사랑이란 얼마나 숭고하고 지극한 감정인가. 당시에는 밉기만 했던 알렉산드로의 발언이 이해되는 순간이었다.

답 없는 그녀를 빤히 쳐다보던 그의 한쪽 눈썹이 삐뚜름히 움직였다.

"너무 자주 고백해서 쉬운 남자라고 생각하는 건 아니겠지."

"……풋."

이 사람이 귀여워 보이다니!

'내가 제정신인가?'

사랑은 지독한 정신병이라던 어느 철학자의 말이 머릿속을 스쳤다. 클로이는 절레절레 고개를 내저으며 상자 안의 머리끈을 소중히 꺼내들었다.

"지금은 이 꽃을 좋아하시나 봐요. 피처럼 붉은 색이라고 싫어하셨던 게 기억나요."

"……."

"한번 머리에 해 볼까요?"

그녀가 머리를 틀어 올리는 동안, 알렉산드로는 돌아올 대답을 기다리다가 마음이 조급해졌다.

제 진심을 고백했다. 그런데 사랑한다는 대답도 제대로 듣지 못하고 그냥 떠나는 건가? 이대로? 짙은 눈썹 사이가 살며시 좁아졌다. 불안이 그를 잠식했다.

"어때요?"

혼란스러운 그의 시선이 그녀의 묶은 머리와 눈망울을 오갔다. 저 머리끈은 물론 소중하다. 머리를 묶은 그녀는 물론 예쁘다. 하지만…….

"내가 떠나 있는 사이에 네가 없어지면 어떡하지?"

"네?"

내 품안의 여자. 그러나 아직 온전히 내 것은 아니었다. 조바심이 나서 위태로운 속내가 불쑥 나와 버렸다.

"갑자기 무슨 말이에요?"

"우리는 이미 부부이긴 하지만 결혼 사실을 아직 외부에 알리지 못했다. 아무도 내 아내가 너라는 걸 모르고……."

"그러니까 제가 불쑥 사라져 버릴지도 모른다는 뜻인가요?"

알렉산드로는 침묵했다. 굳게 닫힌 그의 입술이 대신 대답했다.

클로이는 긴 한숨을 내쉬었다. 결혼식에서 도망친 신부. 부정한 여자는 믿지 않는다던 그때 그 싸늘한 눈빛이 괜히 생각났다.

"제가 믿음을 주지 못했나 봐요."

"아니, 그건 아니다. 그저 내 고질적인 불안이야."

"반지를 낀 건 저뿐인데, 불안해하려면 제가 불안해해야죠."

알렉산드로는 지지 않고 제 목덜미를 뒤졌다.

"나도 했다."

그의 손에서 가죽 끈에 매달린 결혼반지가 튀어나왔다. 절대 끊어지지 않는다는 물소 가죽으로 만든 끈이었다. 전장이든 어디서든 언제나 결혼반지를 몸에 소지하기 위한 방법으로, 이미 목에 걸고 있었다.

기특하고 귀여운 마음에 흐뭇한 미소를 짓던 클로이는 마침 아침에 만든 실 팔찌가 생각나 주머니를 찾았다.

"저도 드릴 게 있어요. 별건 아니지만……."

한데 문득 꺼내고 보니 줄 게 이뿐인가 싶어 초라해 보였다. 그간 제가 알렉산드로에게 받았던 많은 선물들은 얼마나 눈이 부셨던가. 지나가는 말로 예쁘다고 했던 머리끈 하나조차도 그가 오래도록 간직해 온 진심이 담긴 소중한 물건이기에 더욱 그랬다.

그녀가 멈칫하자 알렉산드로가 눈짓으로 재촉했다.

클로이는 차마 먼저 보여 주지 못하고 그의 손목을 가져와 실을 묶었다.

"좋은 것만 받았는데, 제가 드릴 수 있는 건 이런 것뿐이네요."

피부를 감싼 부드러운 감촉에 알렉산드로는 제 손을 들어보았다. 전쟁에 나간 남편이 무탈하게 돌아오길 비는 오래된 전통. 더는 전쟁이 없어 사라졌지만 알렉산드로는 모를 수 없었다.

일체의 장신구를 하지 않는 그의 팔목에서 가느다란 실 팔찌는 존재감을 뽐냈다. 이마저도 왠지 그녀 같아서, 알렉산드로는 얼핏 웃었다.

"고마워."

클로이의 목을 끌어당긴 그가 살며시 입을 맞췄다.

"내겐 네가 가장 큰 선물이다."

사병단의 훈련은 늦게까지 계속되었다. 아무래도 첫 출전이라 그런지 전날 저녁이 되자 에반스도 긴장한 기색이 역력했다.

결국 알렉산드로가 침실에 돌아온 건 늦은 밤이었다. 칼과 간단한 옷가지를 챙기던 그는 어스름한 달빛에 비친 거울 속 제 모습을 보고 생경한 기분이 들었다.

몇 시간 뒤면 전장으로 떠나야 한다. 이 평화의 시대에, 그것도 점잖은 학자의 가문 칼스버그에서 저 혼자 전장에 나간다는 사실이 믿기지 않았다. 자신이 어쩌다 또 이 길에 들어섰는지 정말 모를 일이었다.

가문이고 의무이고, 그저 베아트리체를 다시 만나기 위해서 제국 유랑을 떠났을 뿐인데.

'그게 시작이었을 줄이야.'

짐을 정리하던 알렉산드로는 결국 칼을 쥔 채로 침대에 걸터앉았다. 한나절 말을 타고 가야 하지만 어차피 잠이 올 것 같지도 않았다.

모든 게 제 운명이라는 직감은 있었다. 바다 위의 조각배 같던 삶이 드디어 순리대로 나아간다. 방황하던 삶은 방향을 찾았다.

그녀를 찾기로 결심하고부터 제 운명은 결정되었다. 전생이나 현생이나 그건 마찬가지였다. 그녀는 제 삶의 나침반이나 다름없었으므로.

알렉산드로는 거울 속 홀로 외로운 제 모습을 응시했다.

떠나기 전에 한 번만 더 그녀를 보고 싶었다. 사병단은 해가 뜨지 않은 아침 일찍 떠나기로 했고, 뒤에서 손을 흔드는 아내를 보면 도저히 발이 떨어지지 않을 것 같아서 그녀를 깨우지 말라고 당부까지 해 놓은 참이었다.

'한 계절이면 충분하겠지.'

전쟁터가 걱정되진 않지만 그 시간 동안 클로이를 못 보는 것이 못내 아쉬웠다. 최대한 간단히 꾸린 짐 속에는 그녀의 초상화도 있었다.

하지만 한참 부족했다. 알렉산드로는 새처럼 지저귀는 그녀의 목소리와 풀잎 같은 손길, 숲속처럼 청량한 향기, 자신을 올려다보는 또랑또랑한 눈망울…… 그 모든 것을 원했다. 종이에 그려진 그림 한 장이 아니라.

그때였다. 잔뜩 예민해진 그의 귓속으로 끼이익 침실 문이 열리는 소리가 들렸다. 자박대는 발소리를 듣는 순간, 상대의 정체를 알게 된 알렉산드로의 눈이 확 커졌다.

"주무세요?"

세상의 모두가 잠든 것처럼 고요한 새벽녘. 침묵이 깨지면 그녀가 사라질까 두려워 알렉산드로는 감히 입을 열 수조차 없었다.

창가에서 들이치는 옅은 달빛에, 얇은 침실용 드레스 하나만 걸친 클로이가 보였다. 천천히 제게 다가오는 그 모습에 알렉산드로의 얼굴이 심각해졌다.

그녀의 목소리를 인지한 순간부터 온몸에 피가 끓는 기분이었다.

"아무래도 할 말을 다 못한 것 같아서요."

"……."

"아까…… 무운을 빈다고."

무사히 돌아오셔야 해요. 기도하면서 기다릴게요.

클로이가 속삭이듯 말했다. 비스듬히 그녀를 응시하던 알렉산드로의 목울대가 크게 울렁였다.

"정말 할 말이 그것뿐인가?"

침묵이 지나갔다. 그의 암묵적인 재촉이 무슨 뜻인지 클로이도 알고 있었다.

사랑한다는 한마디. 그 마법 같은 말은, 언제 사라질지 모르는 위태로운 감정에 제 목숨도 걸겠다는 약속이자 맹세였다. 사랑한다는 그 말이 알렉산드로에겐 무척 중요했다.

"나는 곧 떠나야 해, 클로이."

"네, 그렇지만 너무…… 너무 어려워요. 감히 당신의 엄청난 감정에 못 미칠까 봐, 실망을 줄까 봐 무서워요."

"난 그런 생각을 한 적이……."

"그러니까."

불쑥 그의 말을 끊은 클로이는 알렉산드로의 코앞까지 다가갔다.

제 발치에 맞닿은 그녀의 작은 발이 보였다. 열망을 담은 그의 진득한 시선이 아래서부터 천천히 그녀를 훑고 올라갔다. 멈춰 선 두 사람의 눈이 마주쳤다. 새파란 눈동자에 불꽃이 튀었다.

"저한테 확신을 주세요……."

클로이는 떨리는 손으로, 제 드레스의 어깨 자락부터 끌어내렸다. 차가운 공기가 맨살에 와 닿자 가슴이 터질 것만 같았다.

그곳에 불길처럼 뜨거운 손과 입술이 달라붙은 건 순식간이었다.

나른한 새소리와 쬐는 듯한 정오의 햇살이 엉망이 된 침대로 내리쳤다. 간신히 눈을 뜬 클로이는 본능적으로 옆자리를 더듬었다. 그가 있어야 할 자리의 텅 빈 공간이 느껴지자, 충격적인 지난 새벽을 되새길 틈도 없이 울컥 눈물이 터졌다.

'그 남자를 사랑해. 너무나…….'

지금 가진 모든 것과 그를 바꾸래도 그럴 수 있다. 가진 게 아무것도 없는 남자였어도 그를 사랑했을 것이다.

사랑은 이 사람을 만나려고 내가 태어났다는 확신이 생길 만큼 깊고도 진한 감정이었다.

'이 새벽을 절대 잊지 못하게 해 줄게.'

그 말대로였다. 알렉산드로는 결코 허튼소리를 하지 않았다.

'너에게 나를 새겨 줄게.'

욱신거리는 몸 가득히 남겨진 그의 흔적에 클로이는 눈물을 멈출 수 없었다. 한 계절이면 돌아온다고 약속했지만 속이 영영 뜯겨 나간 것처럼 쓰리기만 했다.

"마님, 일어나셨어요?"

밖에서 작게 문을 두드리는 소리에 클로이는 얼른 눈물을 닦았다.

'이 꼴을 보일 순 없어.'

허둥지둥 침대에서 일어난 그녀는 뒤늦게 제 목에 걸린 금속 장신구를 알아챘다.

묵직한 펜던트를 쥐고 확인하니, 커다란 사파이어였다. 정확히 알렉산드로의 눈동자를 연상시키는 그 보석에 클로이의 다리가 힘없이 무너졌다.

"으흑."

가장 소중한 존재였던 어머니가 돌아가시고부터, 클로이는 영원한 건 아무것도 없다고 생각했다. 하지만 그가 알려 주었다. 자신의 사랑만은 영원하리라고. 절대 변하지 않으리라고.

그렇게, 짧은 이별은 영원한 사랑을 역설했다.

10. 영원한 사랑을 위하여

10. 영원한 사랑을 위하여

· · ◆ · ·

클로이가 칼스버그령의 성주 대리로 지낸 지도 어느덧 두 달이 흘렀다. 서녘으로 떠난 알렉산드로에게선 일정하게 편지가 도착했다.

그녀가 사람들과 더 친해지고 명령을 내리는 데 익숙해질 즈음이었다.

"큰일입니다, 마님."

모두가 평화로운 가운데 집사장의 시름은 늘어 갔다.

"남부를 다 뒤졌는데도 마님이 쓰실 만한 족보가 없습니다."

집사장은 그때까지도 족보를 찾는 데 열중했다. 하지만 적당한 것을 찾지 못해 혼자 발만 동동 굴렀다.

"도련님이 돌아오실 때까지도 아무런 성과가 없으면 전 은퇴를 해야 합니다."

"그럴 리가 있어요?"

간만에 정원에서 티타임을 즐기던 클로이가 여유롭게 웃었다.

"마님은 도련님을 잘 모르시니까 하시는 말씀입니다."

"저만큼 알렉산드로를 잘 아는 사람도 없다고 생각했는걸요."

"……."

집사장은 자신의 무거운 입을 내심 칭찬하며 비어 가는 잔에 향긋한 찻물을 첨잔했다.

"이제 수도에 계신 대공 부부께도 결혼 사실을 알릴 때가 된 것 같습니다만, 정말 큰일입니다."

"또 편지가 왔나요?"

"그렇습니다, 마님."

칼스버그 대공은 집사장에게 편지를 보내는 횟수가 점점 잦아졌다. 곧 아내와, 장남과 함께 영지로 내려가서 살게 될 테니 준비하라는 식의 내용이었다. 황궁 생활이 고되다는 증거였다.

"대공께서 제 존재를 알면 많이 놀라시겠죠?"

"그럼요. 그날은 아마 큰 축제를 여실 겁니다."

대공도 대공이지만, 아마 대공 부인께선 춤을 추실 거라고 집사장이 덧붙였다.

"이 얘기는 다들 입에 올리지도 않는 금기나 다름없습니다만, 지금 와서 말씀드리자면……."

알렉산드로가 떠난 사이 집사장은 클로이와 매우 친해졌다. 처음에는 꺼리던 시시콜콜한 이야기까지 다 해 주었다.

"결혼을 못하면 객사한다니 무슨 그런 끔찍한 저주를……."

"그래서 대공 부부께선 걱정이 많으셨습니다. 특히 부인께서요. 알렉산드로 도련님을 결혼시키려고 사활을 걸었지요. 뭐 결국 도련님 성격에 두 손 드셨습니다만."

"알 만하군요. 그건 그렇고, 대공님이 무슨 일로 내려오시는지 편지에는 언급이 없나요?"

"없습니다."

수도, 황궁에서 연구를 하던 학자이자 대공이 갑자기 영지로 내려온다. 그건 좌천이나 다름없었다.

"저도 자세한 내막은 모르지만 황궁에서 뭔가 난처한 상황에 처하신 것 같습니다."

"대체 무슨 일일까요?"

"저도 잘 모르겠습니다. 대공님은 실수도 거의 없는 분이신데……."

애초에 역사를 연구하는 학자인 그가 황궁에서 무슨 실수를 저지른단 말인가? 집사장은 이때다 싶어 말을 꺼냈다.

"섣부른 추측이지만 혹시 황제 폐하와 사이가 안 좋아지신 건 아닐까 염려스럽습니다."

"황제 폐하요? 설마 그분을 뵌 적이 있나요, 집사?"

"예, 전 그분을 뵌 적이 있습니다."

집사장이 기억을 더듬는 척하며 자랑을 시작했다.

"폐하께선 어찌나 위엄이 넘치시는지 모릅니다. 한 걸음 한 걸음 옮기실 때마다 그 기품과 위엄에 놀라서 온 황궁이 다 들썩거리더군요."

'세상에, 허풍도…….'

조용히 웃은 클로이는 노인의 자랑과 과장이 섞인 이야기를 가만히 들어 주었다.

한편으로는 칼스버그 대공이 걱정스러웠다. 어쩌면 집사장의 말이 맞는지도 몰랐다.

정말 황제와 사이가 소원해진 걸까? 칼스버그 대공이 대체 얼마나 큰 실수를 저질렀길래, 황제는 든든한 자신의 날개 한 짝을 떼어 버리려 하는가?

클로이는 해답 없는 의문 속에 티타임을 마쳤다.

그날 저녁.

서재에서 알렉산드로에게 답장을 쓰는데 시종장이 다급히 문을 두드렸다.

"마님! 마님!"

순간 클로이의 심장이 쿵 내려앉았다.

"급한 소식입니다!"

남편이 전쟁터에 나가 있는 지금, '급보'처럼 불안한 말도 없었다. 다행인지 불행인지 알렉산드로에 관한 일은 아니었다.

"지금 막 수도에서 온 소식입니다."

시종장은 사색이 된 얼굴로 편지를 전했다. 예스러운 흰 종이는 부고를 전하는 편지였다. 봉인에는 쿠퍼히트 가문의 문장이 찍혀 있었다.

미쉘 로드리고 부인, 그리고 그 장남인 로버트 로드리고의 부고를 전합니다.

공식적인 부고인 만큼 편지는 가벼운 봉인만 있을 뿐이었다.

'미쉘 로드리고 부인이라면…… 밀런의 첫째 누이잖아.'

큰 사건을 일으켰던 그 이름을 잊을 리 없었다. 그리고 그녀의 장남인 로버트 로드리고는 밀런이 양자로 들인다던 아이였다.

"제가 뒤에서 전해 듣기로는, 마차 사고였다고 합니다."

시종장의 덧붙임에 클로이가 비틀거렸다.

"마님!"

시종장이 잽싸게 그녀를 부축했다.

밀런이 알렉산드로와 서녘으로 떠나 있는 사이, 수도에서 어떻게 이런 안타까운 일이 벌어졌을까. 그리고 이 사고가 정말 사고일까 하는 의문으로 머릿속이 어지러웠다.

밀런은 알렉산드로와 절친한 사이이기도 하고, 클로이는 헤일라와 안면도 있었다. 이대로 영지에 남아서 위로의 편지 한 통만 보낼 수만은 없었다.

"아무래도 수도에 가 봐야겠어요."

결심한 클로이는 그 즉시 수도로 향했다.

마차로 밤낮없이 달려 보름이 넘는 먼 여정이었다. 하지만 밀런에 대한 걱정과, 수도로 가면 알렉산드로와 조금이나마 빨리 재회할 수 있다는 기대감에 가는 길이 고되지 않았다.

"마님, 곧 수도입니다."

마차 창밖으로 높은 성벽이 보였다. 이미 늦은 저녁인데도 성문에는 신원 확인을 위해 줄 선 사람들로 가득했다.

다행히 칼스버그 가문의 마차를 타고 온 클로이 일행은 줄을 설 필요가 없었다. 끝없이 늘어진 사람들의 행렬을 뒤로하고, 클로이 일행은 가볍게 성문을 통과했다.

'역시 수도는 출입 관리가 철저하구나.'

그런 감상을 하는데, 마부가 상기된 얼굴로 마차를 멈췄다.

"마님, 좋은 소식입니다."

"좋은 소식?"

"예! 방금 출입증을 받으며 들었는데, 서녘으로 야만족 토벌을 떠났던 제국 기사단이 곧 돌아온답니다. 오늘이 건국제 마지막 날인데, 토벌대를 환영하는 인파까지 몰려서 사람이 이렇게 많았던 겁니다."

클로이의 얼굴이 확 밝아졌다.

"그럼 칼스버그 사병단도 당연히 같이 돌아오는 거겠지?"

"예! 도련님도 제국 기사단과 함께 수도로 돌아오신답니다."

그녀의 의도를 알아챈 마부가 씩 웃으며 알렉산드로의 동행 여부를 짚어 주었다.

"듣기로는 도련님의 활약이 굉장히 컸다고 합니다. 제국 기사단이 1년 동안 서녘에서 골머리를 썩었는데, 우리 사병단이 도착하고 한 계절도 안 되어서 야만족 토벌을 끝냈으니까요."

알렉산드로가 그녀에게 돌아오기로 약속한 게 한 계절이었다. 그는 시간이 무색하게도 약속보다 빨리 토벌을 끝냈다.

"황궁에서도 그 공을 치하하려고 축제를 연다고 합니다."

클로이는 안도의 한숨을 내쉬었다. 그가 공을 세웠다는 소식에 기쁨보다는 안도가 더 컸다.

'무탈하게 돌아왔어.'

수도로 오는 동안 그의 편지를 받지 못해서 내심 걱정했었다.

"폐하께서 도련님께 따로 작위를 내리실 거라는 소문도 있답니다."

"언제쯤 도착하는지 들었느냐?"

"내일이나 글피쯤 수도에 도착할 거라고 합니다."

공작성을 떠나면서 알렉산드로에게 수도에 간다고 편지를 보냈으니, 그 역시 자신이 수도에 도착해 있을 거란 걸 알 터였다.

'역시 수도에 오길 잘했구나.'

비록 미쉘과 그 아들의 장례식 참석이라는 불미스런 일이 계기가 되었지만, 일이 클로이의 예상대로 잘 풀려 갔다.

"그럼, 공작저로 바로 갈까요?"

공작저에는 대공 부부와 장남인 에이드리안 부부가 있었다. 클로이는 고개를 저었다.

"아니다. 시간이 이렇게 늦었는데 그분들을 놀라게 할 순 없지."

대공 부부에게 편지로 제 존재를 알리는 것보단 직접 얼굴을 보고 말하고 싶었다.

특히 그녀의 묘연한 신원에 대해서는 직접 해명을 해야 했다. 한 계절이 지나도록 족보를 구하지 못했기에 아직도 이름을 밝힐 수 없는 처지가 난감하기 짝이 없었다.

"사실 제 생각에도 그렇습니다. 시간이 애매하지요. 아마 지금쯤 만찬을 하고 계실 터인데……."

결국 클로이는 적당한 곳에서 하룻밤을 묵고, 내일 대공 부부를 찾아가기로 했다. 광장 근처에 숙소를 얻은 클로이는 시종의 저녁 식사 권유를 뒤로하고 밖을 구경했다. 영 입맛도 없는 데다, 축제의 마지막 날을 놓치기 아쉬웠다.

'내가 건국제를 보다니.'

수도에서 가장 큰 축제였다. 익히 그 명성을 들었기에 도저히 숙소 안에만 있을 수가 없었다. 근처 광장만 가 보겠다고 약속하고 호위를 따돌렸지만, 수도를 돌아보는 시골 처녀의 발길은 어느새 외진 강가까지 다다랐다.

'여긴 또 왜 이렇게 사람이 많지?'

수많은 인파 속에 홀로된 클로이는 칼스버그령에서 알렉산드로와 소원을 빌었던 그날 밤이 떠올라 가슴이 아릿했다.

둘이서 만든 아름다운 추억을 그리느라 화려한 축제 속에서도 한없이 쓸쓸했다.

'추억이 없을 때는 외로울 일도 없었는데……'

그래서 알렉산드로가 가끔 그렇게 슬픈 눈을 하는 걸까. 자신은 온전히 기억하지 못하는 전생의 일들을 그는 전부 다 알고 있으니까.

어깨를 스치는 많은 사람들이 웃고 있었지만 클로이의 얼굴을 밝지 못했다. 휘황찬란한 등불과 시끌벅적한 좌판도 더는 그녀에게 신기한 구경거리가 아니었다.

벤치를 발견한 클로이는 그곳에 앉아 멍하니 건너편 강가를 응시했다.

얼마 지나지 않아 밀려서 거대한 화포들이 줄지어 들어오기 시작했다. 클로이는 움찔했다. 한데 사람들은 몰려왔고, 신이 난 듯 보였다.

'웬 포탄이지?'

화포들은 정확히 클로이의 정면에 멈췄다. 병사들은 탄약을 나르기 시작했다.

겁먹은 클로이가 주위를 둘러보는데, 그때 마침 검은색 후드를 뒤집어쓴 여인이 조심스럽게 옆자리를 가리켰다.

"여기 내가 앉아도 될까요?"

"네, 그럼요."

"고마워요, 아가씨."

기품 있는 목소리의 중년 여인이었다.

"여기서 보면 불꽃놀이가 잘 보이겠군요."

불꽃놀이! 화포의 정체를 알게 된 클로이의 눈이 휘둥그레졌다.

"불꽃놀이의 정체가 저 화포였구나."

화포를 쏜다는 건 책으로 읽었지만 진짜로 전쟁에서나 쓸 법한 무시무시한 저 무기를 이용하는 줄은 몰랐다. 클로이의 혼잣말에 옆자리 중년 여인이 슬쩍 말을 붙였다.

"아가씨는 수도 출신이 아닌가요?"

"네, 전 멀리서 왔어요."

"그랬군요. 오늘이 건국제의 마지막 날이라 황궁에서 폭죽을 준비한 거랍니다."

"아하, 수도의 전통적인 행사였군요. 전혀 몰랐어요."

안심한 클로이는 다른 사람들처럼 흥미진진한 눈으로 강 건너편을 주시했다.

"수도에 도착하자마자 이런 구경을 하다니, 전 운이 좋은가 봐요."

그때 커다란 호각 소리가 들렸다. 다섯 대의 대포들은 일제히 움직여 발사각을 하늘로 맞췄다.

"귀를 막는 게 좋을 거예요, 아가씨. 소리가 엄청나답니다."

귀부인이 웃으며 경고했다. 클로이는 그녀를 따라서 귀를 막았다.

짧은 침묵이 흘렀다. 한 병사가 절도 있는 모습으로 깃발을 올렸다. 그러자 다섯 대의 화포가 동시에 탄약을 발사했다. 그야말로 하늘이 찢어지는 듯한 거대한 소리가 울렸다.

클로이는 저도 모르게 질끈 눈을 감았다. 그러자 옆에서 귀부인이 가까이 다가와 어깨를 톡톡 건드렸다.

"아가씨, 저길 봐요!"

간신히 눈을 뜨자 강 건너편은 흐릿한 연기로 가득했고, 어둑한 밤하늘에선 별무리가 만개한 꽃처럼 터지고 있었다.

"세상에……."

밤하늘은 꼭 보석을 뿌린 것처럼 반짝였고 사람들에게 희망을 주듯 그 보석들이 머리 위로 쏟아져 내렸다. 실로 엄청난 광경이었다.

'이 아름다운 장관을 누가 만들었을까?'

클로이는 넋을 잃고 하늘을 올려다보았다. 분명 태어나서 처음 보는 불꽃놀이였다.

'아니, 난…… 이 광경을 본 적이 있어.'

이보다 더 작은 규모도 보았고, 이보다 훨씬 더 거대한 규모의 불꽃놀이도 본 적이 있다.

그게 다 언제였을까?

머릿속이 빙글빙글 돌았다. 깊숙이 잠자고 있던 기억들이 밤하늘을 뒤덮은 저 불꽃놀이처럼 펑펑 터졌다.

첫 번째 기억은 이보다 더 숨 막힐 정도로 많은 인파 속에서의 불꽃놀이였다.

거대한 강, 그리고 강 위에 비친 성냥갑 같은 빌딩들. 하늘의 폭죽보다 더 많은 불빛이 땅 위에서 반짝이는 화려한 도시.

이 세계와는 완전히 다른 세상!

그곳에서 한평생 공부만 하다가 뺑소니 차량에 치어 죽은 한 여자의 일생이 눈앞을 스쳤다.

그리고…….

"하도 속이 답답해서 나왔는데 역시 오길 잘했군요."

옆에서 귀부인이 긴 한숨을 내쉬며 한탄을 쏟아내듯 말했다.

"남들은 다 우리 집안이 부럽다지만 내 속이 얼마나 썩어 들어가는지 아무도 모를 거예요."

"……."

"우리 아들이 이번에 큰일을 해서 황궁에 간답니다. 작위를 받게 될 거라는데, 그럼 뭘 하나요. 결혼을 안 하는데."

"……."

"그 아이가 글쎄, 남색을 하는 친구와 잘못 어울리더니 단둘이서 1년이 넘도록 밀월여행을 떠났지 뭐예요."

귀부인은 감정에 북받쳐 눈물을 쏟아냈다.

"가지 말라고 그렇게 말렸는데 어미 말은 들은 척도 안 하더군요. 그러더니 갑자기 서녘으로 갔답니다."

"……."

"그 위험천만한 곳에, 부모와 상의도 없이 훌쩍 떠났지 뭐예요. 그 애가 대체 무슨 생각을 하고 사는지…… 너무 쌀쌀맞고, 영 내

자식이 아닌 것 같아서."

가슴팍에서 손수건을 꺼낸 귀부인은 눈물을 닦으면서도 한을 털어내듯 말을 이어 갔다.

"그래도 공적을 쌓으러 서녘에 갔으니 정신을 차렸구나 싶었는데 또 그 비밀 친구와 동행을 했다지 뭐예요. 으흑."

귀부인은 끝내 꺼이꺼이 울음을 터뜨렸다.

"첫째는 몸이 약해서 쓰러지기 일쑤고, 셋째는 연구실에 틀어박혀서 얼굴도 안 보이고, 넷째는 하루 종일 책만 읽는 책벌레랍니다. 남편은 귀양을 가게 생겼고……."

"……."

"믿을 건 둘째 아들뿐인데 그 애가 그러고 다니니 이 어미가 억장이 무너져…… 어머나."

머릿속에 들이닥친 이세계의 지식, 거듭된 환생, 길고도 치열했던 베아트리체의 삶을 차례로 확인한 클로이는 스르르 옆으로 쓰러졌다.

"어머나, 아가씨!"

파리하게 질린 그녀의 안색을 보고 깜짝 놀란 귀부인이 멀리서 자신을 지켜보는 호위를 향해 손을 흔들었다.

"이보게! 어서 와 보게! 지금 불꽃놀이나 구경할 때가 아니야. 사람이 쓰러졌네!"

"마님, 아시는 분입니까?"

"이름도 모르는 아가씨일세. 하지만 쓰러진 사람을 모른 척하면 쓰겠나? 어서 이 아가씨를 집으로 데려가세!"

"아, 알겠습니다."

사람이 없는 한적한 곳에 마차를 세워 두었기에 호위가 클로이를 업고 뛰었다. 마차 안에 누운 그녀를 보고 귀부인은 그제야 클로이의 마른 팔다리와 몸을 훑었다.

"보게. 이 아가씨 안색이 너무 좋질 않아. 몸은 또 왜 이렇게 비쩍 말랐지? 요즘도 굶고 다니는 사람들이 많은가? 이를 어쩜 좋은가?"

"도착하자마자 의원에게 보이겠습니다."

시종이 믿음직스런 얼굴로 귀부인을 달래 주었다. 갑옷을 차려입은 듬직한 기사가 말을 보탰다.

"대공 부인, 너무 걱정하실 것 없습니다. 공작저에는 훌륭한 의원들이 있고, 시종들이 있지 않습니까?"

시종이 고개를 끄덕였다. 정신을 잃은 클로이의 새파랗게 질린 입술과 마른 얼굴을 들여다보던 시종이 물수건으로 손을 닦아 주며 말했다.

"이 아가씨는 행운이로군요."

클로이는 꼬박 하루 동안 정신을 차리지 못했다.

하지만 그녀가 눈을 떴을 때는 베아트리체의 온전한 기억을 가진 채였다.

낯선 천장, 좋은 향기, 벽에 걸린 화려한 그림들, 바쁘게 움직이는 시녀들.

"어머, 눈을 뜨셨군요. 어서 가서 말씀드려야겠어요."

몽롱한 정신으로 눈만 움직여 주위를 둘러보던 베아트리체의 눈가가 살며시 얇아졌다.

'이곳은…… 황궁인가?'

닮았다. 가장 오랜 시간을 살았던 그 화려한 궁. 가장 깊은 곳에 있었던 황후의 침실.

'나의 침실.'

하지만 자세히 보니 황궁만큼 휘황찬란하진 않았다. 시녀들의 복장이 다르고 쓰는 말투가 달랐다.

"대공 부인께서 걱정이 많으셨어요."

베아트리체는 눈을 깜빡였다. 정신을 잃기 전, 어떤 귀부인을 만나서 함께 불꽃놀이를 본 것까지가 그녀의 마지막 기억이었다.

'그런데 대공 부인이라고……?'

버석거리는 마른 입술 사이로 갈라진 목소리가 나왔다.

"그럼 여긴 칼스버그 대공의 저택인가요."

"맞습니다, 아가씨. 저희 마님이 대공 부인이세요."

베아트리체는 씁쓸한 미소를 머금었다. 이 저택에 와 본 적 있다. 아주 오래전이었다. 임종을 맞이한 요하임 칼스버그 공작의 마지막 길을 배웅했었다. 바로 이 저택에서.

자신보다 일찍 간다며 호통을 치는 동시에 눈물을 흘리던 던칸의 모습도 떠올랐다. 제국의 큰 별을 잃었다고 황궁의 모두가 열흘 간 검은 옷을 입었다.

'요하임 칼스버그 공작 같은 사람을 아버지로 두고 싶다고 했었는데.'

둘이서 사랑의 도피를 떠났던 어느 날, 알렉산드로는 그레이엄 가문의 치부를 제게 밝히며 그런 말을 했었다.

'그런데 진짜 칼스버그의 차남으로 태어났구나.'

전부 어제 일처럼 생생하건만, 백 년도 넘은 과거의 기억이었다.

'그 사람은 어떻게 이 모든 걸 기억하면서 멀쩡하게 살았을까.'

속으로 자조 섞인 웃음을 터뜨린 베아트리체는 몰아치는 기억의 홍수 속에서 간신히 현실을 되찾았다.

'내가 수도에 올라온 이유는 쿠피히트 가문의 장례식 때문이었어.'

그 계기였지만 그것만이 전부는 아니었다. 대공 부부에게 알렉산드로와 자신의 결혼 사실을 직접 밝히고, 서녘에서 돌아올 알렉산드로를 일찍 만나기 위함이었다.

그리고, 또 다른 이유가 생겼다.

'황궁에 가야 해.'

베아트리체는 놀랍도록 선명한 자신의 기억 속에서 어느 날 받은 편지의 한 문장을 떠올렸다.

—내가 왕녀님의 친정이 되어 주리다.

줄리아 맥코웰의 편지였다. 모든 게 감사하도록 충분했고, 그래서 행복했던 그날의 감정도 고스란히 남아있었다.

알렉산드로는 본인이 원하던 칼스버그의 아들로 태어났고, 자신은 평생을 외척처럼 굳게 의지하던 줄리아 맥코웰의 진짜 핏줄로 태어났다.

무슨 운명의 장난인지 웃음도 나오지 않았다. 속이 매스껍고 온몸에 힘이 하나도 없었다.

'난 맥코웰 공작가의 사람이야.'

당시 피터는 줄리아의 강력한 요구로 맥코웰의 핏줄로 인정받고자 했으나, 엄격한 신전과의 관계 때문에 던칸은 이를 허락하지 못했다.

화가 난 줄리아는 황가가 그렇게 신전의 눈치를 보다가는 큰 화를 입게 될 것이라고 막말을 쏟아냈다. 던칸이 혈압으로 쓰러진 첫 번째 날이었다.

'정말 그렇게 됐어.'

제국의 퇴보한 역사는 진보파와 급진파의 싸움 이전에 신전이 있었다. 노예 제도를 없애고, 복지 개념을 설립하기 위해서 신전을 이용했지만 부작용이 만만찮았다.

"칼스버그 대공 부인께서 오셨습니다."

첫인상과 달리 우아한 드레스를 차려입은 귀부인이 침실로 들어섰다.

"대공 부인."

베아트리체는 간신히 몸을 일으켰다.

"누워 있어도 괜찮답니다, 아가씨."

그녀의 만류에도 베아트리체는 침대에서 일어섰다. 어차피 황궁에 가야 했다.

"처음 인사드립니다."

한 손은 드레스 자락을 붙잡고, 한 손은 가슴을 짚은 그녀가 가볍게 무릎을 굽히며 고개를 숙였다.

이젠 자신을 뭐라고 소개해야 하는지 알았다.

"베아트리체 맥코웰이라고 합니다, 부인."

"나는 칼스버그 공작의 아내예요. 다들 대공 부인이라 부르기는 하지만……."

여인의 겸손한 미소를 보고 베아트리체는 그녀가 소박한 성품을 가진 사람이라고 짐작했다.

"이곳은 칼스버그 공작저이고, 아가씨는 지난밤에 나와 불꽃놀이를 보다가 쓰러졌어요. 기억이 나나요?"

"예, 기억합니다."

"몸이 좋지 않아 보여서 우리 집으로 데려왔는데……."

"저를 구해 주신 은혜는 잊지 않겠습니다, 부인."

"아주 예의가 바른 아가씨군요. 먼 곳에서 왔다고 했지요?"

"예, 저는 남부에서 왔습니다."

"무슨 일로 수도에 온 건가요? 연락을 취할 데가 있다면 내가 도와줄 수 있어요."

베아트리체는 마침 광장의 숙소에서 애타게 자신을 찾고 있을 일행에게 사람을 보내 달라 부탁했다.

"수도에 무슨 일로 왔는지는 모르겠지만 원할 때까지 이곳에 머물러도 좋아요."

대공 부인의 너그러움에 베아트리체는 훨씬 가벼운 마음으로 입술을 떼었다.

"부인, 사실 저는…… 부인을 뵈러 수도에 왔습니다."

"나를요?"

놀란 대공 부인의 눈이 커졌다. 의미심장한 분위기를 읽었는지 베아트리체가 요청하기도 전에 그녀가 시녀들을 침실 밖으로 보냈다.

"잠시 나가 있거라."

조용해진 침실에서 베아트리체는 드디어 자신과 알렉산드로의 결혼 사실을 밝힐 수 있었다.

"대공 부인, 너무 놀라지 마세요. 저는 남부의 영지에서 알렉산드로와 결혼식을 올렸습니다."

"……!"

"제 가문의 문제로 수도에 계신 대공 부부께 이 사실을 뒤늦게 알리게 되었어요."

대공 부인은 쓰러질 듯 놀랐다. 이윽고 간신히 진정한 그녀가 목소리를 낮췄다.

"알렉산드로 칼스버그, 내 둘째 아들과 결혼한 게 정말 맞나요?"

"맞습니다, 부인. 늦게 알려 드려 죄송하다는 말씀밖에는……."

"그 애가 정말 결혼에 동의를 하던가요? 순순히?"

"네, 그랬습니다. 제 일행에게 집사장이 써 준 편지가 있어요."

대공 부인은 그녀의 네 번째 손가락에 낀 반지를 빤히 응시했다.

'정말이다. 정말이야!'

가슴이 두근거렸다. 대공 부인은 한참 고민하다가 양심껏 어렵게 다시 입을 열었다.

"하지만 그 아이의 옆에는 오래된 연인이 있답니다, 아가씨. 그걸 알고도 결혼해 준 건가요?"

"오래된 연인이요?"

대공 부인은 쓴 약을 삼키듯 눈을 질끈 감고 밀런의 존재를 털어놓았다.

"밀런…… 쿠피히트라고…… 어릴 적부터 친구 사이였는데 글쎄……."

베아트리체는 처음으로 소리 내서 웃음을 터뜨렸다.

"대공 부인, 알렉산드로는 남색을 하지 않아요."

"아니, 언제부터……?"

"처음부터요."

놀란 대공 부인이 혼란에 빠진 정신을 추스르고 가깝게 다가왔다. 조심스레 베아트리체의 손을 붙잡고는 그녀가 입을 열었다.

"어쨌든 그럼 아가씨는 우리 둘째와 결혼을 이어 갈 생각인가요?"

간절하고 애틋한 시선이 그녀에게 와 닿았다.

"그 애가 표현은 많이 거칠지만 건강하고…… 건강하답니다. 우리 집안은 재산도 많고 명예로운 가문이에요."

피식 웃음을 터뜨린 베아트리체는 흔쾌히 고개를 끄덕였다.

"그럼요. 그보다는 우선 황궁으로 가는 마차를 준비해 주실 수 있으신가요, 부인?"

"그야 어렵진 않지요. 황궁에 만날 사람이 있는가 보군요."

"네, 볼일이 있어요."

"치부 같지만 우리 가문의 일원이 되었으니 숨겨선 안 되겠지요."

대공 부인은 시름 어린 얼굴로 한숨을 내쉬었다. 이젠 황궁이라는 말만 들어도 지긋지긋했다.

"대공께선 본의 아닌 일로 황실에 큰 폐를 끼쳐 폐하의 노여움을 샀답니다. 이게 다 유물 연구 때문이에요."

의아한 시선이 와 닿았다. 대공 부인은 침착하게 문제의 전말을 설명했다.

"남편은 30년 전의 화재로 일부가 소실된 『초대 황후의 보물서』를 연구했답니다. 다 황실의 요청이었지요."

가만히 얘기를 듣던 베아트리체의 얼굴에 의아함이 서렸다.

'화재가 났는데, 책의 일부분만 소실되었다고?'

흔한 일이 아니었다. 애초에 보물서를 보관하는 황가의 서재가 불이 날 만한 곳도 아니었다.

권력자는 본인의 실책으로 문제가 생기면, 지탄 받아 권력을 잃지 않기 위하여 우연한 사고를 가장한다.

'황실에선 뭔가를 숨기려고 했던 거야.'

그녀의 예상대로였다.

"하필이면 소실된 그 부분이 황실을 대표하는 가장 중요한 보물에 관한 내용이지 뭐예요."

"중요한 보물이라면……?"

"어떤 목걸이라더군요. 어쨌든 남편이 몇 년에 걸쳐 보물서 판독에 성공했는데, 그게 글쎄."

대공 부인은 비밀을 말하듯 고개를 숙이고 속삭였다.

"사실은 황실에 그 목걸이가 없었던 겁니다."

"……!"

"목걸이가 어디로 사라졌는지 아무도 모르는 거예요."

그래서 목걸이의 존재를 아예 숨기려고 화재로 책의 일부가 소실되었다고 변명한 거였다.

"급진파 귀족들은 그 사실을 줄곧 의심해 왔어요. 그래서 폐하께 진실 규명을 요구했고, 이를 묵과할 수 없었던 황실에선 우리 남편에게 소실된 보물서의 내용을 판독하라 한 겁니다."

'그러니까 황실은 불타 버린 책 내용을 무슨 수로 해독할까 했는데 대공이 덜컥 성공해 버린 거구나.'

눈치도 없지…….

베아트리체는 안타까움에 속으로 혀를 찼다. 고래 싸움에 새우 등 터진다는 게 딱 이때 쓰는 말이었다.

"아주 중요한 보물이었나 봐요."

"그레이엄 황가를 상징하는 목걸이라더군요."

황가의 정통성을 상징하는 보석은 제국민이라면 누구나 다 안다.

'사파이어.'

사파이어 목걸이라. 베아트리체는 곰곰이 기억을 더듬었다. 하지만 선물받은 게 하도 많아서 그중에 어떤 목걸이를 말하는지 단번에 알 순 없었다.

"대륙이 하나로 통일되기 전에, 제국이 엘파사 왕국과 화친을 맺으며 그레이엄 1세가 왕가와 혼인을 약속한 증거로 사파이어를 선물받았답니다."

"……."

"그 사파이어가 서른…… 서른 몇 개라던가?"

순간 베아트리체는 주렁주렁 사파이어가 달린 어떤 목걸이를 떠올렸다. 무거워서 자주 하고 다니지도 못했던 목걸이다.

"더없이 소중한 여식을 결혼시키는 아비의 심정을 담아서 이름 지었다더군요."

'왕의 눈물.'

그 목걸이는 절대 그런 의미가 아니었다.

베아트리체는 자조했다. 생전에 알렉산드로는 그녀와의 인연에 정당성을 부여하기 위하여 왕국과 화친을 맺고 혼약을 했다는 거짓을 칼스버그 공작에게 부탁한 적이 있었다.

당시 칼스버그 공작은 『대륙 통일 역사 기록서』라는 책을 집필 중이었다.

'그렇게 거절하시더니, 결국 들어주셨나 보구나.'

그 고집을 누가 말릴 수 있을까. 베아트리체는 조용히 혀를 찼다.

"아무튼 그레이엄 1세께서 그 사파이어로 만든 목걸이를 초대 황후에게 선물하셨다지요. 어마어마한 보물이라 감히 다시 만들 수도 없다더군요."

"그렇게 뜻 깊은 의미가 담긴 목걸이인데 황실에서 잃어버렸으니 얼마나 난감했을지 알겠네요."

"책을 복원할 수 없다거나, 애초에 적당히 거절했어야 하는데 그이도 그럴 수가 없는 입장이었지요."

대공은 제 가문의 이름을 딴 학술원을 수도에 설립하고자 했다. 때마침 수도에 대신전을 재건하기 위한 급진파의 압박도 있었다.

둘 다, 황실의 동의가 필요한 일이었다.

'대공의 처세술이 부족했다고 탓하기엔 황궁에는 얽히고설킨 복잡한 이해관계가 있어.'

칼스버그 대공과 황실 모두 난감한 상황이었다. 다행히 베아트리체에겐 이 상황을 타개할 방법이 있었다.

'그 목걸이는 황실에서 잃어버린 게 아니야.'

어디에 있는지 찾지 못했을 뿐이다. 그녀의 입가에 미소가 어렸다.

"대공 부인, 제가 대공님과 폐하께 도움이 될 수 있을 것 같아요."

수도에 친인척도 없는 베아트리체가 황제를 알현하는 건 절대 쉽지 않은 일이었다. 황비와 친분이 있는 대공 부인이 직접 황궁에 동행하여, 황비에게 말을 전해 준 덕분이었다.

아침부터 늦은 밤까지 오랜 기다림 끝에 베아트리체는 칼스버그의 이름으로 황제를 알현할 수 있었다.

"제국의 태양이신 폐하를 뵈옵니다."

현 황제는 날카로운 눈빛을 가진 노년의 신사였다. 베아트리체는 얼굴을 본 적 없는 증손이었다.

'하지만 낯설지가 않아.'

던칸과 너무나 흡사한 얼굴이라 놀라울 따름이었다. 집무실 책상에 앉아 서류에 눈을 고정한 그가 툭 내뱉듯 말했다.

"명맥이 끊긴 네 가문을 복원시켜 달라고."

"그렇습니다, 폐하."

"시간 없다. 네 가문은 어디냐?"

"맥코웰 공작 가문입니다."

순간 바쁘게 움직이던 황제의 손이 뚝 멈췄다. 인형처럼 멈춰 있던 그가 번뜩 고개를 들었다.

먹잇감을 노리는 독수리처럼 무시무시한 눈빛이 그녀를 강타했다. 베아트리체는 지지 않고 그를 응시했다.

"저의 시조는 피터 맥코웰입니다, 폐하. 그리고 그분은 줄리아 맥코웰 공작의 분명한 핏줄이십니다."

황당한 건지, 황제는 한동안 말이 없었다. 눈싸움을 하듯 서로를 빤히 응시하던 끝에 황제가 입을 열었다.

"명예로운 개국 공신 가문을 사칭하는 건 중죄다."

"알고 있습니다, 폐하."

"맥코웰 공작가는 선황의 외척이자 황실의 핏줄이다. 사실이 아니라면 네 죄는 결코 가볍지 않다."

"물론입니다."

"거짓이라면 넌 사형이다."

"거짓이 아닙니다, 폐하."

황제는 어이없다는 얼굴로 팔짱을 꼈다. 다른 가문이면 몰라도 감히 맥코웰 가문을 사칭하는 발칙한 이는 처음이었다.

제 가문이라면서, 맥코웰 가문의 역사조차 모르는 게 분명했다.

"황비의 간절한 청으로 알현을 허하긴 했다만…… 그래, 무슨 헛소리를 하는지 한번 들어는 보지."

"그와 관련하여 먼저 말씀드릴 게 있습니다."

"무엇인가?"

"폐하께서 골머리를 앓고 계시는 일을 제가 해결해 드릴 수 있습니다."

"뭐?"

황제는 기가 차다는 듯 코웃음을 터뜨렸다. 하지만 이어서 나온 자신만만한 말에 숨을 멈췄다.

"그 목걸이 말입니다."

"……!"

"황가에서 오래전 잃어버렸다는 초대 황후의 목걸이요. 제가 찾아드릴 수 있습니다."

황제의 얼굴은 석상처럼 굳어졌다.

"공식적으로는 '왕의 눈물'이라는 이름이지요? 36개의 커다란 사파이어가 달린."

웃음기가 싹 가신 그를 보고도 베아트리체의 입술은 거침없었다.

"황가에선 비공식적으로 불리던 이름도 있는 것으로 압니다."

멀찍이 책상 앞에 앉아 있던 그가 자리에서 일어나 저벅저벅 다가왔다.

'아버님을 정말 많이 닮았구나.'

그레이엄 대제. 던칸 그레이엄.

현 황제의 얼굴에는 제 모습도 있었다. 오묘한 눈동자색이 그랬다.

"어떻게 그걸 알고 있지? 칼스버그 대공인가? 그가 네게 '왕의 눈물'을 알려 주었느냐?"

"아닙니다, 폐하. 저는 아직 그분을 뵌 적도 없습니다."

"그런데 네가 그걸 어떻게 알지? 황궁에 세작을 심었느냐? 누가 널 보냈느냐?"

"저는 제 발로 왔습니다. 그리고 칼스버그 대공께서 그런 조악한 수를 쓸 만한 사람이 아니란 건 폐하께서 더 잘 아실 것입니다."

"하! 그를 본 적도 없다더니…… 대체 넌 누구냐?"

황제는 혼란스러운 눈빛이 역력했다. 그 목걸이에는 2개의 이름이 있었다. 공식적으로는 '왕의 눈물', 그리고 비공식적으로는…….

"그레이엄 1세가 영원한 사랑을 맹세하며 증표로 아내에게 선물한 목걸이라 하여 '사랑의 맹세'라는 다소, 음, 유치한 이름도……."

"그만! 알겠으니 그만하라!"

오직 제국에만 순정을 바쳤던 애국자 그레이엄 1세가 사실은 지독한 사랑꾼이며 아내밖에 모르는 바보라는 사실은 그레이엄 집안에선 유명했다.

"그래서, 네게 그 목걸이가 있느냐?"

"제게 없습니다, 폐하. 그 목걸이는 이 황궁 안에 있습니다."

황제의 혼란은 가중되었다. 털썩 소파에 주저앉은 그가 버릇처럼 이마를 감쌌다.

"황궁에 있다? 하, 참······."

차마 입 밖에 꺼낼 수 없는 이야기지만 황실은 그 목걸이를 잃은 지 오래되었다.

정확히는 초대 황후의 서거부터였다. 후에 발견된 친필 유서로 목걸이의 존재는 세상에 알려졌으나 아무리 찾아도 황궁 그 어디에도 없었다.

"폐하, 초대 황후의 유물은 모두 순장되었습니까?"

머리를 싸매고 있던 황제가 힐끔 그녀를 응시했다. 그조차도 황가의 후손들에겐 쟁점인 문제였다.

"초대 황후께선 후손을 위해 보관하라 하셨을 텐데요."

"하지만 그레이엄 1세께선 남김없이 황릉에 묻으라 하셨지. 따라야 했다."

그럴 줄 알았다. 한평생 같은 문제로 다퉜지만 알렉산드로는 고집을 굽히지 않았다.

베아트리체는 이를 예상하고 몇 가지 방안을 마련해 두었다.

"황릉의 일부가 무너지는 사고만 없었더라면 이런 문제가 생기지도 않았을 텐데······."

기록적인 폭우였다. 설계가 잘못된 건지, 하필이면 초대 황후의 보물이 있는 내실의 입구만 무너졌다. 덕분에 후손들은 보물을 간직하게 되었으니 우연 같기도 하고, 운명 같기도 했다.

"그때 도둑을 맞은 게 아닌가 싶어 제국의 암시장을 10년간 뒤졌다. 하지만 그 목걸이는 찾지 못했지."

"그야 황궁 안에 있으니까요."

머리를 싸매고 있던 황제가 힐긋 눈을 들었다.

"넌 어떻게 그걸 확신하느냐? 대체 네 정체가 뭐지? 왜 나를 찾아왔느냐? 원하는 게 무엇이기에!"

"폐하, 다시 말씀드리지만 저는 줄리아 맥코웰의 핏줄입니다. 오직 그 사실을 폐하께 증명받기 위해 이 자리에 있습니다."

순간 황제의 눈에 이채가 돌았다.

그레이엄 황실 안에서만 전해지는 이야기가 있다. 부친, 그리고 조부, 증조부에게서부터 전해진 전설 같은 이야기였다.

톱니바퀴처럼 모든 게 맞물려 굴러가듯 보이는 이 세상에도 결코 믿지 못할 신기에 가까운 일들이 벌어진다.

인과관계, 논리, 사람의 손을 벗어난 거대한 파도.

우연이란 이름으로 다가오는 불가사의한 사건들.

하지만 필연적인 순리.

그것이 이 세상의 비밀.

"네게도 그…… 맥코웰 가문의 사람들에게만 있다는 특별한 능력이 있는 모양이구나."

"그렇습니다, 폐하."

베아트리체는 자신이 초대 황후의 환생이라고 밝히는 것보단 덜 위험한 수를 택했다.

"만약 제가 줄리아 맥코웰의 핏줄이 아니라면 어떻게 이 사실을 다 알았겠습니까?"

이 말도 안 되는 이야기를 믿어야 할까, 말아야 할까. 황제는 고민하며 그녀를 노려보았다.

"만약 제 말이 사실이라면 폐하께서는 목걸이를 되찾으실 테고, 맥코웰 공작가의 충성도 얻게 되실 테지요. 세력은 없지만 명예는 충분한 가문입니다."

"네 말이 거짓이라면?"

"그때는 제 목숨만 거두시면 됩니다."

명쾌한 답변이었다.

"얻을 것에 비해 잃을 것은 사소하니 폐하께는 얼마나 유리한 거래입니까?"

"말은 참 잘하는군."

어려 보이는 얼굴과는 달리 상당한 달변이었다. 감히 제국의 황제를 코앞에 두고도 긴장한 기색조차 없었다. 마치 이런 자리가 익숙한 것처럼.

"……그래, 못 믿을 이유도 없지. 대가로 치를 것은 고작 네 목숨뿐이니 말이다. 그래서, 목걸이는 어디 있느냐?"

"그 목걸이는 황비 전하의 침실 안에 있습니다."

"황비의 침실이라…… 황비의 침실은 넓고도 넓다. 서재를 비롯하여 알현실과 내실이 다섯 개가 넘지. 정확히 어디에 있다는 거냐?"

"그 전에 저와 약조해 주십시오, 폐하."

"무슨 약조?"

"목걸이를 찾으시면 제 청을 꼭, 들어주셔야 합니다."

순간 진지하던 황제의 표정이 미묘하게 변했다.

"감히 나를 의심하느냐? 당연히 들어주겠지!"

던칸이 억울할 때 나오는 표정을 너무나 빼다 박은 얼굴이라 베아트리체는 간신히 웃음을 삼켜야 했다.

"하지만 맥코웰은 제 외가인지라…… 세상에 공표하려면 많은 어려움이 있을 것입니다."

"그레이엄은 약속을 어기지 않는다."

황제는 자신감이 가득한 눈빛으로 오만하게 턱을 치켜들었다.

"나, 더글라스 그레이엄의 이름으로 네게 약속하지. '왕의 눈물'을 되찾으면 네 소원을 들어주겠다. 됐나?"

그리고 보니 저 발칙한 이의 이름도 묻지 않았다. 하지만 황제는 그보단 목걸이의 행방이 궁금했다.

"이제 말해라. 목걸이는 어디 있느냐?"

"……."

"설마 내가 각서라도 쓰길 바라는 건 아니겠지."

"……제가 가진 유일한 패를 드리는 겁니다. 폐하께 유리한 거래인만큼 저는 최소한의 보장을 받고 싶습니다."

믿을 수 없다는 듯 그녀를 노려보던 황제는 절레절레 고개를 내저으며 책상으로 향했다.

"아니기만 해 봐라. 넌 참형이다."

그렇게 중얼거리며 황제는 익숙한 손놀림으로 서류 한 장을 완성했다. 베아트리체는 사나운 손길로 건네받은 종이 한 장을 확인했다.

그레이엄과 맥코웰의 오래된 약속에 따라서, 피터 맥코웰의 자손이 맥코웰 공작가의 후손임을 보증한다.

더글라스 그레이엄

간단한 내용이었다. 목걸이 같은 문구는 일절 없었다. 놀란 베아트리체가 종이에서 시선을 떼고 황제를 응시했다.

"시간 없다. 황비에게 가야 하니 얼른 말해라."

"폐하, 황비 전하의 침대 아래 바닥을 잘 살펴보십시오."

"거기 있다고?"

"아닙니다. 그 바닥을 잘 살펴보시면 편지가 있습니다. 그 편지에 목걸이가 어디 있는지 적혀 있습니다."

의심쩍은 말에 황제의 눈빛이 사뭇 사나워졌다.

"설마 네가 시녀를 사주해서 편지를 갖다 놓은 건 아니겠지?"

"제가 이 자리를 벗어나면 다 조사를 해 보시겠지만 전 그럴 만한 뒷배가 없는 사람입니다, 폐하."

"글쎄. 넌 칼스버그 대공 부인의 추천으로 황궁에 들어오지 않았느냐?"

그가 칼스버그 대공을 거론하며 심드렁히 대꾸하자 베아트리체의 눈매가 매서워졌다.

"폐하, 그렇다면 저를 움직여서 칼스버그 대공 부부가 얻고자 하는 게 무엇입니까."

모든 사람은 의도를 갖고 행동한다. 상대의 수를 앞서 읽기 위해서는 원하는 바가 무엇인지를 확실히 하면 된다.

"대공 부부가 원하는 게 권력입니까, 재산입니까? 아니면, 폐하의 인정과 신뢰입니까?"

"……."

권력, 재산, 황제의 신뢰. 모두 칼스버그와는 먼 얘기였다.

칼스버그 대공은 하루빨리 황궁을 떠나 영지로 내려가 고대 유물을 연구하고 싶다는 읍소를 거듭한 지 벌써 3년 째였다. 수도에 '칼스버그 학술원'을 세우고 싶지 않으냐고 꾀어내선 그를 옆에 붙잡아 두고 있는 건 바로 자신이었다.

황제의 부름보다 책을 더 사랑하는 발칙한 자.

그게 바로 칼스버그 대공이었다.

"그 편지는 지금으로부터 약 일백 년 전에 초대 황후에 의해서 직접 작성된 것입니다. 필체와 종이를 보시면 아시겠지만 어느 누구도 그 편지를 다시 만들어 낼 순 없을 것입니다."

황제는 고뇌하듯 얼굴을 쓸어내렸다.

'정말 그곳에 편지가 있을까.'

가서 확인해 보면 될 일이다. 그가 진짜 고뇌하는 건 어느 날 갑자기 제 눈앞에 나타난 이 불가사의한 이였다.

"너는…… 그 편지의 내용도 알고 있느냐?"

어디까지 얘기해야 할까. 모른다고 거짓말을 해야 하나. 베아트리체는 처음으로 말을 주저했다.

"알고 있는 모양이군."

알아서 결론을 내린 황제는 곧장 자리에서 일어섰다.

"내일 아침 해가 뜨자마자 입궁해라. 그때까지 얌전히 네 처분을 기다리는 게 좋을 거다."

그를 쳐다보던 베아트리체의 눈이 커다래졌다.

'그럼 설마…… 나를 이대로 내보내 주려고?'

목걸이의 행방이 밝혀질 때까지 지하 감옥에 갇힐 거라고, 그 정도는 각오하고 입궁했다.

그런데 황제는 그녀에게 자유를 주었다. 게다가 목걸이의 행방과는 무관한 황제의 각서. 그 또한 이미 그녀의 손에 들려 있었다.

먼저 집무실을 나서던 황제는 뒤를 돌아보았다. 눈으로 그의 뒤꽁무니를 좇던 그녀의 놀란 시선과 마주쳤다.

"적어도 네가 거짓말을 곧바로 꾸며내지 못하는 사람이라는 건 확실하구나."

황제의 발걸음은 오랜 고민을 해결한 사람처럼 가벼웠다.

황제는 황비의 침실을 찾지 않았다.

'초대 황후께서 직접 쓰고 봉한 편지라면 초대 황후의 침실이겠지.'

초대 황후의 침실은 현 황비의 침실과는 완전히 다른 곳에 위치했다.

황제의 침실은 그대로 사용하지만, 황후의 침실은 바뀌었다. 초대 황후의 서거 이후의 일이었다. 외부에는 일절 알려지지 않은 오래전의 일이었다.

'만약 이 모든 게 꾸며진 거짓말이라면, 그 편지는 현 황비의 침실에 갖다 두었을 것이다.'

하지만…… 진짜 같다. 황제의 직감이 그렇게 말했다.

그녀의 말에는 어떤 증거도 없지만 그런데도 불구하고 신뢰가 갔다. 그래서 황비의 침실 대신 초대 황후의 침실을 먼저 찾았다.

"폐하."

복도를 지키는 근위병이 절도 있는 몸짓으로 예를 갖췄다.

지금은 쓰지 않는 침실이라 궁인들의 발길조차 닿지 않는 곳이었다. 그 침실 안으로 들어서자 잠시 의아한 시선이 따라붙었다. 그러나 근위병이 황제의 행차에 이유를 물을 순 없는 노릇이었다.

황제는 고요한 침실 안을 훑었다. 실내 장식은 우아하지만 곳곳에 세월의 흔적이 고스란히 느껴졌다. 나무 바닥을 밟고, 천천히 주위를 둘러보는 발길이 문득 한곳에서 멈췄다.

바로 초대 황후와 그레이엄 1세의 초상화였다.

이 초상화는 외부인들이 아는 것과는 많은 게 달랐다. 제국의 영웅으로 불리던 그레이엄 1세의 잘 벼린 칼처럼 매서운 눈빛은 이 그림에선 전혀 찾아볼 수 없었다.

자신이 사랑하는 여자를 바라보는 시선에는 인내와 애정이 서려 있었고, 그녀를 품에 안은 손길은 그저 다정했다.

그에게 안겨 있는 초대 황후의 굽이치는 부드러운 흑색 머리카락이 시선을 끌었다. 그리고 그보다 더 상냥하고 선한 눈빛이 인상적이었다.

'……꼭 어디서 본 것 같군.'

두 사람 다, 초대 황후와 초대 황제로서의 위엄보다는 서로를 사랑하는 젊은 연인의 인간적인 면모가 담긴 초상화였다.

더글라스는 그 초상화 아래 음각으로 새겨진 먼지 쌓인 이름을 더듬었다.

알렉산드로, 베아트리체와 함께

532년

532년은 신제국력의 마지막 표기 해였다.

신제국력 이후에 제국력을 사용했고, 제국력 22년에 그레이엄 1세가 황제가 되며 지금 사용하는 통일력을 국정력으로 채택했다.

올해가 127년이었다.

'무려 149년 전에 그려진 초상화로군.'

아득한 시선이 오래도록 젊은 연인의 평온한 모습을 눈에 담았다.

선황이라 칭하기에도 먼 조상. 한데 오묘한 기분이었다. 마치 그들이 지금도 제 옆에 살아 있는 듯한 착각이 일 만큼 이상한 위화감이 들었다.

초대 황후의 침대로 향하는 순간까지도 그랬다. 더글라스는 체면도 잊은 채 바닥으로 바짝 몸을 낮췄다. 그러면서도 이게 지금 뭐 하는 짓인가 싶었다. 스스로 생각하기에도 귀신에 홀린 사람 같았지만 나무 바닥을 짚는 손길은 사뭇 진지했다.

한참을 더듬던 그는 조그맣게 삐걱대는 판자 하나를 찾아냈다. 어렵게 그 판자를 들어 올리자, 손이 겨우 들어갈 크기의 깊은 구렁이 발견되었다.

'이럴 수가.'

황위를 물려받은 지 벌써 33년. 나고 자라 온 이 황궁에 자신이 모르는 건 아무것도 없다고 자만했다.

큰 충격에 휩싸인 더글라스의 손길이 가빠졌다. 구렁 속으로 손을 집어넣자 놀랍게도 작은 병이 만져졌다.

급히 병을 꺼낸 더글라스는 그 안에 밀봉된 편지를 찾았다.

척 보아도 오래된 편지였다. 낡은 종이를 조심히 펼쳐 든 그는 단정한 글씨로 작성된 편지를 읽어 내렸다.

서두는 '아스트리드에게.'라고 적혀 있었다. 그 내용은 황제가 된 여식을 걱정하는 모친의 심정이 고스란히 담겨 있었다.

……언제라도 네가 어려움에 처하여 선황 폐하의 도움이 필요해지면 황릉을 찾아가렴. 내 보물실은 열려 있단다.

'내 예상이 맞았다.'
보물실의 설계는 황릉과 달랐다. 그래서 기록적인 홍수에 폭삭 무너졌던 거였다.
그러니까, 보물실은 처음부터 개방되도록 설계되었다.
남겨진 후손들을 위하여.

그곳에는 네 황위의 정당성을 입증할 많은 것들이 있을 거다.

황위의 정당성은 핏줄이었다. 하지만 그레이엄 2세, 최초의 여성 황제인 아스트리드는 그레이엄 황실에서 유일한 갈색 눈동자였다. 그게 혹시라도 귀족들에게 공격을 받을 될까 봐, 이를 염려한 게 분명했다. 무덤을 파헤쳐 목걸이를 빼올 수는 없으니까.

만약 폐하께서 내 바람대로 보물을 함께 묻지 않았다면 더 쉽겠구나. 하지만 그럴 분이 아니시지, 네 아버지는.

더글라스는 저도 모르게 초상화를 흘긋 응시했다. 소싯적 제 모습과 많이 닮은 얼굴의 초대 황제가 굉장한 욕심쟁이로 보였다.

'사랑하는 여자가 바라는 대로 해 주시지, 그걸 기어코.'

후손에게 주기 싫어서…….

쯧, 짧게 혀를 찬 더글라스는 남은 편지를 읽어 내렸다.

사랑하는 아스트리드.

그럴 일은 없길 바라지만, 만약 모든 게 어려워지면 '만돌린'을 찾으렴.
그 안에, 네가 누구인지 답이 있을 거다.

초대 황후의 염려와 다르게 제국은 그레이엄 2세의 치하에서 빛
을 발했다. 최초의 여성 황제였던 아스트리드가 얼마나 훌륭했는
지는 여태껏 한 번도 발견되지 않은 이 편지가 증명했다.

저 역시 미약한 황비의 출신 때문에 황태자의 불안한 입지를 걱
정했기에 초대 황후의 마음도 이해되었다.

더글라스는 편지를 손에서 내려놓고 얕은 한숨을 내쉬었다.

목걸이에 관한 언급은 일절 없지만 '만돌린'을 찾으라는 의도만
은 확실했다.

서민들이 사용하는 악기.

'초대 황후께서 만들어 보급한 물건.'

더글라스는 침실 벽에 붙은 장식장으로 눈을 돌렸다. 그 안에 초
대 황후가 생전 애용하던 물품들이 고스란히 보관되어 있었다.

부채, 깃펜, 그녀가 즐겨 읽던 책, 주고받은 편지 등. 그 장식장
의 가장 꼭대기에 만돌린이 있었다.

더글라스의 손은 스르르 만돌린으로 향했다.

'황후 전하, 저를 용서하십시오.'

그 홍수만 아니었어도 전하의 보물들이 세상에 쏟아져 나올 일은 없었을 겁니다. 그랬다면 아무도 '왕의 눈물'이 보물실에 없었다는 걸 몰랐을 테지요.

'저를 용서하소서.'

묵직한 만돌린을 움켜쥔 더글라스의 손이 멈칫했다.

초대 황후가 누구인가! 그녀는 온전한 제국민이 아니었다. 태어나고 자란 건 제국이 맞지만, 그녀의 첫 기억은 지도에도 없는 먼 타국에서 시작되었다고 한다.

제국과는 비교도 되지 않는 선진 세계. 그녀는 발전된 그 지식을 기반으로 제국의 부흥에 이바지한 입지적인 인물이었다.

아무도 믿지 못할 신비로운 일이라 집안에서만 전해지는 비밀이었다.

'용서하소서, 전하……..'

중년의 황제에게도 조상의 물건을 함부로 파헤친다는 죄책감은 있었다. 그것도 위인이나 다름없는 초대 황후의 물건이었다.

깊은 한숨을 내쉰 그가 마침내 손을 움직였다. 팅, 팅팅. 맑은 소리와 함께 줄이 다 뜯어졌다. 가운데 뚫린 안쪽으로 거친 손이 들어갔다.

내부는 텅 비어 있는 듯 했으나 나무로 막힌 공간이 존재했다.

뭔가 있다. 하지만 이걸 확인하려면 만돌린을 다 부숴야 한다.

'전하, 용서하소서. 저를…… 이 몹쓸 자를 용서……..'

해선 안 될 짓을 한다는 죄책감에 더글라스는 땀을 줄줄 흘렸다.

결국 만돌린은 산산조각이 났고, 그 잔해 속에서 더글라스는 검은색 주머니를 발견했다. 작은 돌덩이가 여럿 들은 듯 묵직했다.

더글라스는 급히 주머니를 열었다. 그러자 찬란한 사파이어 목걸이가 마침내 모습을 드러냈다.

"맙소사."

그의 입에서 탄식이 터졌다. 이 늦은 밤에도 푸른색 사파이어는 영롱한 빛을 발했다. 보석이 얼마나 주렁주렁 달렸는지, 눈이 부시다 못해 시릴 정도였다.

더글라스는 떨리는 손으로 사파이어의 숫자를 셌다.

하나, 둘, 셋, 넷, 다섯…… 정확히 서른여섯 개였다.

믿을 수 없었다. 보석이라면 그 역시 평생을 봐 왔지만 이렇게 커다랗고 투명한 사파이어가 줄줄이 달린 목걸이는 처음이었다.

감히 흉내 낼 수조차 없는 엄청난 보물이었다.

'왕의 눈물'이라 이름 지어진 이 보물은 엘파사의 왕녀와 그레이엄 대공의 결혼을 약속하며 왕이 내린 선물이었다.

엘파사의 왕녀, 베아트리체는 왕가의 후계자로서 그 명분과 능력이 충분했다.

'이 제국의 초대 황후.'

대륙에서 가장 오래된 역사를 가진 왕가의 핏줄이자, 그레이엄의 자손.

그게 아스트리드였고, 더글라스였다.

'네가 누구인지 답이 있을 것이다'라는 말 그대로였다. 이 목걸이에는 그레이엄 황가의 역사가 담겨 있었다.

안도의 한숨이 나왔다. '왕의 눈물'을 찾았다. 이로써 황실의 오래된 큰 고민거리가 해결되었다.

더글라스는 긴장으로 말랐던 입가를 쓸었다.

'사실이었다.'

그녀의 말이 전부, 진실이었다. 만약 이 모든 게 그녀의 계략이라면 적어도 일백 년 전에 편지를 숨겨 놓았어야 했다.

'불가능한 일이다.'

아직 필체를 확인해 보진 않았지만 종이의 질감이나 잉크의 번짐으로 보아선 초대 황후가 직접 쓴 편지가 확실했다.

'……그리고 보니 이름도 묻질 않았군.'

맥코웰의 후손이라는 말만 듣고 놀라선 이름도 듣지 않았다.

아직 그녀의 신원도 확인하지 않았고, 족보도, 맥코웰의 후손이라는 어떤 증거도 없었다. 철저한 뒷조사가 먼저 이뤄져야 한다는 건 알지만, 더글라스에겐 어떤 증거도 필요치 않았다. 자신의 직감이 바로 증거였다.

이번에는 황제가 그녀의 소원을 들어줄 차례였다.

늦은 아침이었다. 일찍이 볼일을 마친 더글라스는 새벽부터 자신을 기다리고 있던 베아트리체와 독대했다.

"폐하를 뵈옵니다."

감히 황제를 독대하며 눈을 피하지 않는 발칙한 이.

남부의 어느 시골 출신이라기엔 저 기백은 수도 명문가의 영애 못지않았다.

'아니지, 이 수도의 어느 누가 나를 저렇게 쳐다볼 수 있던가.'

더글라스는 매서운 인상이었다. 고조부인 그레이엄 대제를 빼닮은 얼굴로 제국민과 신전에선 인기가 높았지만 모두가 그를 어려워했다. 실제 성격은 그렇지 않은데도.

"폐하, 안색이 좋아 보이십니다. 목걸이는 찾으셨습니까?"

"못 찾았다."

"예?"

더글라스는 심드렁한 얼굴로 팔걸이를 내려쳤다.

"나는 황태자의 입지를 위해서라도 황실의 보물을 찾아 황비의 체면을 세워 주려고 했다. 한데 자신만만한 그대의 말과 달리 침실에는 아무것도 없더군."

놀란 그녀의 눈이 동그래졌다. 당황스런 상황에서도 꽤나 침착한 모습이었다.

"그대는 이제 죽은 목숨이다. 어찌할 것이냐."

"제 입으로 목을 내놓겠다 했으니 그리해야겠지요. 하지만 폐하, 정확히 무엇이 없었습니까?"

확실히 계략을 꾸민 자의 반응은 아니었다. 어떻게든 목걸이를 찾아주려는 의지가 확연했다.

"편지입니까, 만돌린입니까?"

"그걸 말해 주면 없는 목걸이가 생겨나기라도 한다는 말이냐?"

"그것을 알면, 목걸이가 어디에 있을지 유추는 해 볼 수 있습니다."

편지가 없다면 아스트리드가 이미 읽었기에 만돌린을 안전한 곳에 보관했다는 뜻일 테고, 만돌린이 없다면 누군가 빼돌렸다는 뜻이다.

"그 목걸이는 황궁 밖으로 나갈 수 없는 물건입니다. 전무후무한 보물이라 구매할 만한 사람이 없을 것입니다."

흠칠 수도, 팔 수도 없는 물건.

"목걸이가 정말 없어졌다면, 그건 선황 폐하께서 그 존재를 이미 확인하시어 다른 안전한 장소에 보관하셨다는 뜻입니다."

"그래. 그대 말이 맞다."

피식 웃은 더글라스는 얕게 고개를 끄덕였다.

"'왕의 눈물'을 본 적이 없는 자들이나 그 보물이 황궁 밖에 있다고 의심하겠지. 실제로 보니 그 목걸이는 누군가가 훔칠 수 있는 물건이 아니더구나."

"그 말씀은……."

"어젯밤, 나는 황실의 역사를 내 눈으로 확인하였다."

지난밤의 모든 게 비현실적이었다. 그런 경험은 처음이지만, 모든 건 제게 주어진 순리였다.

하필이면 칼스버그 대공이 소실된 보물서의 해독에 성공하여 잃어버린 '왕의 눈물'이 다시 주목받은 것도, 황태자의 입지가 위태로워지자 하늘에서 뚝 떨어진 듯 갑자기 나타난 맥코웰 후손과의 만남도 그랬다.

운명이란 얄궂어서, 모든 걸 우연으로 가장하고 나타나선 절대 거스를 수 없는 힘을 사람에게 보여 주곤 했다.

이 만남도 기묘하고, 그녀의 존재도 기묘하다.

'확실한 건 운명이 바로 그레이엄의 편에 있다는 것.'

황제는 다시 한번 이를 확인했다.

"목걸이를 찾으셨습니까?"

"그래."

황제의 얼굴에 인자한 미소가 드리웠다.

"모두 그대의 덕분이다."

"황공하옵니다, 폐하."

마주 웃던 그녀가 뒤늦게 고개를 숙였다. 그 모습을 빠짐없이 지 켜보던 황제가 천천히 입을 열었다.

"하여, 황궁의 연회에 그대를 초대할까 하는데."

마침 제국에는 축하할 만한 일이 있었다.

몇 년간 차도가 없던 서녘의 야만족을 토벌대가 처단했다는 소식 이었다. 황제는 제국의 기사단과 칼스버그 사병단을 치하하는 큰 연회를 준비하고 있었다.

신전, 귀족, 제국민까지 모두의 시선이 모인 자리. 연회를 주최 하는 황비가 '왕의 눈물'을 착용할 좋은 기회였다.

"어떤가? 초대에 응하겠나?"

"영광입니다, 폐하."

"잘됐군. 그대를 정식 초청하여 맥코웰 공작의 후손으로 소개하지."

"예, 제 시조의 이름은 스캘로웨그 백작 가문에서 확인받을 수 있습니다."

그녀가 자신 있는 어조로 말을 이었다.

"피터 맥코웰이 맥코웰 공작의 증손이라는 걸 초대 황후의 서신 에서도 확인할 수 있을 겁니다."

알았다는 듯 황제는 쉽게 손을 내저었다. 믿는 자에겐 더는 아무 것도 필요치 않은 법이었다.

"아무튼 그건 됐고, 그대가 황태자의 좋은 말벗이 되어 줬으면 좋겠군."

"예?"

"회임한 황태자비의 거동이 어려워 연회에서 황태자의 파트너가 없는 참이다. 아직 어리지만 황태자와 말은 잘 통할 거다."

순간 베아트리체의 환한 미소에 실금이 갔다. 황태자의 말벗이 되어 달라는 건 두 번째 황태자비가 되어 달라는 뜻이었다.

'내가…… 그렇게나 마음에 들었단 말이야?'

굳어 있던 그녀가 뒤늦게 자신의 왼손을 보였다.

"폐하, 아뢰옵기 황송하오나 저는 이미 결혼하였습니다."

"……뭐라!"

체면도 잊고 목을 쭉 뺀 황제가 그녀의 네 번째 손가락에서 빛나는 커다란 반지를 확인했다.

저렇게 존재감이 큰 반지를 왜 여태 알아보지 못했을까?

답은 쉬웠다. 저 눈부신 반지보다, 그녀의 한 마디 한 마디가 더욱 집중을 끌었던 까닭이다. 참 아까웠다. 대체 그 운 좋은 남자는 누구인가. 반지로 보아 평범한 집안의 사내는 절대 아니었다.

"그대와 결혼한…… 아니, 그리고 보니 아직 그대의 이름도 묻지 못했군."

"예, 저는…….."

그때였다. 발소리도 없이 조용히 다가온 시종이 황제에게 급히 속삭였다.

"뭐라, 서녘의 토벌대가 벌써 도착했다고?"

"예, 폐하."

"제국의 기사단만 도착했느냐?"

"쿠피히트와 칼스버그의 사병단도 수도에 도착했다고 합니다."

예정된 시각보다 훨씬 일렀다. 준비할 일도 많은데! 바쁘니까 이만 돌아가라고 하려는데, 황제가 입술을 열기도 전에 그녀가 먼저 소파에서 일어섰다.

"황공하오나 이만 가야겠습니다, 폐하."

"……."

황제는 황당한 눈으로 그녀를 응시했다. 아무리 봐도 자신을 이렇게 편히 대하는 이는 황궁 밖의 주점에서 처음 만난 어떤 평민 여성 외에는 없었다. 지금은 황비였다.

"아직도 그대의 이름을 듣지 못했다. 이름이 무엇인가?"

"무례를 용서하십시오, 폐하."

그녀가 진심으로 사죄하듯 한 손을 가슴에 올리고 무릎을 굽혔다.

"조부께서 지어 주신 제 이름은, 베아트리체입니다."

아델을 포함하여 남부의 영지에서부터 함께 수도로 올라온 일행은 클로이를 잃어버린 줄 알고 혼비백산이 되었다가 공작저에서 보낸 사람을 통해 사실을 알게 되었다.

'대체 아가씨는 어떻게 하루 만에 황궁에 다녀오셔선 황제 폐하께 가문을 입증받으셨을까?'

아무리 생각해도 신기한 일이었다. 맥코웰 가문이 진짜 맥코웰 공작가의 후손인 것도 놀랍지만, 이렇게 빨리 황제의 인정을 받은 것도 신기했다.

시종들 모두 크게 티는 안 냈지만 놀라워했다.

'역시 우리 마님이다.'

수도 공작저에선 그녀를 마님이라 부를 수 없었다. 칼스버그 대공 부인도 있고, 장남 에이드리안의 부인도 있으니까.

하지만 그들의 마음속에선 그녀가 마님이었다. 아침 일찍 황궁에 또 다녀온 그녀를 보고 모두가 제 일처럼 자랑스러워했다.

베아트리체는 공작저 입구부터 가득한 군마를 보고 내내 설레었다.

'알렉산드로가 돌아왔어.'

해 주고픈 말도, 듣고 싶은 말도 많았다. 벅차오른 가슴이 두근 거렸다.

"아가씨, 대공 부부께선 알렉산드로 도련님과 함께 응접실에 계십니다."

베아트리체는 시종의 안내를 따라 응접실로 향했다.

조심스레 문을 열고 들어서자 그리운 이의 뒷모습이 보였다. 대공 부인은 눈물을 닦고 있었고, 칼스버그 대공이 무탈히 돌아온 둘째 아들의 어깨를 두드려 주고 있었지만 스포트라이트 아래 선 것처럼 그녀에겐 알렉산드로만 눈에 들어왔다.

"대공님!"

베아트리체가 그를 불렀다. 움찔 놀란 알렉산드로가 뒤를 돌아보는 동시에 그녀가 안겨 들었다. 두 사람은 감격의 포옹을 나눴다.

그 옆에서 놀란 얼굴의 칼스버그 대공과 대공 부인이 서로를 응시했다.

"아니…… 저 영애는 대체 누구요?"

칼스버그 대공이 속삭였다. 그는 며칠 간 황궁의 지하 서재에서 고서적을 들춰보느라 베아트리체의 존재조차 알지 못했다.

둘째 아들이 서녘에서 돌아왔다는 소식에 겨우 집에 발을 붙인 참이었다. 하지만 잔뜩 놀란 대공 부인은 남편의 의문에 답해 줄 여력이 없었다.

"여보, 알렉스가 정말 후계자가 되려고 마음을 먹었나 봐요."

"……."

칼스버그 대공은 아내의 감동 어린 얼굴과 낯선 아들의 모습을 번갈아 응시할 뿐이었다.

베아트리체는 제 입에서 버릇처럼 튀어나온 '대공님' 호칭을 수습하느라 진땀을 뺐다. 다행히 대공 부부는 순수하게 기뻐했지만, 그녀는 앞으로 호칭을 각별히 주의해야겠다고 다짐하고 또 다짐했다.

"칼스버그 남작 부부도 계시잖아요."

"신경 쓰지 않아도 돼."

둘만 남게 되자 알렉산드로는 어느 누구에게도 털어놓지 못한 비밀을 말했다.

"형님께선 하루 빨리 내가 결혼하여 가문의 의무를 지길 원하셨으니까."

어릴 적, 알렉산드로에게 승마를 알려 주겠다고 덜컥 말에 올라탔던 에이드리안은 사고로 남성의 기능을 잃고 말았다. 그 이후로 에이드리안은 두 번 다신 말에 올라타지 않았다. 가문에 누가 될까 봐 그 사실을 어머니에게도 밝히지 않았다. 그날 자리에 함께 있던 알렉산드로만 어렴풋이 그 사실을 짐작했다.

그 결과, 멀쩡히 결혼까지 했건만 에이드리안 부부는 십 년이 넘어가도록 자식이 없었다.

본인은 대공 작위를 원하지 않는다는 말을 어디서도 꺼낸 적 없지만, 알렉산드로는 알 수 있었다.

"장남이 문제가 있다는 게 안팎으로 알려지는 것보다, 차남이 훌륭하여 후계자가 되었다는 그림이 훨씬 낫다고 여기시는 거지."

그에게 은근히 결혼을 종용하기도 했다.

'알렉스, 대체 얼마나 더 기다려야 하는 거냐.'

에이드리안은 수도를 떠나 사람들의 이목이 없는 조용한 곳에서 지내고 싶어 했다. 일찍이 결혼해선 여태껏 친자식이 없는 그들 부부를 두고 이러쿵저러쿵 떠드는 얘기들을 지긋지긋해했다.

"그랬군요."

얘기를 듣던 그녀의 안색이 어두워졌다. 알렉산드로는 고민 어린 그녀의 시선을 붙잡듯 부드럽게 고개를 움켜쥐곤 눈을 맞췄다.

"내가 왔어."

나지막이 속삭인 그의 다른 손이 뱀처럼 그녀의 허리를 감았다. 제 몸을 당기는 단단한 팔뚝에 베아트리체는 부산물처럼 손쉽게 끌려갔다.

당연한 수순처럼 그의 입술이 다가왔다. 조종하듯 움켜쥔 손아귀에 그녀의 턱이 바짝 치켜 올라갔다. 벌어진 입술 사이로 혀가 밀려들었다.

약속대로 계절이 바뀌기 전에 돌아오긴 했지만 연인에겐 긴 시간이었다. 알렉산드로는 더 가까워질 수 없을 만큼 그녀를 당겨 안다가, 입술 안을 집요하게 파고들며 그녀를 밀기를 반복했다.

베아트리체는 자연스레 소파에 천천히 눕혀졌다. 알렉산드로는 올라타듯 그 위를 덮었다가, 순식간에 두 사람의 위치가 바뀌었다.

"흡."

그녀는 알렉산드로의 단단하고 널찍한 가슴 위에 엎어진 채로 숨만 내쉬었다. 다정한 손길이 그녀의 쏟아진 머리카락과 드레스 자락을 대신 정리해 주었다.

"왜 이렇게 말랐지?"

찬찬히 그녀를 살피던 그의 짙은 눈썹이 사정없이 구겨졌다.

"그러는 당신은요?"

베아트리체는 심각한 얼굴로 그의 여기저기를 더듬었다.

"아, 잠깐……."

당황한 그가 팔을 붙들었지만 그녀는 익숙하게 손을 비틀어 팔을 빼냈다.

"확인해야겠어요. 당신은 어디 다쳐도 티를 내지 않잖아요. 숨기기나 하고."

그의 옷을 들추는 손길은 거침이 없었다. 알렉산드로는 제 복근과 어깨, 팔뚝과 허벅지까지 샅샅이 몸을 살피는 그녀를 멈춰 세웠다.

"잠깐만, 지금 설마……."

혼란스러운 눈빛이 그녀를 응시했다. 할 말이 많은 얼굴이지만 그는 쉽게 말을 이어 가지 못했다. 주저하는 그를 대신해 그녀가 야무지게 고개를 끄덕였다.

"다 기억났어요."

알렉산드로는 꽤나 충격 어린 얼굴로 몸을 일으켰다. 똑같이 심각한 눈빛으로 그녀가 노려보듯 그를 응시했다.

감격스런 재회는 없었다. 베아트리체는 완전한 기억을 되찾고부터 곰곰이 지난 일을 되짚어보았다.

"당신은 어떻게 그런 바보짓을 했을까요?"

"……."

아무리 생각해도 그는 첫 만남부터 단번에 저를 알아보았다.

저 역시 그랬다. 훨씬 순한 얼굴의 밀런도 옆에 있었는데, 굳이 저를 도와주지 않을 것 같은 알렉산드로의 옷자락을 붙들었던 건 알 수 없는 이끌림 때문이었다.

"대체 왜 나한테 그렇게 못되게 굴었나요?"

베아트리체는 알렉산드로가 그런 창살 같은 말을 비처럼 쏘아댈 수 있는 남자라는 게 놀라울 따름이었다.

"사람이 이중인격도 아니고……."

나중에는 잘해 줬지만, 이 나쁜 남자 때문에 얼마나 마음고생을 했는지 모른다.

"강물에는 왜 뛰어들었어요?"

그게 절정이었다. 다시 생각해도 화가 머리끝까지 차올랐다.

"왜 그랬어요? 왜!"

기억을 못 한다고, 그래서 사랑하지 않는다고 했는데 설마 그런 극단적인 선택을 할 줄은 몰랐다. 울분에 찬 그녀의 주먹이 알렉산드로의 가슴을 때렸다. 잘못이 많은 그는 묵묵히 다 맞아 주었다.

"다 잊고 열심히 살 생각을 했어야지……!"

화가 식을 때까지 기다리다 그녀를 끌어안은 알렉산드로는 조용히 고개를 저었다.

"그런 선택지는 없었어."

또 다시 태어나면 그때는 비로소 너와 맺어지지 않을까. 어렴풋이 그런 생각을 했던 것 같다.

그의 가슴팍이 축축해질 때까지 베아트리체는 눈물을 쏟았다. 재회의 기쁨보다는 지난날 그의 감정이 헤아려져서 그 원망과 설움만 홍수처럼 쏟아졌다.

아무것도 기억나지 않는다는 저를 옆에 두고 그는 재촉 한 번 하질 않았다. 답답하고 서운했을 텐데.

"너무 미련하고…… 바보 같아요……."

"너도 그래."

이러다 그녀가 탈진할까 걱정된 알렉산드로는 손수건으로 얼굴을 닦아 주며 자상하게 등을 쓸어 주었다.

"내가 빨리 보고 싶어서 수도에 온 줄 알았는데 완전히 오판이었군. 언제 기억이 다 돌아왔지?"

"……최근이에요."

"언제."

"엊그제 불꽃놀이를 보면서……."

그녀의 목덜미에 고개를 묻은 알렉산드로는 '그랬군.' 하며 고개를 끄덕였다. 그 움직임이 고스란히 느껴지자 이상하게 진정이 되는 기분이었다.

"당신 옆에 있으면서 기억은 천천히 돌아왔어요."

더 말해 보라 종용하듯 그가 부드러운 손길로 뒷머리를 쓸었다.

"이상하게 들릴지는 모르지만 스킨십이 진해질 때마다 기억도 함께……."

순간 멈칫한 알렉산드로의 눈앞에 옛날 일들이 스쳤다.

처음, 자신의 나신을 본 뒤부터 좋아하게 되었다고 당당하게 말하던 전생의 베아트리체.

'다른 기억은 일절 없으면서 내 몸에 있는 점은 기억하고 있었지.'

황홀한 얼굴로 제 나신을 올려다보는 멍한 그 눈빛…….

"……저는 영원한 건 아무것도 없다고 생각했어요. 어머니를 많이 좋아했는데, 그분이 돌아가시고부터 모든 게 허무해져서."

안타깝게도 고뇌에 잠긴 알렉산드로에겐 그저 귀를 스쳐 가는 얘기였다. 문득, 자신이 어릴 때부터 몸을 이렇게 단련하지 않았더라면 그녀의 관심조차 받지 못했으리란 생각에 아찔했다.

"하지만 사랑만은 영원하다는 믿음을 당신이 심어 주었어요."

"나와의 사랑이 몸정인가?"

"네?"

별안간 찬물을 확 끼얹은 뜬금없는 소리에 그녀의 표정이 굳어졌다. 그 얼굴을 무안하리만치 빤히 들여다보던 알렉산드로의 한쪽 눈썹이 꿈틀했다.

"뭐…… 그럴 수 있지."

충분히 이해가 된다는 듯 그의 입가에 야릇한 미소가 걸렸다.

"좋아하잖아, 많이."

정확히 뭘 어떻게 좋아했는지 설명할 필요도 없었다.

"반응이 솔직하던데?"

"……."

순식간에 얼굴이 빨갛게 익어 버린 그녀는 자신을 놀리는 그의 팔뚝을 때렸다.

알렉산드로는 사병단의 주요 인물들과 함께 황궁으로 향했다. 칼스버그 대공은 야만족 토병을 비롯하여 사병단의 일에는 조금도 관여하지 않았기에 이는 온전히 알렉산드로의 몫이었다.

대공은 갑자기 나타난 자부의 존재에도 처음에만 식겁하며 놀랐을 뿐 나중에는 덤덤해졌다. 칼스버그 대공 부부와 베아트리체는 만찬을 함께 들며 밀린 이야기를 나눴다.

"맥코웰 공작의 후손이라……."

칼스버그 대공은 그녀의 개인사나 아들과의 연애 이야기에는 별 관심을 두지 않았다.

"외가이니만큼 세간의 인정을 받기는 쉽지 않을 터인데 폐하께서 큰 결심을 하셨나 봅니다."

"말씀을 편히 하셔도 됩니다, 대공 각하."

"난 편합니다, 맥코웰 영애."

그렇게 불리기는 처음이라 어쩐지 얼떨떨했다. 아직 황제의 인장이 찍힌 약속 문서를 보여 주지도 않았는데 어떻게 자신을 신뢰할까?

'그것도 이렇게 빨리.'

칼스버그 대공은 그녀를 소개받은 직후부터 줄곧 '맥코웰 영애'라는 호칭을 사용함으로써 자신의 입장을 분명히 했다.

심지어 자신이 도울 방법이 있을 것 같다며 얼마 전 읽은 책을 소개하기도 했다.

"엘파사 왕궁의 회의록이요?"

"그렇습니다."

회의에서 미혼 여성의 자식을 가문의 계보에 올려야 하는지 거론한 적이 있다고 했다. 회의록에는 그레이엄 대제와 맥코웰 공작의 설전이 적혀 있었다.

'전혀 생각지도 못했어.'

역시 고서적을 연구하는 학자다웠다. 누가 이를 기억했겠는가? 회의록에 작성한 내용을 매번 확인한 것도 아니고.

"그리고 레나 스캘로웨그 역시 결혼 전에는 맥코웰이었지요. 스캘로웨그 백작가에 확인하면 피터 맥코웰에 관한 정보를 분명 얻을 수 있을 것입니다."

"그 사항은 폐하께 말씀드렸어요. 확인을 하실지는 모르겠지만요."

베아트리체는 황제에게서 받은 약속 문서를 펼쳐 보였다. 이를 확인하고 대공은 허탈한 웃음을 터뜨렸다.

"걱정할 일은 없겠군요. 폐하께선 대체 뒷감당을 어떻게 하실 생각인지는 모르겠습니다만."

모친의 성을 따른다고 하면 신전에서 가만히 있지 않을 것이다.

게다가 맥코웰 가문은 공작가였다. 안테노르, 쿠피히트, 반도라스 공작 가문에서 맥코웰을 순순히 인정할지도 미지수였다.

"폐하께서 어려운 싸움을 시작하셨군요."

아마 이번에도 계획 없이 저지른 일이겠지. 알 만했다. 칼스버그 대공은 수도에 남아 그녀를 도와주고 싶은 마음이 굴뚝같았지만 이만 개인의 행복을 찾아 남부로 내려가기로 결정했다.

고집불통에 막무가내 황제 옆에서 이만큼 시달렸으면 됐다.

곧 기사 작위를 받는 알렉산드로가 황궁에 붙어 있을 테니 대공
은 모든 게 그저 홀가분했다.

"어떤 결과가 나오든 맥코웰 영애도 삶의 행복을 찾길 바랍니다."

행복.

한때 제 인생에서 가장 중요했던 그 말을 듣는 순간 베아트리체
는 명치를 맞은 사람처럼 숨을 멈췄다.

'……잊고 있었어.'

가문의 후계를 이을 자부에게 대공작의 의무를 명령하는 것도 아
니고, 권리를 설명하는 것도 아니었다.

오직 행복을 잊지 말라는 당부뿐.

'그래, 이런 분이었지.'

그녀는 무례란 것도 잊고 멍하니 칼스버그 대공을 응시했다. 대
공 부부는 의아한 눈으로 서로를 쳐다보다 고개를 갸웃했다.

"……아. 감사합니다, 대공 각하. 어떤 말씀보다도 큰 위로가 되
었어요."

대공은 인자한 미소를 지은 채 펼쳐진 음식을 권했다.

"통 드시질 못하는 것 같아 마음이 쓰입니다."

"그래요, 너무 마른 몸이라 걱정이 이만저만이 아니에요."

사실 베아트리체는 화려한 음식을 앞에 두고도 아무것도 먹지 못
하고 있었다.

"수도에 처음 와서 그런지 긴장이 되어서 소화가 잘……."

고기 냄새가 역하고, 속이 울렁거렸다.

'향신료 때문인가 봐.'

수도의 귀족들은 향신료를 많이 넣은 고기 요리를 좋아했다. 영

익숙하지 않은 냄새에 머리가 아플 정도였다. 간신히 식사 자리를 끝내긴 했지만 침실로 돌아와선 헛구역질을 멈출 수 없었다.

"아가씨, 좀 괜찮으세요?"

기진맥진해선 침대에 누운 그녀를 보고 아델이 걱정 어린 얼굴로 다가왔다.

"어제부터 아무것도 못 드셨잖아요. 드실 걸 좀 갖다 드릴까요?"

베아트리체는 힘없이 고개를 내저었다. 황궁을 왔다 갔다 한 것도 그렇지만 내내 신경 쓰이는 일이 많아 무척 피곤했다.

하지만 그녀가 걱정된 아델은 포기하지 않고 옆에서 찬물과 더운물을 가져다주며 말을 걸었다.

"아가씨, 뭐 드시고 싶은 건 없으세요?"

"아냐, 됐어. 별로 아무것도 먹고 싶지 않……."

지쳐 옆으로 돌아눕던 베아트리체가 멈칫했다. 거짓말처럼 눈앞에 자두가 그려졌다. 과즙이 가득한 시큼하고 달달한 붉은 자두! 순식간에 입에 침이 잔뜩 고였다. 평소 좋아하던 과일도 아닌데 말이다.

'지금 구할 수 있을까?'

쌀쌀한 계절이었다. 침을 꼴깍 삼킨 그녀가 부스스 자리에서 일어섰다.

"아델, 혹시…… 자두를 좀 구해올 수 있겠니?"

"자두요? 그게 드시고 싶으세요?"

"으응."

"다른 건요?"

"다른 건 전혀……."

"알겠어요, 아가씨! 꼭 구해 올게요."

아델은 의아했지만 아가씨가 콕 집어 자두만 고집했기에 어떻게든 구해 올 작정이었다. 마침 수도 칼스버그 공작저에는 능수능란한 시녀들이 많으니 그들에게 도움을 구하면 되겠지 싶었다. 발걸음이 가벼웠다.

뭔가 좋은 일이 생길 것만 같은 예감이 들었다.

황궁은 첫 방문이었다. 잔뜩 긴장한 에반스와 달리 으리으리한 복도를 걷는 알렉산드로의 발걸음은 제 집처럼 익숙하고 당당했다.

"저희끼리만 공을 치하받게 되어서 쿠피히트 경에게 죄송합니다."

"어쩔 수 없지."

밀런은 수도에 도착할 때까지 제정신이 아니었다. 제 큰누이가 죽고, 양자로 들이기로 했던 조카까지 끔찍한 마차 사고로 잃었다.

헤일라 반도라스가 밀런과 벌써 결혼식을 치른 부인처럼 쿠피히트 가문의 장례식을 추도하고 있었다.

예고도 없이 닥친 불행에 밀런은 거의 빈사 상태였다.

'정말 짐작하지 못한 건가.'

제 친구지만 안쓰러울 정도로 순진했다. 황궁의 기사 서임만 받고 장례식에 들리기로 한 터라 알렉산드로는 말을 아꼈다. 황제를 기다리게 할 순 없었다.

"칼스버그 소공작."

첫 만남에 황제는 알렉산드로를 그렇게 불렀다.

"그 비싼 얼굴을 드디어 보는군."

어떤 연회에도 두문불출했던 그를 비꼬는 말이었다.

"송구합니다, 폐하. 불충을 용서하십시오."

"농담이네. 서녘에서 우수한 공을 세우고 온 충신이 아닌가."

엄숙한 자리였으나 황제의 얼굴에는 내내 미소가 맴돌았다. 칼스버그의 유수한 사병들을 제국의 기사단으로 거뒀다. 이는 큰 성과였다.

이제 칼스버그는 그레이엄 황실과 동맹을 뛰어넘는 군부 공동체로 어떤 일이 있어도 서로를 배신할 수 없었다.

골치를 앓던 서녘의 야만족을 토벌하고 돌아온 것보다 황제는 칼스버그의 사병단을 휘하에 거둔 사실이 더 기꺼웠다.

모든 준비를 마치고 마침내 기사 서임식이 시작되었다.

"알렉산드로 칼스버그."

그레이엄 가문의 짙은 색 망토를 걸친 황제의 앞에, 알렉산드로는 한쪽 무릎을 꿇었다.

"제국의 기사로서 정의를 수호하고, 약자를 보호하며, 언제나 진실할 것을 명하노라."

"정의를 수호하고, 약자를 보호하며, 언제나 진실할 것을 맹세합니다."

"오직 그레이엄을 위하여 그 칼을 들 것을 명하노라."

"황실의 기사가 되어 오직 그레이엄을 위해 칼을 들 것을 맹세합니다."

가슴을 겨누던 황제의 신성한 칼끝이 알렉산드로의 어깨와 머리

위를 오갔다.

"칼스버그의 차남 알렉산드로를 그레이엄 황실의 기사로 명하노라."

기사 서임이 끝나자마자 알렉산드로는 황제의 알현실로 불려 갔다. 에반스가 몹시 부러운 눈길을 보냈지만 알렉산드로는 어째서인지 그리 달갑지만은 않았다.

알현실에는 황제와, 황제의 무릎에 앉은 5살배기 황녀가 있었다.

"처음 뵙겠소, 칼스버그 경. 나는 제2황녀 에스텔라요."

"황녀님을 뵙습니다."

알렉산드로는 제 코앞에 척하고 손을 내민 꼬마 아가씨의 손등에 가볍게 입 맞추는 시늉을 했다.

"폐하, 소녀는 이만 물러가 보겠습니다."

"그래, 가 보거라."

황제의 무릎에서 내려온 에스텔라는 알렉산드로에게도 인사를 잊지 않았다.

"그럼 다음에 뵙겠소, 칼스버그 경."

깜찍한 손 인사를 건넨 에스텔라가 종종걸음으로 새침하게 알현실을 나섰다.

알렉산드로는 서녘에 있었던 불온한 자들의 움직임과, 제국의 기사단에 흡수될 칼스버그 사병단의 미묘한 관계를 설명하기 위해 황제가 먼저 말을 꺼내길 기다렸다.

하지만 황제의 입에서 나온 건 전혀 다른 이야기였다.

"에스텔라가 자네를 꽤 마음에 들어 하더군."

혹시 황녀의 근위 기사로 임명되는 건가 싶어 알렉산드로의 눈매가 가늘어졌다. 높은 직책이었다.

"내 여식이긴 하지만 눈이 높아서 2살 때 처음 말을 시작한 이후로 여태껏 어느 남자에게도 잘생겼다는 말을 한 적이 없는 아이일세."

고개를 숙이고 있던 알렉산드로가 놀란 눈으로 황제를 응시했다.

"15살 차이가 크긴 하지만 난 허락하겠네."

경악한 알렉산드로는 미처 표정을 숨기지 못했다.

"폐하, 송구합니다. 저는 이미 맺어진 여인이 있습니다."

말을 마친 동시에 그가 언제나 목에 걸고 다니던 결혼반지를 꺼냈다. 이참에 줄을 끊어 내고, 네 번째 손가락에 반지를 낀 손을 내보였다.

"제국을 유랑하던 중 만나, 영지에서 이미 조촐한 결혼식을 올렸습니다."

"흐음, 그렇단 말인가?"

"예, 폐하. 오직 서로에게 유일하겠노라 사제들의 앞에서 맹세하였습니다."

"그런데 반지는 왜 빼고 다녔나? 헷갈리게! 황녀가 실망하겠군."

"송구합니다."

지금이야말로 맥코웰 가문의 이야기를 꺼낼 때였다. 알렉산드로는 반지를 빼고 다닐 수밖에 없었던 이유를 말했다.

"변방에 위치한 아내의 가문이 화재로 소실되어 신원이 혼미하게 되었습니다. 하여 결혼식은 치렀으나 아직 세간에 알리지 못한 상황입니다."

"총각 행세를 하려는 건 아니었나."

"당치 않습니다. 폐하."

"부인의 문제가 빨리 해결이 되어야 할 텐데 말이야."

가문이 변방에 위치했다면 해당 지역 영주의 소관이었다.

"저희 부부가 수도에서 지내게 되었으나 상황이 이러하여 저 또한 곤란합니다."

수도에 머무른다는 건 자신이 가문의 후계임을 밝히는 완곡한 표현이었다.

"칼스버그 경은 차남 아닌가?"

"그렇습니다, 폐하. 형님과 부친께선 학문 연구에 대한 뜻이 같아 함께 영지로 내려가십니다."

"호오, 그렇게 되었나……."

칼스버그 가문의 일은 황실과도 깊은 연관이 있었다. 황제는 곰곰이 생각에 잠겼다.

그간 칼스버그 대공은 황궁에서 일을 하긴 했지만 권력욕이 워낙 없는 학자인 데다 이권 싸움에는 도통 관심이 없어 조금도 도움이 되질 않았다.

덜컥 보물서까지 해독해선 황제를 곤란에 빠뜨린 전적도 있었다.

'쯧, 시킨다고 다 하냐 말이야.'

눈치가 없는 건지, 눈치를 안 보는 건지. 어쩌면 황궁에서 오랫동안 들볶이느라 호시탐탐 수도를 떠날 궁리를 하다 이번 일을 기회로 삼았는지도 모른다.

하지만 후계자인 알렉산드로의 행보는 대공과 완전히 달랐다.

"서둘러 부인의 신원을 되찾아야겠어, 칼스버그 경."

그는 본인의 의지로 야만족 토벌에 참여하고, 황가에 사병단을 갖다 바쳤다.

'대공과는 무척 다른 종류의 사람 같군. 이제야 말이 통하겠어.'

무투회 우승자로 처음 알렉산드로의 존재를 알았을 땐 친아들이 맞긴 한 건지 의심될 정도였다. 체격이며 눈빛이며 모든 게 대공과 달랐다. 뛰어난 인재가 왜 출세할 생각은 않고 수도를 떠났나 했는데 큰 뜻이 있었던 모양이다.

문득 황제는 이 얼굴을 어디서 본 것 같다는 기시감이 들었다.

"제가 서녘에 갔던 건 바로 아내의 일 때문입니다."

알렉산드로가 진중한 얼굴로 한쪽 무릎을 꿇었다.

"폐하께 드릴 청이 있습니다."

"무엇인가?"

"아내는 족보가 분명한 외가의 이름을 얻고자 합니다."

순간 오묘한 청회색 눈동자에 이채가 돌았다.

"제 아내에게 모친의 성을 따를 수 있는 자유를 주십시오, 폐하."

황제는 귀를 의심했다. 자식은 아버지의 성을 따르는 것이 너무나 당연한 관례였다. 그러니 그가 태어나 평생 들어본 것 중에 가장 황당한 소리였다.

"칼스버그 경, 자네 미쳤나?"

어이가 없어 황제의 입에서 허탈한 웃음이 터졌다.

"그런 무계한 선례를 남겼다간 자네의 자식들도 부인의 성을 따르게 될지 모르네."

"저는 괜찮습니다, 폐하."

담담한 대답에 황제의 눈썹이 삐쭉 올라갔다. 환장할 노릇이었다.

'아니 뭐 이런 미치광이가……'

말이 통하겠구나 생각했던 건 섣부른 오판이었다. 어쩌면 칼스버그 대공보다 더한 인물일지도 몰랐다.

"이보게, 칼스버그 경. 제정신인가? 자네 가문은 위대한 칼스버그일세. 정신 차리게!"

"제 아내의 외가는 맥코웰입니다, 폐하."

쿵. 순간 황제는 심장이 떨어지는 듯했다. 베아트리체라는 이름의 영애를 만나 각서를 써 준 일이 떠올랐다.

―하지만 맥코웰은 제 외가인지라…… 세상에 공표하려면 많은 어려움이 있을 것입니다.

그래, 그녀가 그린 말을 했었다! 하지만 황제는 목걸이에 정신이 팔린 나머지 이 문제가 그렇게 심각한 일이라는 것을 깊게 고려하지 않았다.

'큰일이다.'

이를 어쩐다. 신전의 노인네들이 가만있지 않을 텐데. 또 단식을 하고 머리를 깎고 생난리를 피울 텐데! 큰일이다.

"……그 영애의 남편이 자네였군."

"그렇습니다."

"무척 영특해 보이던데."

황제는 고민스레 머리를 싸맸다. 막상 목걸이를 찾고 나니 이 일이 큰 문제였다.

각서는 피터 맥코웰이 맥코웰 공작가의 핏줄이라는 사실을 인정한다는 내용이기에 사실 모른 척할 수도 있었다.

'하지만 한 입으로 두말할 순 없지.'

골치 아픈 일이었다. 약속을 지켜야 한다. 하지만…… 하지만!

"대공은 왜 영지에 내려간다던가? 언제?"

"아버지께선 수도에서 오래 지내신 만큼 휴식이 필요하다 판단하신 듯합니다. 차차 수도 생활을 정리하실 계획이십니다."

"오, 안 되지, 안 돼. 나와 함께 위대한 칼스버그 학술원을 수도에 설립해야지 무슨 소린가?"

"……."

"대공은 마음이 많이 상했나? 경이 부친을 좀 달래 보게."

알렉산드로는 황제의 뻔뻔함에 혀를 내둘렀다. 또 그 미끼를 이용하여 대공을 꿰려는 게 분명했다.

"아내의 일을 해결하기 위해서라도 대공이 꼭 필요하니 말이야."

반대하는 이들을 설득하려면 지식인이 필요했다. 칼스버그 대공만큼 해박한 사람도 없었다. 말발로는 아무도 그를 따라가지 못한다.

"폐하, 그레이엄 대제께서 대륙을 통일하시며 공작 가문은 다섯 개라고 약속하신 바가 있습니다."

"지금 맥코웰 가문을 복원하는 게 문제가 아니야. 알지 않나?"

알렉산드로는 황제가 각서를 써 준 걸 이미 알고 있었다. 엄중한 목소리가 흘러나왔다.

"폐하께서 그레이엄의 이름으로 약속하신 일입니다."

"나도 알고 있네. 그러니 미치겠다는 거 아닌가!"

황제는 긴 한숨을 내쉬었다. 당시에는 그놈의 목걸이 때문에 뵈는 게 없었다.

"자식들이 부인의 성을 따를 수 있다는 걸 공표하면 귀족들은 큰 혼란과 위협을 느낄 걸세."

"과거에는 부인이나 여식이 작위를 잇기도 했습니다. 그리 먼 옛날의 일도 아닙니다, 폐하."

"그때야 진보파 귀족들의 목소리가 컸으니 그랬지만 지금은 그렇지가 않네, 칼스버그 경."

"폐하."

자신을 부르는 나지막한 목소리에 황제는 저절로 움찔했다.

"왜 폐하께서 귀족들의 정치를 하고 계십니까?"

사람을 압도하는 위엄 있는 눈빛이 그를 나무라듯 응시했다. 나이로 따지자면 아들뻘이지만 알렉산드로의 눈빛은 절대 풋내기 황실 기사가 아니었다.

"황제께선 지고한 자리에 계신 유일무이한 존재이십니다. 귀족의 정치를 하시면 안 됩니다."

정파에 흔들리지 말라는 말은 수없이 들어왔지만 황태자의 입지를 만들기 위해선 황제도 어쩔 수 없었다. 황제의 권력은 확실하나, 외척이 없는 황태자는 그렇지 못했다. 황제도 고민이 깊었다.

"하아, 내가 어찌하면 좋겠나."

알렉산드로는 아스트리드를 황위에 추대하며 같은 경험을 한 적이 있었다.

"저를 이용하십시오, 폐하."

그는 황제에게 반대하는 귀족들을 어떻게 다뤄야 하는지 잘 알고 있었다.

"기꺼이 폐하를 모시는 졸이 되겠나이다."

황궁을 나선 알렉산드로는 칼스버그 저택의 출입문으로 줄지어 들어가는 수레를 보고 눈살을 구겼다.

"저게 뭔가."

"아, 소공작님. 오셨습니까."

호위가 흐뭇하게 웃으며 수레의 천막을 거둬 보였다. 안에는 새빨간 자두와 포도, 사과, 무화과 등 과일이 한가득 실려 있었다.

"시장에서 과일을 좀 사 오라는 대공님의 명령이 있었습니다."

"그럼 저게 다 과일 수레란 말인가?"

"그렇습니다."

끝없이 들어오는 수레에 알렉산드로의 의아한 시선이 따라붙었다. 시장을 통째로 털어온 것처럼 저렇게나 많은 과일을 누가 다 먹는단 말인가? 무슨 축제가 있나 되짚어 봐도 알 수가 없는 일이었다.

'어쨌든 이유가 있겠지.'

알렉산드로는 금방 관심을 끄고 저택으로 들어섰다. 황제와 나눴던 중요한 대화를 아버지와 베아트리체에게 전해야 했다.

"아내는?"

"영애께선 주무십니다."

늦은 시간도 아닌데 벌써 잠들었다는 게 뭔가 이상했지만 알렉산드로는 그녀를 깨우지 않고 칼스버그 대공을 먼저 찾았다.

"아버지."

대공은 여느 때처럼 서재에서 책을 읽고 있었다.

"오, 알렉스. 왔구나."

하지만 그의 얼굴에 서린 지나칠 정도로 환한 미소가 평소와 달랐다. 손에 들린 책도 대공이 읽을 만한 것이 아니었다.

『온 가족이 함께하는 육아』

주로 제국의 통일과 관련된 고서적이 즐비했던 대공의 책상 위에도 전부 육아와 관련된 책뿐이었다.

"알렉스, 이미 들었는지 모르겠다만……."

대공이 감격 어린 얼굴로 알렉산드로에게 다가왔다.

"내가 할아버지가 된다더구나."

"……!"

알렉산드로는 충격에 잠시 말을 잊었다. 아내가 입맛이 없어 식사를 제대로 못 한다는 소리는 들었지만 수도에 온 지 얼마 안 되어 향신료에 적응하지 못한 줄로만 알았다.

"그래서…… 그래서 그렇게 많은 과일을 들여오신 겁니까?"

"그래. 일단 과일 농장을 좀 샀다."

대공은 함박웃음을 지은 채 고개를 끄덕였다.

"자두를 먹고 싶어 하다가 잠이 들었다는데 어찌나 안쓰럽던지."

"의사가 확실하다고 했습니까?"

"일단 깨어나면 몇 가지 물어봐야 된다고는 하는데, 증상을 들더니 임신이 맞을 거라고 하더라구나."

알렉산드로의 표정이 일순 냉담해졌다. 의사가 물어보려는 건 뻔했다.

'마지막 달거리가 언제였냐는 질문이겠지.'

전생의 경험으로 알지만, 임신에 관해선 의사의 판단이 아니라 산모의 의견이 먼저였다.

"아버지, 확실하지 않은 상황에서 이렇게 티를 내는 건 좋지 않습니다."

"알렉스, 넌 기쁘지 않은 거냐?"

첫 손주였다. 부푼 꿈에 젖어 있던 대공은 자신의 환상을 와장창 깨부수는 아들에게 슬며시 인상을 구겼다.

"의사가 아마 맞을 거라던데……."

"맞는다면 기쁜 일입니다. 하지만 아니라면, 무척 부담스럽겠지요."

"……."

잠시 생각에 잠긴 대공은 결심한 듯 책을 덮었다.

"네 말이 맞구나. 내가 경솔했다."

"예, 상황을 더 지켜보고 확실해지면 그때 기뻐해도 늦지 않습니다."

대공은 혼란스러운 눈으로 아들을 응시했다. 원래 의젓하고 점잖은 성품에 조숙했지만 제국 유랑을 끝내고 돌아온 아들은 완전히 딴 사람 같았다. 제 여자한테 저렇게 세심하게 신경을 쓰다니…… 그것부터 믿을 수 없었다.

"우선 쿠피히트 가문의 장례식에 조문은 저와 에반스가 동행하는 걸로 하겠습니다."

베아트리체도 밀런과 헤일라에게 안면이 있지만 알렉산드로는 함께 출정했던 에반스와 동행하기로 했다.

"그래, 그게 좋겠다. 내일 아침에 가자꾸나."

"예, 그럼."

침실로 향하는 알렉산드로의 발걸음이 사뭇 무거웠다.

임신.

예상을 전혀 못한 건 아니지만 그는 지난날의 일이 트라우마처럼 남아 기쁨보다는 두려움이 앞섰다.

식사는 얼마나 힘들 것이며, 거동은 또 얼마나 불편한가. 아이들이 태어나던 날 들었던 고통에 찬 비명 소리는 평생 잊을 수 없었다. 자식의 탄생일은 산모의 희생으로 완성되는 하루였다.

'그 작은 몸으로……'

알렉산드로는 착잡한 얼굴로 침실 문을 열었다. 마침 잠에서 깼는지 침대에 앉아 자두를 먹던 베아트리체와 곧바로 눈이 마주쳤다.

"저 임신이래요."

온 저택이 그렇게 난리가 났으니 모두의 호들갑에 그녀도 모를 수 없었다.

"확실하진 않지만 맞는 것 같아요."

담담히 고개를 끄덕인 그녀가 이내 즐거운 미소를 지었다.

"너무 기뻐요."

우두커니 굳은 채 서 있던 알렉산드로는 단숨에 그녀에게 안겨 들었다. 까르르 웃음을 터뜨린 베아트리체에게선 새콤달콤한 과일 냄새가 났다. 행복한 향기였다.

"당신도 좋아요?"

"물론이지."

먼저 그녀를 안심시킨 알렉산드로는 한참 뒤에야 속내를 털어놓았다.

"내가 경솔했다."

열여섯 개째 자두를 먹던 베아트리체가 푸훗 웃음을 터뜨렸다.

"그날 그러지 말았어야 했어."

"전 기쁘기만 한걸요."

"나도 물론 기쁘지만…… 네가 힘들까 봐 두려운 게 사실이야."

"옆에 있어 줄 거잖아요. 항상."

"하지만 고통은 나눠 가질 수가 없잖아."

베아트리체는 기특한 소리를 하는 남편의 볼을 꼬집었다.

"그래요. 그건 내 몫이에요."

긴 한숨을 내쉰 알렉산드로의 손이 그녀의 아랫배를 덮었다.

"또 쌍둥이라면 미워할 거다."

"막상 태어나면 제일 사랑해 줄 거면서."

"너만큼 사랑할 사람은 내겐 없어."

그윽한 시선이 와 닿았다. 연신 이렇게 느끼한 소리를 해도 좋은 건 다 저 잘생긴 얼굴 때문이었다.

"사랑한다."

베아트리체는 다가오는 입술을 보고 행복한 미소와 함께 눈을 감았다.

쿠피히트 저택에는 검은 깃발이 걸렸다. 모두들 검은색 옷을 입고 고인을 추도했다.

서녘에 출정했다 돌아온 쿠피히트의 기사들까지 참석하여 저택은 인산인해를 이뤘다. 원래대로라면 로드리고 후작가에서 장례를 치렀어야 했지만 쿠피히트 공작의 강력한 의지로 모든 절차는 공작저에서 이루어졌다.

"미쉘, 그리운 나의 친구. 으흑흑……."

인파의 한가운데서 추도사를 읽던 헤일라 반도라스가 마치 제 가족을 잃은 사람처럼 구슬프게 울고 있었다. 그 옆에서 쿠피히트 공작이 굳은 얼굴로 서 있었고, 밀런은 몹시 피곤한 얼굴이었다.

칼스버그 대공과 에반스, 알렉산드로는 저택을 나서는 관의 뒤를 따랐다. 쿠피히트는 수도에서도 선망이 두터운 가문이었다. 그들의 행렬을 보고 지나가던 사람들은 너 나 할 것 없이 자리에 멈춰 고인의 명복을 빌어 주었다.

가족과 친지 모두 고인의 무덤 앞에서 예를 갖췄다.

그 절차가 모두 끝나고서야 알렉산드로는 밀런을 위로할 수 있었다. 단둘이 남자, 밀런은 그제야 입을 다물고 있던 속내를 털어놓았다.

"알렉스, 아무리 봐도 헤일라가 누님을 죽인 것 같다."

"단정 짓지 마라."

"그럴 사람은 헤일라밖에 없어! 나더러 뭐라는지 알아? 자기 남동생을 양자로 들이고 싶대."

목소리를 낮춘 밀런은 거칠게 머리를 헝클었다.

"이게 말이 되는 소리냐?"

"쿠피히트 공작께선 뭐라고 하셨지?"

"몰라. 무슨 사주를 받았는지 아버진 줄곧 아무 말씀도 없으셨어."

"냉정하게 생각해라, 밀런. 미쉘의 죽음은 네게도 나쁘지 않아."

"그래, 나도 안다. 근데 그게 문제가 아니라고!"

벽에 기대선 밀런이 울 것 같은 얼굴로 중얼거렸다.

"알렉스, 나 진짜 헤일라와 결혼해야 하나?"

그건 자기 자신에게 묻는 말이나 다름없었다.

"서약을 했으면 지켜야 한다, 밀런."

"……."

밀런은 지긋지긋한 얼굴로 제 친구를 응시했다.

알렉산드로가 약속을 중요하게 생각하는 걸 안다. 특히 결혼, 약혼 등 이성 관계에 철저한 것도 이해는 한다. 한때는 그런 모습이 지조가 있어 보여 닮고 싶었다.

"어떤 무시무시한 여자라도 꼭 결혼해야 한다는 거야? 넌 내가 팔려가길 원하는 거냐?"

"왜 헤일라가 그런 일을 벌였다고 단정하지?"

목소리를 낮춘 알렉산드로가 경고하듯 말했다.

"로드리고 후작 부인과 그 아들의 죽음으로 이득을 얻은 건 너뿐만이 아니다. 약혼녀를 존중해라."

"도저히 신뢰할 수가 없으니까 내가……!"

밀런이 목소리를 높이려는 순간 벽 뒤에서 헤일라가 나타났다.

"어머, 여기들 계셨군요?"

어느새 헤일라는 멀끔한 얼굴이었다. 그녀가 알렉산드로를 향해 반가운 미소로 지었다.

"자리해 주셔서 감사해요, 칼스버그 경. 가문 간 있었던 불화를 종식할 겸, 서임을 받으신 것도 축하할 겸 조만간 연회를 준비하겠어요. 물론 참석해 주시겠죠?"

"초대장을 보내 주시오."

"후후, 알겠어요."

알렉산드로는 불만스런 얼굴의 밀런을 보곤 짧은 한숨을 내쉬었다.

"이만 자리를 비켜 줘야겠군."

"어디 가? 가, 같이 가!"

헤일라는 친구의 뒤를 따르려는 밀런의 목덜미를 잽싸게 낚아챘다.

"우린 아직 논의할 일이 남은 것 같네요, 밀런. 오호호호."

"아, 알렉스! 알렉스!"

애타게 자신을 부르는 목소리가 들렸지만 알렉산드로는 저 가정의 평화를 위해 친구의 부름은 묵살했다.

"네 조카는 되면서 내 동생은 왜 안 된다는 거야, 밀런? 응? 내 동생을 양자로 들여!"

"그, 그게 무슨 개 족보요? 대체 우리 집안을 어떻게 보고 하는 소리요! 이럴 거면 파혼하시오!"

"파혼? 어림도 없는 소리!"

"으윽! 헤일라! 헤일라! 말로 하시오!"

뒤에서는 무시무시한 말다툼이 연이어 들려왔다. 주로 한쪽의 일방적인 비명 소리였지만 알렉산드로는 태연히 자리를 떠났다.

감히 제 아내와 결혼식을 올리려 했던 친구에게 하는 복수였다.

황제의 약속대로 베아트리체는 황궁의 연회에 초대받았다. 내로라하는 수도 대귀족들이 모두 모인 자리였다.

　부서지는 햇살 아래 향기로운 정원에서 열린 호화로운 티파티. 차를 음미한 뒤에는 만찬이 있었고, 그 이후에는 연회장에서 무도회가 열렸다.

　칼스버그의 마차에서 내려, 알렉산드로의 에스코트를 받으며 황궁에 들어오는 순간부터 베아트리체는 알 수 없는 기분에 휩싸였다.

　'내가 다시 황궁에 와 있어.'

　자신이 환생했다는 게 실감나지 않으면서도 전에 없이 생생했다.

　'설마 꿈은 아니겠지?'

　나선형의 계단으로 3층까지 이어진 거대한 연회장에 들어서자 아득한 기시감이 차올랐다.

　지금 이 순간이 꿈인 건지, 아니면 전생이라고 기억하는 그 찬란한 순간들이 꿈이었는지 알 수 없었다.

　특히 가장 높은 곳에 붙은 초대 황후와 그레이엄 1세의 그림을 보고 베아트리체는 숨이 멎을 것만 같았다. 현실이라 믿기에는 너무나 아름다운 순간들이 눈앞에서 펼쳐지고 있었다.

　황궁에 출입이 잦은 알렉산드로는 이미 알고 있었는지, 얼어붙은 그녀의 어깨를 아무 일도 아닌 듯 감싸 안을 뿐이었다.

　"몇십 년 만인지 아주 오랜만에 보는군요. 정말 아름다운 초상화예요."

"폐하께선 선황 폐하와 초대 황후 전하의 위엄을 고스란히 닮으셨어요."

지나가던 귀족들도 그 초상화를 보곤 저마다 한 마디씩 했다. 단지 그림인데도 벅찬 위인들의 존재감으로 연회장이 넘실거렸다.

'왜 하필 저기다 걸어놨을까?'

계단의 정중앙 위. 가장 눈길이 가는 자리였다. 누구나 시선을 멈출 수밖에 없는 위치.

귀족들의 칭송이 더해질수록 의문도 깊어졌다. 황제의 숨은 의도를 파악하느라 머리를 굴리는데, 황제와 황비가 등장했다.

"저기 보세요, 오셨어요!"

"어머나, 세상에……!"

경악하듯 놀란 귀부인들의 신음이 곳곳에서 들려왔다.

계단을 내려오는 황비를 보는 순간, 베아트리체는 두 위인의 초상화를 연회장에 걸어 둔 이유를 알 수 있었다.

"저 목걸이가 그 목걸이지요?"

"황비께서 하고 계시는 게 초대 황후 전하의 목걸인가 봐요."

"잃어버렸던 게 아니었어요!"

"세상에, 저런 보물이 정말 존재하는군요……."

인공적인 불빛 아래서 36개의 사파이어 목걸이는 더더욱 번쩍였다. 귀족들 모두가 넋을 놓고 황비를 응시했다. 평민 출신이라는 이유로 큰 주목을 받지 못했던 황비는 처음으로 연회장에서 모두의 이목을 끌었다.

베아트리체와 알렉산드로 역시 황비의 수줍은 미소를 주시했다.

하나 다른 귀족들처럼 부러움이나 경외 같은 불꽃 튀는 감정은 없었다.

그저 한 걸음 멀리에서 자신이 완성한 걸작과 이를 칭송하는 관객을 지켜보듯, 조금 뿌듯한 그런 감정뿐이었다.

"황궁의 연회에 참석해 준 귀부인들과 신사들께 감사하오."

등장과 동시에 주인공이 된 황비의 옆에서 황제가 자신만만한 미소를 지으며 잔을 높이 들었다.

"오늘 이 연회는 몇 년간 나의 골머리를 썩였던 서녘의 야만족 토벌을 성공적으로 마치고 돌아온 이들을 축하하기 위하여 만든 자리요."

황제는 기사단장을 비롯한 기사단의 주요 인물들과 쿠퍼히트 공작에게 공을 돌렸다.

마지막으로 이름이 불린 건 알렉산드로였다.

"칼스버그 경에게 저렇게 든든한 아들이 있었다는 게 놀라울 따름이오."

황제의 농담에 모두가 웃음을 터뜨렸다. 분위기는 화기애애했다. 우아한 음악이 흐르고, 연회는 무르익었다. 자연스레 귀부인들은 황비를 가운데 두고 이야기꽃을 피웠다.

황제와 주요 가문의 귀족들은 연회장의 중앙에 모였다. 요즘 황제는 영지로 내려가려는 칼스버그 대공을 붙잡기 위해 혈안이었다.

"칼스버그 공, 저렇게 훌륭한 아들을 왜 내겐 안 보여 주고 결혼시켰소? 에스텔라가 얼마나 탐내는지 아시오?"

"하하, 과찬이십니다."

"어떻게 그런 현명한 영애를 자부로 들인 거요? 내가 얼마나 아쉬운지 아시오?"

"하하, 충분히 그러실 만합니다."

"술을 많이 마셔서 그런가 좀 어지럽군. 시원한 바람을 쐬는 게 어떻소?"

"좋습니다, 폐하."

황제는 자연스레 칼스버그 대공을 이끌고 발코니로 향했다. 둘이서 독대를 하겠다는 황제의 의도를 눈치챈 시종들이 재빨리 발코니의 커튼을 거뒀다.

사람들의 말소리가 차단되자 황제의 안색이 싹 변했다.

"공, 내가 잘못했소."

"폐하! 제게 그런 말씀은······."

"강 옆에 괜찮은 부지가 있소. 수도에 학술원을 지어 줄 테니 떠나지 마시오. '위대한 칼스버그 학술원' 어떻소?"

황제는 다급했다. 약속은 했고, 이젠 내뱉은 말을 지켜야 했다. 황제는 제 편이 되어 줄 사람들이 필요했다.

"안 그래도 당분간은 수도에 남아 있을 생각입니다, 폐하."

"오, 그렇소? 나 때문이오?"

황제의 얼굴이 환해졌다. 대공은 그보다 더 함박웃음을 지으며 답했다.

"손주를 기다리고 있습니다, 폐하. 얼굴을 보고, 이름을 지어 주고, 걷는 것도 보고, 말하는 것도 듣고 싶어서 도저히 발길이 떨어지지가 않더군요."

"······뭐라!"

황제는 난간을 내리쳤다. 순간 저도 모르게 격분했지만 곰곰이 생각하니 잘된 일이었다.

칼스버그 대공은 수도에 남아 있을 테고, 그리고.

"칼스버그 공, 에스텔라가 쉽게 미련을 버리지 못하고 있소. 만약 알렉산드로를 빼닮은 아들이라면 에스텔라와 결혼을 시키는 건 어떻겠소?"

"예? 하지만…… 손녀가 태어나면 어찌합니까, 폐하."

칼스버그 대공은 아직 태어나지도 않은 아기의 혼약이 그리 내키지 않았다. 아무리 상대가 황녀라 해도, 아기 본인의 의사도 묻지 않고 미래를 결정하는 행위였다.

"태자비도 회임 중인 걸 잊었소? 기회는 양쪽에 있오."

"말씀은 감사하나 제가 결정할 수 있는 일이 아닌 듯합니다, 폐하. 맥코웰 영애에게도 물어봐야 하고……."

자부를 굳이 '맥코웰 영애'라고 공공연히 칭하는 건 황제에게 약속을 지키라는 말보다 더한 압박이었다.

"무엇보다 손주의 의견이 가장 중요하지요. 결혼이라는 중대사를 제가 이 자리에서 결정할 수는 없습니다."

점잖은 거절에 황제는 칼스버그 대공을 얄미운 듯 노려보았다.

"우선 맥코웰 영애와의 약속을 지켜 주셔야 합니다."

황제는 얕은 한숨을 내쉬었다. 어둑한 밤공기를 타고 입김이 연기처럼 흩어졌다.

"안 그래도 지금 황비가 맥코웰 영애를 소개하고 있을 것이오."

"예?"

칼스버그 대공은 깜짝 놀라 커튼에 막힌 뒤편을 돌아보았다.

"상을 당한 쿠퍼히트 공작에겐 안 된 일이나 로드리고 후작 부인의 변고로 여러모로 일이 쉽게 풀릴 듯하오."

언제나 연회장의 주인공이었던 미쉘은 이 자리에 없었다. 또 급진파에서 가장 목소리가 컸던 로드리고 후작은 아내의 갑작스런 죽음으로 일절 연회에 참석하지 않고 있었다.

아내의 죽음에 당장 비관 자살을 한다 해도 놀라운 일은 아니었다. 적어도 알렉산드로는 그렇게 생각했다.

"칼스버그 대공."

"예, 폐하."

"나는 더 이상 귀족들의 정치를 하지 않을 것이오."

가벼운 손짓으로 커튼을 거두라 명한 황제가 다시 연회장으로 들어섰다.

칼스버그 대공은 갸웃하며 황제의 뒷모습을 응시했다. 개혁의 의지는 있었으나 황태자 때문에 언제나 급진파의 눈치를 살피던 황제였다. 그가 바뀌었다.

귀족들이 모인 자리에 가장 높은 곳, 모두를 내려다보는 그 위치에 이 제국의 위인이자 제 선조의 초상화를 전시한 것부터가 그랬다.

그레이엄 황실이, 연회장을 압도하고 있었다.

황궁의 연회 이후 평화만 지속될 것 같던 수도에는 피바람이 불었다.

로드리고 후작이 한밤중에 급사했고, 아내를 따라 갔다는 소문이 채 사라지기도 전에 급진파의 수장들이 줄줄이 목숨을 잃었다.

안타까운 일이지만 그 덕분에 베아트리체가 맥코웰이 되는 걸 반대하는 이가 아무도 없었다.

신전의 늙은 사제가 황궁까지 찾아와 목소리를 높였지만 그마저도 이튿날부터는 보이지 않았다.

밀런은 결국 헤일라의 요구를 들어주었다. 끝내 파혼에 실패하고 수도에서 가장 화려한 결혼식까지 올렸다. 두 사람은 모두의 귀감을 사는 훌륭한 쇼윈도 부부가 되었다.

헤일라는 적극적으로 사교활동에 나서며 베아트리체를 도와주었다.

모든 게 유리하게 흘러가는 상황에 그녀는 남편을 의심했다.

하지만 알렉산드로는 어린 황녀의 직속 호위 기사가 된 자신이 무슨 계략을 꾸밀 수가 있겠냐며 결백을 주장했다.

알렉산드로와 칼스버그 대공, 쿠퍼히트 공작, 그리고 황제.

이해관계가 일치하는 네 사람의 주도 아래 모든 게 강물처럼 흘러갔다.

황실 근위대장이 되어 바빠진 알렉산드로를 대신하여, 베아트리체는 황녀의 궁에 말상대로 출입하기 시작했다.

에스텔라는 5살 치고는 상당히 조숙한 아이였다. 만남이 지속되자 황녀는 평범한 동화책 읽기를 거부하기 시작했다.

"맥코웰 영애, 물어볼 것이 있소. 그대는 왜 칼스버그 경의 부인으로 불리지 않는 것이오?"

"저의 선택입니다. 모두가 저와 같은 자유를 가진다면 훗날 저하께서 결혼하신다 해도 영원히 그레이엄으로 남을 수 있겠지요."

"음, 그렇다면 마음에 드는군."

근엄하게 고개를 끄덕인 에스텔라가 이번에는 그녀의 눈치를 살폈다.

"배를 만져 봐도 되겠소?"

"그럼요, 저하."

7개월이 넘어가자 배가 꽤 불러오기 시작했다. 아직 거동이 불편할 정도는 아니어서 황궁을 오가는 건 어렵지 않았다.

에스텔라는 조심스레 배를 살살 쓰다듬다가 신기한 눈으로 베아트리체를 올려다봤다.

"온 마음으로 순산을 기원하겠소."

"고맙습니다, 저하."

에스텔라의 권유로 두 사람은 정원을 산책하다 선선한 그늘 아래 앉아서 달콤한 디저트를 먹었다.

"많이 드시오, 영애."

에스텔라는 달콤한 시럽이 발린 무화과를 그녀에게도 나눠 주었다.

"그대는 재밌는 이야기를 많이 해 줘서 좋소. 칼스버그 경은 너무 무뚝뚝하고 말이 없어서 별로 즐겁지 않았소."

베아트리체는 소리 없이 웃었다.

"저하를 즐겁게 해 주지 못했다니, 벌을 내려야겠습니다."

"내게 그 집시 얘기를 더 해 줄 수 있겠소?"

"물론입니다, 저하."

베아트리체는 동화책을 싫어하는 황녀에게 대신 자신이 전해 듣고, 실제로 마주했던 몇 가지 신비로운 일들을 이야기해 주었다.

"……어느 날, 집시가 제게 말했습니다. 사랑을 천 번 고백하면 죽어서도 그 상대를 잊지 못한다고 말이지요."

"호오."

수없이 많이 사랑을 고백한 상대는 다시 태어나서도 서로 기억한다.

"세상에는 불가사의한 일들이 있고, 어떤 것은 영원하다 합니다. 저하께서는 믿으십니까?"

"음, 나는 믿지 못하겠소. 사랑이 그렇게 대단한 것인지도 모르겠구려."

대대로 사랑꾼 집안에서 태어난 아이치고는 상당히 냉정한 발언이었다.

"사랑이 무엇이오? 그대는 결혼을 했으니 잘 알지 않소."

"예, 저는 사랑이 무엇인지 잘 압니다."

베아트리체는 제 앞에 놓인 무화과가 담긴 그릇을 들어올렸다. 황녀가 가장 좋아하는 디저트로, 알렉산드로는 한 번도 얻어먹지 못한 것이었다.

"사랑은 이 무화과를 다른 사람에게 나눠 주는 것입니다, 저하."

황녀의 눈이 동그래졌다.

"그럼 내가 그대를 사랑하는 것이오?"

"그런가 봅니다."

까르르 웃음꽃이 터졌다. 두 사람은 꽃향기를 맡으며 화기애애한 대화를 이어 갔다.

그날 저녁, 알렉산드로는 황제가 전한 베아트리체의 임신 축하 선물을 가져왔다.

"루비 목걸이네요?"

메추리알만 한 커다란 붉은 루비가 박힌 백금 목걸이였다. 루비의 모양은 완벽한 하트였다. 잘 깎인 보석의 영롱함이 디자인의 유치함을 상쇄했다.

하트 루비를 만지작거리자 알렉산드로가 부드럽게 그것을 가져가 그녀의 목에 걸어 주었다.

빛나는 루비가 그녀의 쇄골 근처에서 달랑거리는 감촉이 꽤 묵직했다. 의심 없이 받기는 어려울 정도로 선물한 상대의 의도를 궁금하게 만드는 훌륭한 목걸이였다.

"잘 어울려."

"고마워요."

만약 자신이 '왕의 눈물'을 찾는 데 일조하지 않았다면, 부담스러워 거절했을지 모른다.

하지만 베아트리체는 선뜻 황제의 선물을 받았다. 하트 루비를 만지작거리던 그녀의 손끝에 자잘한 각인이 느껴졌다. 루비의 뒷면을 감싼 백금에 뭔가가 새겨져 있었다.

"폐하께서 이름을 지어 주셨어."

황제가 직접 지시하여 만든 루비 목걸이에 이름까지 하사했다.

하트 루비를 뒤집어보니 음각으로 새겨진 멋스러운 문구가 보였다.

이를 확인하고 그녀가 작게 탄성을 터뜨렸다.

"우리에게 잘 어울려요."

"그렇지."

베아트리체와 알렉산드로의 삶은 이렇게 말할 수 있으리라.

영원한 사랑을 위하여

-베아트리체 외전 완결-

BLACK LABEL CLUB 024

베아트리체 외전 2

초판 인쇄 2020년 3월 20일
초판 발행 2020년 3월 30일

지은이 마셰리
펴낸이 신현호
편집부장 예숙영
편집 박상희
편집디자인 한방울
영업·관리 김민원 조은걸 조인희
물류 이순우 최준혁 박찬수

펴낸곳 ㈜디앤씨미디어
출판등록 2002년 5월 1일 제117-90-51792호
주소 서울시 구로구 디지털로 26길 111 JnK디지털타워 503호
대표전화 (02)333-2513 팩스 (02)333-2514
전자우편 dncbooks@dncmedia.co.kr
디앤씨북스 블로그 http://blog.naver.com/dncbooks

ISBN 979-11-264-5100-5 (04810)
ISBN 979-11-264-2727-7 (세트)